MICHEL CHARTRAN
LES VOIES D'UN HOMME DE PAROLE
de Fernand Foisy
est le cent dixième ouvrage
publié chez
LANCTÔT ÉDITEUR.

MICHEL CHARTRAND
LES VOIES D'UN HOMME DE PAROLE

du même auteur

Michel Chartrand/Les dires d'un homme de parole, Lanctôt éditeur, 1997.

Fernand Foisy

MICHEL CHARTRAND

LES VOIES D'UN HOMME DE PAROLE

LANCTÔT
ÉDITEUR

LANCTÔT ÉDITEUR
1660A, avenue Ducharme
Outremont, Québec
H2V 1G7
Tél.: (514) 270.6303
Téléc.: (514) 273.9608
Adresse électronique: lanedit@total.net
Site Internet: ww.total.net/~lanedit

Photo de Michel Chartrand en couverture:
Jean-François Bérubé

Maquette de la couverture:
Stéphane Gaulin

Recherche iconographique:
Fernand Foisy

Composition et montage:
Édiscript enr.

Distribution:
Prologue
Tél.: (514) 434.0306 / 1.800.363.2864
Téléc.: (514) 434.2627 / 1.800.361.8088

Distribution en Europe:
Librairie du Québec
30, rue Gay-Lussac
75005 Paris
France
Téléc.: 43 54 39 15

Nous remercions le ministère du Patrimoine canadien et le Conseil des arts
du Canada de l'aide accordée à notre programme de publication. Nous
remercions également la Sodec, du ministère de la Culture et des Commu-
nications du Québec, de son soutien.

À vous qui nous avez quittés ;
mon père Guillaume
ma mère Lucienne
ma femme Gisèle.

À vous qui êtes bien présents dans ma vie ;
mon fils Martin
ma fiancée Suzanne.
Vous êtes mon inspiration.
Je vous aime.

Avant-propos

Je suis un voleur. J'écoute, je lis, je vois, j'interroge, je touche, je hume. Et je prends note de tout. Cet ouvrage est le fruit de mes larcins. J'ai volé des informations et des opinions. J'ai tout volé.

Je suis mon propre secrétaire, je suis mon propre recherchiste, mon propre documentaliste, à la fois rédacteur et réalisateur, mais je ne suis pas psychanalyste et je laisse cela aux personnes autrement qualifiées.

Ce livre n'est pas une biographie. Je préfère parler d'un récit, celui d'une vie inordinaire, ou d'un portrait, celui d'un homme bien de son temps que j'ai appris à connaître au fil des ans.

Je ne suis ni historien ni écrivain. Je laisse aux professionnels le soin de rédiger la biographie « officielle » de Michel Chartrand, s'ils en ont et le temps et le courage. Il me ferait d'ailleurs grand plaisir de les aider dans leurs recherches.

J'ai un atout rare : je connais cet homme — mon ami, pour ceux qui diront que je ne suis pas objectif — depuis plus de 32 ans et j'ai le goût d'en parler. À part quelques reportages dans les journaux et dans certains magazines, rien ou presque n'a été raconté sur lui.

Pour les fins de ma recherche, mais aussi en raison de l'amitié qui nous lie, j'ai eu l'occasion de rencontrer à maintes reprises Simonne et de parler avec elle de son «cher Michel». J'ai aussi rencontré plusieurs membres de la famille Chartrand, ses frères et sœurs, comme ses enfants et petits-enfants.

Il n'est pas facile de brosser le portrait exhaustif d'un personnage comme Michel Chartrand, surtout lorsque, de prime abord, le «sujet» se montre complètement désintéressé. À partir des documents de recherche préparés par Suzanne Chartrand pour la production du film *Un homme de parole* réalisé par Alain Chartrand et sa compagne, la scénariste Diane Cailhier, j'ai amorcé mon propre plan de recherche et de travail. J'ai relu les livres autobiographiques de Simonne Monet-Chartrand, parus aux Éditions du Remue-ménage. J'ai consulté un grand nombre d'ouvrages sur l'époque qui nous intéresse dans ce premier tome, depuis la naissance de Michel Chartrand jusqu'en 1967, ainsi que les archives de différents journaux et magazines et celles de la CSN, de l'UQAM et du centre de documentation de la Bibliothèque nationale. J'ai aussi consulté mes vieux agendas et mes carnets d'adresses.

Surtout, j'ai interviewé une centaine de personnes, proches parents ou témoins. En dernier lieu, j'ai pu lire, grâce à la générosité de Diane Cailhier et d'Alain Chartrand, le scénario de la série télévisée, de six émissions d'une heure chacune, *Chartrand et Simonne*, qui sera diffusée à la télévision de Radio-Canada.

On sait, depuis les dernières élections, que le *human interest*, ça fait chier Michel. C'est du moins ce qu'il a affirmé à Bernard Derome de façon retentissante.

Le *human interest*, c'est bavarder, potiner, cancaner, commérer, médire dans certains cas. Il n'est pas intéressé par tous ces grenouillages. Il préfère que l'on discute des vrais problèmes. C'est ce qu'il affirmait dans une entrevue qu'il donnait à Christiane Charette, à la télévision de Radio-Canada:

Des entrevues de *human interest*, j'aime pas bien ça. Ce qui m'intéresse, c'est la politique et le syndicalisme. C'est rare qu'on m'invite pour ça et alors je ne me retrouve pas dans les bonnes sortes d'émissions. Je ne fais pas partie de la variété, moi, je fais partie de la politique et du syndicalisme.

Peut-être trouvera-t-il que je fais, moi aussi, ici et là dans cet ouvrage, du *human interest*... Je n'ai pas toujours pu éviter cet écueil, tout en cherchant cependant à ne pas lui élever un monument dont il serait le premier sans doute à réclamer la destruction.

Quand ai-je rencontré Michel Chartrand la première fois ? J'ai travaillé à ses côtés de 1968 à 1974 ; Chartrand était alors président du Conseil central des Syndicats nationaux de Montréal (CCSNM-CSN) et moi, j'en étais le secrétaire général. Par la suite, nous nous sommes retrouvés à la Caisse populaire Desjardins des Syndicats nationaux de Montréal, de 1978 à 1985 ; Chartrand était le président du conseil d'administration et j'étais le gérant de crédit. Finalement c'est à la Fondation pour aider les travailleuses et les travailleurs accidenté-e-s (FATA) que nous nous rencontrons depuis 1985.

Il y a quelques années, je réservais une belle surprise à Michel en publiant ses réflexions. Cet ouvrage, *Les dires d'un homme de parole*, a été lancé le 5 mai 1997, quelques mois après que Michel eut célébré son quatre-vingtième anniversaire de naissance. Je réalisais ainsi un vieux souhait de Michel, celui de diffuser largement sa pensée, sa philosophie, ses revendications. Le temps est maintenant venu de faire découvrir au grand public cette histoire d'un battant exceptionnel qui a marqué à sa façon le Québec.

Michel Chartrand est un des rares personnages publics à n'avoir jamais dévié de son idéal, celui qu'il a consacré à la plus belle des causes mais aussi la plus exigeante, celle de la défense des plus démunis de la société, des sans-voix, des laissés-pour-compte, de la minorité silencieuse. Ce combat, il l'a livré sans merci, envers et contre tous, n'épargnant ni ses ennemis... ni ses amis bien souvent. Lorsqu'il s'en prend publiquement à un politicien, ce sont ses actes politiques qu'il remet en question. La vie privée de ces hommes ou de ces femmes ne l'intéresse nullement et il n'en parle jamais.

❑

Lorsque j'ai annoncé à des amis que j'écrivais un livre sur Michel Chartrand, la première réaction de ceux qui ne le connaissent pas intimement a été de me dire :

— Vas-tu mettre des sacres ? Va-t-il sacrer ?

Instantanément, j'ai compris le besoin criant de ce livre, pour rétablir certaines vérités.

Chartrand n'a pas fait que blasphémer dans sa vie. Il faut vraiment être mêlé et croire tout ce que rapportent les médias pour le penser.

C'est comme réduire à son zizi Bill Clinton et à sa bouche Monica Lewinsky. On voit l'arbre qui cacherait une forêt.

Ne retenir que cela de Michel Chartrand, c'est comme fixer un bouton sur le bout d'un nez et oublier le reste de la personnalité.

Oui, Michel Chartrand joue du juron, comme la grande majorité des Québécois, peu importe leur langue. Il a aussi fait de grandes choses dans sa riche vie... C'est ce que je vais tenter de raconter. Mais je ne vais pas TOUT raconter, vous vous en doutez bien. Je ne voudrais pas faire insulte à votre intelligence et je vous crois capable de lire entre les lignes...

Peu, même parmi ses amis proches, connaissent sa sensibilité, son dévouement, sa générosité, son engagement, son goût de la justice, son mépris de l'argent, sa ténacité, sa tolérance.

Raconter Michel Chartrand, c'est aussi survoler certains moments marquants de l'histoire du Québec et du mouvement ouvrier.

C'est donc avec la satisfaction du travail accompli, après toutes ces années de recherche, que je vous invite à lire ce premier tome.

Le deuxième auquel je travaille actuellement commencera en 1968, année où Michel fait un retour au syndicalisme après une absence de près de 10 ans. Le hasard faisant bien les choses, c'est au cours de cette même année que j'ai commencé à militer à ses côtés dans le monde syndical.

FERNAND FOISY
Montréal, le 16 juin 1999

Chartrand mode d'emploi

J'ai longuement réfléchi à la façon de présenter Michel Chartrand et son entourage. J'ai choisi de le suivre à partir des événements marquants de sa vie et de l'histoire du Québec, en y allant chronologiquement. Cette façon de raconter la petite histoire et la grande est, pour moi, celle qui rend le mieux compte de l'agressif, bouillant, coloré, coléreux, constant, courageux, dangereux, désœuvré, drôle, empoisonneur, énergique, enflammé, engagé, enragé, exalté, fanatique, farfelu, fauteur de troubles, fougueux, furieux, gastronome, généreux, gêneur, grossier, grotesque, gueulard, hurleur, inconscient, incorruptible, indomptable, ingénieux, insensé, insolite, insoumis, insultant, insurgé, insurrectionnel, intègre, irascible, irréaliste, irresponsable, juste, libertin, loufoque, loyal, lucide, mal engueulé, méprisant, noble, offensant, outrageant, outremontois, perturbateur, pitre, pointilleux, polisson, politisé, populaire, présomptueux, prophète, provocateur, raseur, rebelle, réformateur, révolutionnaire, ridicule, rigoureux, roublard, rustre, sacreur, séditieux, socialiste, subversif, tempétueux, tenace, turbulent, utopique, vaillant, véridique, vétillard, vexatoire, vif, vigilant, vigoureux et violent (selon que l'on est du côté patronal ou du côté syndical) personnage. Je donnerai donc priorité aux événements. Quant aux « coups de gueule » de notre impétueux sujet, je vous renvoie à mon premier ouvrage, *Michel Chartrand/ Les dires d'un homme de parole*, paru en 1997 chez Lanctôt éditeur.

J'évoquerai des événements marquants, mais je ne négligerai pas pour autant les amours, parfois difficiles, de Michel et de Simonne Monet, en publiant quelques extraits de leur correspondance. Ces lettres demeurent la meilleure description de leur lien enflammé, de leur ténacité et de leur désir d'être unis, peu importe ce que l'entourage pourrait en penser. Elles démontrent avec justesse la force et la détermination qui les habitaient, la passion qui les motivait. Simonne explique avec force détails sa vision du rôle de mère de famille. Elle veut être l'épouse complice des engagements de son compagnon et non l'épouse escorte, rôle malheureusement dévolu aux femmes mariées de cette époque. Elle sera madame Michel Chartrand, mais aussi Simonne Monet-Chartrand.

Michel a toujours affirmé que Simonne était son égale et qu'elle n'était surtout pas une « servante de presbytère ». À travers les lettres qu'ils s'échangent, ces deux complices célibataires discutent de sexualité. Ils le font avec une grande ouverture d'esprit, sans détour et sans hypocrisie, allant directement au but, ce que peu de couples font à cette époque.

Michel Chartrand, treizième enfant d'une famille qui en compte 14, poursuit des études qui ne le satisfont pas. Pendant deux ans, il se fait moine (sans jamais parler, ou presque) au monastère des Cisterciens, à la Trappe d'Oka, près du lac des Deux-Montagnes. Il s'engage ensuite à fond de train dans les mouvements étudiants, catholiques et nationalistes, les JEC, JOC, JIC, fait campagne pour Jean Drapeau, le candidat des conscrits, dans le comté d'Outremont, en se donnant entièrement à l'organisation de la campagne du NON lors du plébiscite contre la conscription. Il milite à la Ligue de défense du Canada, a maille à partir avec l'armée, rencontre André

Laurendeau et devient organisateur du Bloc populaire canadien et québécois. Militant nationaliste et par la suite socialiste, il se portera candidat, sans jamais réussir à se faire élire, à plusieurs élections. Il épouse Simonne Monet, sans la permission des beaux-parents, et cette femme lui donnera sept enfants, tous baptisés, enveloppés dans ce qui deviendra le drapeau du Québec, par le chanoine Lionel Groulx. En 1949, il découvre le syndicalisme à Asbestos où il côtoiera les Trudeau, Pelletier, Marchand. Adversaire de Marchand qui le congédie à deux reprises de la CSN, il participera aux grèves à Shawinigan et de Dupuis et Frères à Montréal. Il fonde le Syndicat des employés de la CSN (CTCC), malgré l'obstruction systématique de Jean Marchand. Entre 1952 et 1955, il se fera arrêter et se retrouvera en prison à sept reprises, pour s'être trouvé sur des lignes de piquetage. Il n'hésite pas à travailler avec une centrale syndicale rivale à l'occasion de grèves à Rouyn-Noranda et en Gaspésie. Il fait, chose nouvelle, de l'éducation politique à l'intérieur des syndicats et livre ses combats politiques à l'intérieur de la Cooperative Commonwealth Federation (CCF-PSD), puis du Nouveau Parti démocratique (NPD) et du Parti socialiste du Québec (PSQ). Il quitte temporairement le syndicalisme et, fort de ses connaissances typographiques, il met sur pied sa propre imprimerie. Il publie ainsi Gilles Vigneault et quelques autres poètes inconnus. Il s'implique activement dans des mouvements de désarmement nucléaire, travaille activement à l'organisation des États généraux du Canada français. Après une absence de près de 10 ans, il fera, au début de 1968, un retour marqué dans le syndicalisme... à la CSN.

Michel Chartrand est indéniablement un personnage complexe qui ne se laisse pas saisir facilement. Il fait indéniablement partie de la petite et de la grande histoires du Québec. À vous de le découvrir!

CHAPITRE PREMIER

D'Outremont à Oka

Le moine Michel Chartrand

« Moi, je vais faire un moine. Moi, je vais faire un moine... »

Michel Chartrand, même tout petit, tout frêle, est doté d'une ténacité précoce. Il tire sur le pantalon de son père et répète d'une voix forte : « Moi, je vais faire un moine, Moi je vais faire un moine... »

Michel n'a alors que trois ans et bien sûr il ne s'en souvient pas aujourd'hui, mais sa grande sœur Lilianne, dite Lili, s'en souvenait très bien, malgré ses 93 ans [1]. Personne ne l'avait encouragé à entrer dans les ordres religieux. C'était pourtant ce qu'il avait décidé dans sa petite tête d'enfant de trois ans. Il avait dû rencontrer un moine sur la rue, en compagnie de son père. Étonné et amusé sans doute par l'habit de cette personne, il avait interrogé son père. Les vêtements du religieux lui plaisaient, la réponse de son père l'avait rassuré, et c'est probablement par mimétisme qu'il avait décidé qu'il porterait, lui aussi, un tel accoutrement. De là à y voir une vocation précoce... à trois ans ? C'est plutôt vers

---

1. Elle est décédée en 1998 à l'âge de 99 ans.

l'âge de 10 ans, au cours d'une visite à la Trappe d'Oka, qu'a germé en lui l'idée de devenir moine.

Outremont… c'est la campagne

Michel Chartrand est le septième fils et le treizième enfant d'une famille qui en compte 14. Il est né le 20 décembre 1916 à Outremont, une banlieue chic de Montréal, au domicile des Chartrand, situé à l'angle de la rue McCullock et du boulevard du Mont-Royal. La maison paternelle est située dans un petit boisé accroché au flanc de la montagne, face au cimetière protestant. Ses parents sont relativement âgés ; sa mère a 43 ans et son père en a 49.

Baptisé, il portera le nom de Joseph-Michel-Raphaël Chartrand, fils de Marie-Joseph-Louis Chartrand (1867-1944) et d'Hélène Patenaude (1873-1962).

À cette époque, Outremont c'est la campagne. Michel aime répéter qu'il a été élevé dans le bois et c'est la pure vérité ! On y respire le baume des arbres fruitiers, des pruniers et des pommiers, le calme et la volupté. La nuit tombée, l'allumeur de réverbères vient allumer les fanaux du boulevard du Mont-Royal, l'un des rares chemins de Montréal éclairés la nuit. La maison paternelle est située sur l'ancienne ferme d'un dénommé Gorman, qui fut le plus prospère fermier d'Outremont.

La Première Guerre mondiale fait rage en 1914 en Europe. L'abbé Lionel Groulx, qui deviendra chanoine, grand défenseur de la langue française et du fait français en Amérique, commence dès 1915 à enseigner l'histoire du Québec et du Canada. Il aura une grande influence sur Michel Chartrand et son épouse Simonne Monet.

1916 : Ce n'est qu'un début...

Cette même année, les Éditions Beauchemin publient un ouvrage du peintre et dessinateur Henri Julien, dans lequel paraît pour la première fois une œuvre appelée à devenir célèbre : *Un vieux de...* Cette silhouette[2] armée représentant les combattants de la liberté apparaîtra en filigrane sur les communiqués du Front de libération du Québec, au cours de la crise d'Octobre 1970. Michel n'a pas encore un an lorsque la Révolution d'octobre de 1917 éclate en Russie. Le premier ministre du Canada, Robert Borden, fait adopter la *Loi du service militaire*, ce qui soulève la colère des Québécois, opposés à toute conscription.

L'armistice est signé en 1918 en même temps que survient l'épidémie mondiale de grippe espagnole, qui fera des millions de victimes sur la planète.

Le monde ouvrier traverse une période difficile. En 1921, une grave crise économique sévit ; plus de 16 % des travailleurs syndiqués sont en chômage. C'est aussi cette année-là qu'est fondée la Confédération des travailleurs catholiques du Canada (CTCC), qui deviendra, en 1960, la Confédération des syndicats nationaux (CSN).

La grand-mère maternelle est mise à la porte

La grand-mère paternelle de Michel, Félicité Legault, a eu deux enfants de Paul Chartrand, un riche mari qui avait déjà deux garçons d'un premier mariage. Il meurt subitement alors qu'elle est enceinte de jumeaux.

---

2. Cette même silhouette, taillée à la demande de Michel par un militant, mon frère Lucien, dans un morceau de contreplaqué, est exposée à l'entrée de la résidence des Chartrand à Richelieu en 1970.

Les deux garçons du premier lit, âgés alors respectivement de 20 et 21 ans, jettent la veuve enceinte à la rue. Elle se retrouve sans ressources, dans un état de dénuement total. Elle se réfugie alors chez des oncles, des cousins, des cousines et elle élèvera seule ses garçons : Louis, le père de Michel, et son frère jumeau, Michel-Adélard. Les Sulpiciens se chargeront ensuite de l'éducation des jumeaux.

Louis Chartrand, père de Michel

En 1890, Louis Chartrand obtient un emploi de col blanc dans la fonction publique du gouvernement de la province de Québec. Ce travail stable lui permet de faire des projets d'avenir. Le 4 août 1896, Louis Chartrand unit sa destinée à celle d'Hélène Patenaude, fille d'un tailleur et marchand à Longueuil. Ils s'installent à Montréal pour y fonder une famille. Hélène donnera naissance à 14 enfants.

Louis Chartrand n'affiche pas ses couleurs politiques, mais c'est un nationaliste. Il a été pendant quelques années un partisan d'Honoré Mercier, premier ministre du Québec de 1887 à 1894, mais au décès de Mercier, désabusé, il ne se commettra plus en politique active.

Louis Chartrand épouse les valeurs de son temps. Les Canadiens français sont alors très majoritairement catholiques et pratiquants et vivent selon les préceptes de l'Église catholique.

Le père de Michel est un homme très religieux. Il est un admirateur et un disciple inconditionnel du pape Pie X et milite dans plusieurs mouvements religieux. Il sera, pendant quelque temps, portier du célèbre frère André, à l'oratoire Saint-Joseph de Montréal. Tous les matins, des centaines de personnes se pressent devant la porte du frère André, réputé thaumaturge à qui l'on attribue des guérisons qui tiennent du miracle. Il ne ressuscite pas les morts mais... Louis, fidèle fervent, l'admire.

Le grand-père est aussi un gentilhomme au style campagnard, un hobereau, près de la nature et des gens. Il fabrique son propre vin. Grand, mince, très droit, l'homme est orgueilleux et dégage beaucoup de puissance. Malgré son apparence austère, c'est un être sensible doté d'un grand sens de l'humour.

Il a une bonne connaissance des technologies et des techniques de son temps. Il possède un assortiment d'outils avec lesquels il s'est fabriqué des meubles. De plus, sportif aguerri, il pratique avec brio l'escrime. Aucun de ses enfants ne manifestera d'intérêt pour les sports, à son grand désespoir.

Son frère jumeau, Michel-Adélard, ouvre une librairie à Boston. Louis l'aide à s'installer. Ce commerce connaît un certain succès et d'aucuns conseillent à Louis d'aller rejoindre son frère. Mais Louis ne parle pas un traître mot d'anglais et il ne veut pas s'expatrier. Le départ de son frère le laisse morose ; des liens très forts les unissaient et, dès leur plus tendre enfance, ils avaient toujours pu compter l'un sur l'autre.

La charité chrétienne, la droiture et la justice ont été les vertus pratiquées par Louis Chartrand. On les retrouvera chez son fils Michel.

Hélène Patenaude-Chartrand, mère de Michel Chartrand

Hélène Patenaude-Chartrand perd son père à l'âge de sept ans. Elle a une sœur, Marie-Antoinette, et un frère, Napoléon, que tous surnomment Pat. Marie-Antoinette reste célibataire et tient une maison de pension à Westmount où elle n'accueille que des hommes, qu'elle juge « moins capricieux que les femmes ». Le frère Pat demeurera, lui aussi, célibataire. Homme cultivé et enjoué, il passe six mois par année à son appartement de Paris pour y brasser d'importantes affaires, dans le textile surtout. Il aime fréquenter les grands noms de la culture, de même que les grands couturiers. Au retour de ses voyages à Paris, il invite ses nièces dans ses boutiques luxueuses et leur offre des présents.

Hélène est une femme énergique malgré sa petite taille. Enjouée et très vivante, elle se fiancera à deux reprises avant de rencontrer son mari, Louis. Délaissant son deuxième fiancé, un homme issu d'une famille riche, elle s'unit pour la vie à Louis Chartrand. Forte de son expérience et heureuse en amour, elle conseille ses nièces avant leur mariage :

> Écoute bien, ma fille. Est-ce que tu aimes assez cet homme pour coucher avec lui ? Ça, c'est un signe. Il faut que tu l'aimes de toutes les façons. Moi, mon Louis a toujours été à la hauteur et je ne l'ai jamais regretté. C'est ça qui fera que ton mariage durera toute la vie.

Les Chartrand déménagent rue Labelle : une surprise !

Depuis les débuts de leur mariage, les Chartrand déménagent souvent. Ainsi que le veut l'Église catholique, l'amour du couple se manifeste par les grossesses répétées d'Hélène. La famille croît au rythme d'un enfant par année et elle doit emménager dans un logement plus grand tous les deux ans, c'est-à-dire à tous les deux enfants. Les Chartrand changent donc de paroisse 12 fois avant la naissance de Michel ! Les préceptes religieux régissant la sexualité des couples ne sont pas les seuls facteurs qui amènent la famille à changer de paroisse. Ces déménagements répondent aussi à des tactiques de l'évêché : en effet, Mgr Gauthier, évêque du diocèse de Montréal, demande alors à ses bons sujets d'acquérir des maisons dans la ruelle Labelle, à Montréal, afin de transformer la vocation du quartier en obligeant les filles de joie qui y opèrent à se déplacer ailleurs.

La famille y installe scrupuleusement ses pénates. Il s'agit d'une véritable mission. Les Chartrand, des Outremontois, habitent désormais la rue des bordels à Montréal. Ils s'installent donc sur la ruelle Labelle, au sud de la rue Sainte-Catherine, à côté de la boulangerie Cousin. Michel adore les framboises au chocolat de leur voisin immédiat, le boulanger, mais ses sœurs, elles, n'apprécient pas du tout le secteur ; ses frères, eux, font connaissance avec les filles du quartier. Madame Chartrand ne s'attendait pas à un tel résultat. Il faut se rendre à l'évidence : le plan de l'évêque ne fonctionne pas ! Louis Chartrand, le père, sort perdant de cette aventure. Sa maison est revendue à perte.

Outremontois de nouveau

La famille Chartrand réemménage donc à Outremont. Grâce à son revenu de fonctionnaire, Louis Chartrand permet à sa famille de s'insérer dans un milieu petit-bourgeois. Les Chartrand vivent bien, mais ils ne sont pas riches ; cependant, le petit Michel est toujours traité en prince par sa mère. Elle le gâte de mille et une façons. C'est son dernier garçon, il est gentil, affectueux, intelligent et sans aucun doute un peu « ratoureux ». La mère et le fils s'échangent tendresse et affection.

Les vacances en famille

Jacqueline Chartrand, sœur cadette de Michel, se rappelle les vacances à Pointe-aux-Pins, dans la région de Sorel, alors que Michel a neuf ans :

> Nous passions souvent nos étés à cet endroit. À cette époque, Michel commence à se rebeller. Quand nos parents lui refusent ce qu'il demande, il prend la chaloupe et s'en va jusqu'au milieu du fleuve Saint-Laurent où naviguent des transatlantiques, souvent quatre de front. Maman lève les bras en l'air et s'agite, craignant qu'il se noie.

Il arrive à la famille de passer ses vacances d'été à Lachenaie dans une vénérable maison québécoise vieille de 300 ans. Louis Chartrand désire acheter cette maison de pierres aux gigantesques foyers, mais les propriétaires ne possèdent pas les droits pour la vendre. Louis Chartrand dépose quand même une offre d'achat dans laquelle il s'engage, respectueux du patrimoine québécois, à ne transformer d'aucune façon ce trésor ancestral qu'il convoite tant. Le propriétaire refuse l'offre, invoquant diverses raisons peu crédibles. L'affaire se terminera plutôt bêtement. Après le décès de son épouse, le propriétaire se remarie et la nouvelle patronne fait démolir la maison ! Une énorme déception pour celui qui en rêvait.

La justice et le pain quotidien

Louis Chartrand est responsable d'une famille de 14 enfants. Il travaille comme comptable vérificateur pour le gouvernement du Québec. Ce métier exigeant, il le pratique avec une rigueur exemplaire car il n'admet aucune entorse à la morale. Ses responsabilités de père d'une famille nombreuse l'obligent à beaucoup de rigueur dans la gestion de ses finances personnelles. Malgré un salaire au-dessus de la moyenne, il se prive parfois de nourriture à l'heure du midi.

Dans le cadre de ses fonctions, il lui arrive souvent de parcourir la province. Il est donc souvent absent et les siens doivent faire preuve d'une grande débrouillardise. La famille s'agrandit au rythme d'un enfant presque tous les ans. De 1897 à 1918, Hélène Patenaude-Chartrand aura accouché de 14 enfants. Liliane, l'aînée des filles, agira en quelque sorte comme une deuxième mère auprès de ses sœurs et frères.

À l'instar de nombreuses familles de l'époque, les Chartrand pratiquent. l'économie avec une grande vertu. Aucun gaspillage n'est toléré et le papier journal est utilisé comme papier hygiénique. Mais le père préfère le bon alcool aux mauvais médicaments. C'est ainsi que, tous les dimanches, la famille au grand complet a droit à sa ration de vin. On recylce également les vêtements, que les enfants s'échangent d'année en année, quitte à ce que la mère effectue une légère modification ici et là.

Louis Chartrand : la justice d'un catholique

Louis est un fervent catholique qui assiste à la messe tous les matins. Et, malgré ses absences fréquentes, il doit faire preuve d'une discipline de fer pour contrôler sa marmaille et s'assurer qu'elle demeure dans le droit chemin. Aussi lui arrive-t-il parfois de corriger les plus turbulents — les garçons seulement — avec la strappe, cette lanière de cuir qui sert normalement à afiler les rasoirs.

Michel, le cadet, reçoit fréquemment sa part des punitions. Une petite tape derrière la tête, et sa mère sursaute :

— Ti-lou ! Frappe-le pas sur la tête, il va devenir fou !

Ayant été un jour impertinent envers un palefrenier, il recevra de son père une série de coups de pied au derrière dont il se souviendra longtemps. C'était, pour son père, une façon on ne peut plus directe de lui enseigner le respect des travailleurs, quels qu'ils soient.

Louis, chef de police !

Son autorité indiscutable, ses qualités de chef et sa réputation sans tache font qu'un jour Louis Chartrand se retrouve chef inspecteur à la police de Montréal.

Ce poste ne comporte pas que des devoirs, il s'accompagne aussi d'avantages non négligeables, de petites douceurs qu'il fait partager à ses enfants.

Il a droit à une automobile avec chauffeur. Une limousine, une Pisaro, s'amènera tous les dimanches au logis des Chartrand. Comme il n'y a pas de siège à côté du chauffeur, on installe un banc en bois pour y faire monter le petit Michel et la famille part en randonnée.

Cette gâterie sera de courte durée. Six mois à peine après sa nomination, Louis est remercié de ses services. On le trouve trop zélé, ou trop consciencieux ! Cet empêcheur de tourner en rond ne cadre pas dans ce milieu. Il retourne donc à ses anciennes fonctions : vérificateur à la Commission des liqueurs de la province de Québec, devenue par la suite la Société des alcools du Québec.

L'école forme ou déforme les caractères ?
Rencontre tumultueuse avec
Pierre Elliott Trudeau

En 1922, les Chartrand habitent avenue du Parc, à Montréal. À six ans, le jeune prince est admis à l'école

Dollard, à l'angle des rues Saint-Urbain et Bernard à Outremont. Les frères maristes sont d'excellents pédagogues, mais le garçon s'y ennuie. En 1925, Michel fait son entrée à l'Académie Querbes, une école bien tenue et pas trop éloignée de la maison. Il peut s'y rendre seul sans que sa mère s'inquiète.

Michel Chartrand se souvient bien de cette période :

> L'Académie Querbes était administrée par les Clercs de Saint-Viateur, mais nous avions des professeurs laïques très compétents et très intéressants. C'était une école pour les fils à papa d'Outremont et il y avait des petits effrontés parmi eux. À un moment donné, nous avons décidé de leur donner une leçon. On donnerait une rinsée à tous les finissants de huitième année. On en prenait un et à trois petits on le couchait par terre en lui barrant les jambes. On ne lui faisait pas mal. Quand un gars nous écœurait trop, on traversait la classe et on allait le mettre à sa place avec des arguments « punchés ».

Si ça joue dur chez les garçons de cet âge, on ne peut cependant pas affirmer qu'ils sont malins ou rancuniers. Pierre Elliott Trudeau, quant à lui, fréquentait une école où les cours se donnaient en anglais. Il y avait des affrontements entre les Irlandais (appelés Anglais) et les autres, ceux qui étudiaient en français.

> On a cassé la gueule de Trudeau et celle de ses copains à quelques occasions, se rappelle Michel Chartrand. Mais ces batailles de rues ne sont pas exclusives à Outremont. À peu près tous les quartiers de Montréal sont touchés par ce genre de délinquance. Ce sont des batailles entre « Anglais » et « Français ». Un nationalisme appliqué à sa mesure la plus simple.

Brébeuf et les fils de bourgeois

En 1930, le jeune Chartrand s'inscrit au collège classique Jean de Brébeuf pour y faire ses éléments latins. Le collège Brébeuf est confortablement installé sur le flanc du mont Royal. C'est un endroit calme, paisible et pondéré : tout est feutré, on n'y élève jamais la voix, sinon dans un cas de détresse. Dirigée par les Jésuites depuis 1928, l'institution accueille des pensionnaires et des demi-pensionnaires, issus principalement de la petite-bourgeoisie canadienne-française. Chartrand se retrouve donc demi-pensionnaire. Il prend ses repas du midi sur les lieux mais n'y dort pas puisque sa famille habite tout près. L'adolescent, malgré son esprit revendicateur précoce, remportera plusieurs prix d'excellence.

À la fin de l'année scolaire 1930-1931, il recevra deux premiers prix ; l'un en thème latin et un autre en élocution. Déjà pointe son immense talent d'orateur. Il mérite en plus trois *accessits*[3] : en français, en arithmétique et en anglais.

En juin 1932, il remporte de nouveau le premier prix d'élocution, et deux deuxièmes prix, en arithmétique et en anglais, ainsi que le prix spécial offert par M. Narcisse Vermette.

Du collège Brébeuf, Chartrand dira :

> Les professeurs de ce collège élitiste sont paresseux et incompétents. J'ai commencé à ramer contre le courant à 13 ans parce que c'étaient mes convictions. J'en ai vu agir, des fils de juge et d'avocat. Le chauffeur venait les déposer le matin. Ils trichaient en classe, ils étaient paresseux et guère intelligents... enfin, pas tous ! En général, les gars qui étaient bons dans les sports et dans la classe

---

3. *Accessit* : distinction, récompense accordée à ceux qui, sans avoir obtenu le prix, s'en sont approchés. Du latin : *ad hos proxime accesserunt*.

méritaient le respect, mais à la condition que ce ne soient pas des têteux. Les fils de riches, ça ne nous impressionnait pas. Nous étions plusieurs de la classe moyenne à penser comme ça.

En passant par Sainte-Thérèse

En 1931, Michel a 15 ans. Insatisfait de Brébeuf, il demande à changer de collège. Surprise : il veut être pensionnaire ! Ses parents l'inscrivent alors au petit séminaire de Sainte-Thérèse. Ce séminaire, fondé par le curé de Sainte-Thérèse, Charles Joseph Ducharme, en 1825, porte aujourd'hui le nom de cégep Lionel-Groulx en mémoire de l'historien québécois, le chanoine Lionel Groulx, ancien étudiant du séminaire de Sainte-Thérèse.

Sainte-Thérèse est située en banlieue de Montréal. C'est la vraie campagne : forêt, gibier, oiseaux et calme plat. On y forme les futurs vicaires. Les enseignants semblent davantage préoccupés par leur carrière que par la matière à enseigner. C'est à nouveau la déception pour le jeune Chartrand :

> C'était ennuyant. J'ai donc appris à mes camarades de classe à jouer à la crosse, un sport que je pratiquais à Brébeuf. Un dénommé Robitaille réussit à faire venir les joueurs du club de hockey Les Canadiens pour jouer contre mon équipe de crosse et c'est à ce moment que je me suis fait casser les dents. Les joueurs de hockey frappaient avec le mauvais côté de la crosse. Ils frappaient avec le bois plutôt que d'utiliser le filet.

Chartrand se réfugie alors dans la lecture pour contrer son ennui, une habitude qu'il a toujours conservée depuis.

J'ai lu toute la bibliothèque, je crois. Il ne restait que des livres en anglais. J'avais également trois ou quatre grammaires de grec, c'était fort intéressant. Le grec c'est comme un casse-tête. Il y a des préfixes et des suffixes. J'ai appris le grec parce que je n'avais rien d'autre à faire. Quant au latin, je l'ai appris à Oka. À Sainte-Thérèse, le latin ne m'intéressait pas.

Une fois de plus, Michel trouve ses professeurs insouciants, paresseux. Selon lui, les professeurs ne s'en tiennent qu'au manuel, ce qui en fait des perroquets ou presque. Jamais ils ne sortent de leur manuel, jamais ils n'élaborent sur un sujet en y apportant des exemples concrets. Compte tenu de cette situation et constatant qu'il ne va nulle part, l'élève Chartrand demande à son père de l'inscrire à la Trappe d'Oka.

D'Outremont à Oka

S'il faut en croire Michel Chartrand, il était le seul des garçons de sa famille capable d'affronter son père, sans toutefois jamais lui manquer de respect. Le père prenait alors le temps d'écouter son jeune fils téméraire en autant qu'il tenait un discours sensé. Il le prenait au sérieux.

Lorsque Michel, à l'âge de 16 ans, lui demande la permission d'entrer chez les moines à l'abbaye cistercienne de Notre-Dame-du-Lac, plus familièrement nommée la Trappe d'Oka, son père acquiesce à sa demande avant même d'avoir consulté son épouse. La mère de Michel ne tenait pas du tout à ce que son petit prince entre au monastère. Lorsque son mari lui fait part du projet de Michel, elle répond :

— Si c'est sa vocation, il n'y entrera que lorsqu'il aura ses 21 ans, pas avant.

— Mais Michel veut entrer à Oka. Il a quand même 16 ans.

— Inutile d'insister, pas avant 21 ans !

Peu de temps après, madame Chartrand rend visite à la famille de son beau-frère à Boston. Michel-Adélard Chartrand, frère de Louis Chartrand, est propriétaire d'une librairie. Sa clientèle est composée surtout de communautés religieuses. Il réalise des affaires d'or, grâce à son style, à sa gentillesse et à sa délicatesse, qualités qui charment cette clientèle spécialisée. Hélène Patenaude-Chartrand se sent en confiance chez Michel-Adélard et sa belle-sœur l'accueille toujours à bras ouverts.

« Maman est partie, c'est le temps... »

Pendant l'absence de sa mère, Michel en profite pour insister auprès de son père : « Viens. Allons faire un tour, juste un p'tit tour à Oka. »

Louis Chartrand acquiesce même s'il n'est pas dupe. C'est la fin du long congé de la fête du Travail et la fin de l'été québécois. Michel et son père partent aux petites heures du matin. Le voyage s'effectue dans un silence surprenant. Tous deux auront ainsi l'occasion de visiter le site de l'abbaye.

Entrée à Oka

Michel aura 17 ans le 20 décembre. Ce 5 septembre 1933, il est un adolescent en pleine croissance, fort, adroit, débrouillard, courageux, tenace, intelligent et fier. Il est aussi bavard, tatillon et aime bien avoir le dernier mot dans les discussions. Sa personnalité sera mise à rude épreuve. Pour une des rares fois dans sa vie, plutôt que d'occuper toute la place, Michel sera mis à sa place.

Le moine portier accueille le père et le fils à l'Hôtellerie, un des bâtiments qui composent le complexe de la Trappe d'Oka. Cet édifice sert de porte d'entrée et de chambre de réflexion aux nouveaux arrivants, qui doivent y effectuer un premier stage de dépouillement autant physique que moral. Les moines doivent s'assurer que le candidat possède un équilibre affectif suffisant pour mener la vie monastique sans être perturbé et sans perturber la vie de la communauté. Il faut s'assurer que le postulant désire de tout son cœur devenir moine.

Après avoir complété les formulaires d'admission, Michel se tourne vers son père. Il n'a jamais vraiment quitté cet homme qu'il respecte et admire. Bien sûr, son parcours d'étudiant a été parsemé de périodes d'absence plus ou moins prolongées alors qu'il était pensionnaire au collège, mais jamais n'a-t-il envisagé une absence aussi longue, voire permanente. Voici arrivé le point de non-retour.

La réclusion dans le silence

Le 1er octobre 1933, Michel prendra l'oblat, c'est-à-dire le manteau, et il deviendra le frère Marcellin. Il sera le plus jeune moine de la communauté, la moyenne d'âge étant de 25 ans.

Lorsque la mère de Michel revient des États-Unis, Louis devra lui expliquer fermement la décision de son fils et la convaincre du bien-fondé de sa démarche: «C'est sa vocation. Il veut y aller depuis qu'il est au monde. Il va être heureux», dit-il.

Que fait-on à Oka ?

Le séjour de Michel à la Trappe d'Oka durera deux ans, de 1933 à 1935. Dès son entrée, il est nommé moine de chœur, terme qui désigne celui qui veut devenir prêtre. Il pourra achever à la Trappe son cours classique et s'orienter ensuite vers la théologie.

Toutes les activités doivent être exécutées dans le silence le plus total. Aucune parole n'est échangée entre les moines, qui communiquent par gestes ou par écrit. Seul un moine de rang supérieur peut parler avec un moine de chœur. Le supérieur de l'abbaye porte le titre de *dom*.

Michel est affecté aux travaux manuels ; il cultive et entretient le potager car les moines ne vivent pas que d'amour de Dieu et d'eau fraîche.

Les femmes à Oka

Sa vie dans une communauté exclusivement mâle n'empêche pas Michel de rêver aux femmes. Il dira plus tard, beaucoup plus tard, un peu à la blague :

> Lorsque nous étions couchés et que nous méditions, il nous arrivait d'avoir des fantasmes. Des formes féminines envahissaient parfois notre esprit et notre corps et nous devions demeurer couchés sur le dos, sans jamais nous retourner, pour ne pas nous blesser !

Une découverte surprenante

Pendant son séjour à la Trappe, il découvre avec un collègue la magie du cidre. Ils travaillent à l'embouteillage de la précieuse boisson. Les compères, qui n'y connaissent pas grand-chose, en profitent pour s'envoyer derrière la chasuble quelques gorgées du délicieux nectar maison. Ils y prennent goût et finalement c'est à la tasse qu'ils s'abreuvent goulûment du jus de pomme fermenté. Leur travail leur semble de plus en plus intéressant. Ils s'amusent ferme, toujours en silence, et rient de bon cœur. Ils fredonnent tout bas, de peur d'être entendus, des airs appris dans une autre vie…

Le retour à leur cellule sera périlleux et le lendemain de veille, un peu pénible, mais personne ne percera leur secret. Ils ont goûté au jus fermenté du fruit défendu. C'est la première « brosse » de Michel.

Le quotidien à Oka

Michel racontera plus tard à ses frères les sacrifices que lui imposait la vie monastique. Tout le monde doit se lever dès deux heures du matin afin de prendre part à la messe. Ô délice ! ils peuvent alors chanter, eux les hommes du silence. Michel est autorisé, lui, à faire la grasse matinée ; il se lève à trois heures et trente du matin, sauf les jours de fête où le réveil doit s'effectuer une demi-heure plus tôt. Aucun risque de développer des plaies de lit…

L'hygiène à la Trappe bénéficie de traitements particuliers : par exemple, est considéré le plus brave celui qui peut se priver de se laver ou, mieux, encore, qui se lave dans sa propre sueur. Était-ce pour décourager les jeunes moines d'attouchements impurs ?

Le petit prince travaille durement. Il doit nourrir les vaches et les cochons de la ferme, brasser le fumier et entretenir les arbres fruitiers. Tout au long de sa vie, Michel attachera beaucoup d'importance aux travaux manuels. La pensée, la créativité doivent forcément passer par les sens, sans quoi elles risquent d'être scléro-sées, sans assises solides.

Dans le silence quotidien de sa vie monacale, Michel a tout le loisir pour réfléchir sur le sens de la vie, sur le monde et ses façons de vivre. Il prie, médite et lit énormément.

La flagellation

À la Trappe, le mode de vie est rigoureux et sévère. Toute faute exige son châtiment. Les manquements à la règle de saint Benoît doivent être avoués publiquement ou dénoncés. La correction est dure et humiliante. Celui qui se confesse ou est dénoncé doit se prosterner devant ses collègues réunis dans une salle appelée «le chapitre des coulpes». Les corrections sont plutôt fraternelles — on est loin tout de même des travaux forcés. Le coupable doit se prosterner, se dévêtir jusqu'à la ceinture et, torse nu, il reçoit sa pénitence — la discipline — sur-le-champ afin de réparer son manquement. Le repentant se fla-gelle avec un câble formé de cordes de lin à cinq doigts comportant chacun cinq nœuds dits de «capucins». Il arrive que ce soit un autre moine qui exécute la tâche. Selon un compagnon de cellule du moine Marcellin (Michel Chartrand), le moine Symphorien (Adrien Corriveau), le châtiment était plus ou moins doulou-reux, «tout dépendant de celui qui frappait». Il arrivait même qu'on les obligeait à expier le péché d'un autre, si celui-ci ne pouvait supporter le traitement. De nos jours, le «Chapitre des coulpes» n'a plus cours et les «fautes» se règlent d'une façon plus moderne.

À la fin, peu de temps avant de quitter la Trappe d'Oka, le moine Marcellin trouve le silence trop lourd à supporter. Ainsi, il récite ses psaumes à haute voix de-vant les arbres du domaine, qui lui servent de public.

Des moines, témoins involontaires de ses vocalises, doivent appliquer la règle de saint Benoît et le dénoncer, malgré les conséquences fâcheuses que cela entraîne.

Quand les membres de sa famille viennent le visiter, Michel a heureusement le droit de parler, mais il se fait un devoir de leur cacher ses difficultés d'apprentissage. Au contraire, il affirme être très heureux dans cette vie austère. Ses frères n'en croient pas leurs oreilles. Comment lui, Michel le volubile, peut-il vivre sans parler aux autres? Sèchement, il leur répond: «On communique entre nous par signes, c'est pas plus compliqué que ça!»

La santé en prend un coup

Les repas n'échappent pas au régime d'austérité qui règne à la Trappe. Poissons et légumes sont servis sans condiments: seul le sel est permis. Le beurre, interdit, est remplacé par du fromage. Les repas se prennent en silence, bien entendu, tandis qu'un moine lit des extraits de l'Ancien Testament.

Le traitement est plutôt difficile à accepter pour le fils choyé de sa mère. Il n'a certes pas oublié les repas qu'elle lui préparait affectueusement, selon ses goûts. Maman Chartrand, cuisinière accomplie, préparait pour ses garçons tout ce dont ils avaient envie.

La santé du jeune homme résiste mal à ce nouveau mode de vie. Plutôt que de faire la sieste après le repas du midi, Michel en profite pour lire et étudier. Le soir, il lutte contre le sommeil pour pouvoir étudier, de sorte que, lorsqu'il doit se coucher, il n'arrive plus à trouver le sommeil. À un moment donné, il est tellement épuisé qu'on doit le garder à l'infirmerie de la Trappe, où il tente de reprendre des forces en mangeant de la viande, ce qui est normalement interdit. Il y demeure pendant plus de trois semaines.

Le père abbé, *dom* Pacôme, lui offre alors de s'installer à l'Hôtellerie, ce que le malade refuse, préférant retourner vivre au monastère parmi les siens. Mais le jeune aspirant commence à avoir l'impression d'importuner et d'embarrasser ses hôtes. Il se souvient que son père, un vieux chrétien qui éprouvait beaucoup de respect pour les moines, lui avait conseillé de ne jamais ennuyer ses hôtes. « Si ça ne te convient pas, cette vie, j'irai te chercher », lui avait-il même affirmé. Chartrand est maintenant convaincu qu'il dérange et qu'il n'est pas à sa place dans cette communauté, De plus, il éprouve des problèmes sérieux de digestion, souffrant d'une petite hernie à l'estomac, une hernie hiatale. « C'est pour ça que je ne peux rien garder sur mon estomac, avoue Michel. Alors maintenant, quand quelqu'un me tombe sur le cœur, je me libère, en paroles bien sûr, mais je me libère. »

Un départ éclair

Michel vit pleinement dans la méditation et la prière. Quitter Oka, il n'y a jamais vraiment songé. L'homme est entier : il s'est donné et engagé entièrement, sans condition, dans cette expérience totale, jusqu'à y laisser une partie de sa santé. Il a appris à connaître ses propres limites sans toutefois les accepter.

Un jour — on est en 1934 —, alors qu'il travaille aux champs avec ses compagnons après sa sortie de l'infirmerie, le père abbé, *dom* Pacôme, vient le chercher. Quelqu'un l'attend au parloir ! Son père est là, le regard triste. Michel, étonné, s'inquiète des motifs de sa visite. Quelques jours auparavant, Louis Chartrand a reçu un appel du père supérieur lui demandant de venir chercher son fils. « Le plus tôt serait le mieux. » Selon lui, Michel n'a plus sa place au monastère. Il est malade et il n'est plus utile à la communauté.

Malgré son séjour à l'infirmerie, l'état de santé de Michel ne s'est pas suffisamment amélioré et il éprouve toujours des problèmes avec son hernie hiatale. De toute façon, le monastère n'est pas un lieu de convalescence. Il faut jouir d'une santé à toute épreuve, doublée d'une force physique et morale sans faille. Ne s'adapte pas qui veut à la vie spartiate de la Trappe d'Oka.

Michel doit quitter immédiatement le monastère. Telle est la décision du *dom*, et elle est sans appel. Michel ne pourra même pas saluer ses compagnons de séjour. Ils ne se reverront plus. Une nouvelle page vient d'être tournée dans la jeune vie de Michel Chartrand. Mais ce séjour de quelques années dans un milieu clos n'aura pas été inutile. Il lui aura permis de mieux se connaître.

La nostalgie d'Oka

Michel évoque son passage à la Trappe d'Oka avec une certaine nostalgie. Dans le film d'Alain Chartrand, *Un homme de parole*, à 75 ans, il en parle de cette manière à son fils :

> J'ai été à Oka de l'âge de 16 à 18 ans. C'est une vie parfaite, c'est une vie où l'on apprend à se connaître. La vie du Christ, c'est de rendre service au monde et de travailler avec le monde, et de soulager les miséreux. Les miséreux, ils valent autant que nous. La vie, ce n'est pas de faire de l'argent, c'est de rendre les gens heureux, faire en sorte qu'ils vivent convenablement.
>
> Je trouve que le christianisme est une philosophie de la vie qui correspond à un humanisme que j'accepte et que je suis prêt à essayer de pratiquer même si je ne le pratique pas toujours correctement et qu'il m'arrive d'être injuste. À la Trappe, je ne me suis pas perfectionné, mais j'ai appris à me con-

naître. J'ai approfondi le nationalisme, dans le silence, à partir de l'amour de ma famille, des services que mon père et ma mère m'avaient rendus, de la société, par les liens d'usage et les liens sociaux.

Je me suis aperçu que je faisais partie non seulement d'un groupe social mais d'une nation. La définition française de la nation c'est : des gens qui vivent les mêmes choses, qui ont les mêmes mœurs, la même langue et les mêmes coutumes, jusqu'à un certain point, même s'il y a des divergences parmi eux. On apprend beaucoup à partir de la connaissance de soi-même. On apprend beaucoup quand on passe deux ans à s'observer, à voir ce qu'on a dans le ventre, ou dans le cœur, ou dans l'âme, à voir tous les défauts qu'un homme peut avoir.

C'est surtout à Oka que j'ai fait du latin. J'ai lu et étudié Cicéron et tous les auteurs latins et les psaumes. Il peut y avoir jusqu'à 200 versions pour un psaume. À Oka, on ne faisait que du latin et du français, mais j'ai aussi lu beaucoup de poésie.

Les psaumes, c'est de la poésie. Le *Cantique des cantiques*, c'est extraordinaire :

Fulchite me floribus et stipate me mallis quilla amore langueo.

Mon bien-aimé, couche-moi sur un lit de roses, couvre-moi de fleurs de pommier, parce que je meurs d'amour pour toi.

Difficile retour à Outremont

C'est un fils au visage émacié et brisé par le travail que Louis Chartrand ramène au bercail. Michel est épuisé. Physiquement et moralement. Il a mis tout son cœur et toute son énergie dans son labeur quotidien. S'est-il usé jusqu'au point de non-retour ? Non, le jeune homme est doté d'une force physique et morale peu commune. Il passera au travers de cette épreuve. Il cherchait et il a trouvé dans son for intérieur ce qu'il voulait vraiment développer, ce qui le motiverait chaque jour de sa vie. Sa vocation sera laïque, mais chrétienne. Michel sera un homme d'action qui aura toujours besoin d'espace pour le silence et la réflexion.

Étrangement, dans les mois qui suivirent son départ de la Trappe, Michel s'y rendit tous les mois pour demander qu'on le reprenne. Le doute persistait. Après quelques tentatives, il comprend que sa vocation sera d'œuvrer parmi les siens, au grand jour, dans la recherche et la conquête du bonheur de tous et chacun.

Pour Michel Chartrand, la voie d'un homme de parole est déjà tracée. Ce n'est qu'un début...

CHAPITRE 2

De la vie cachée à la vie publique

Une transition difficile : le retour à Outremont

La réinsertion de l'enfant prodigue dans le giron familial ne sera pas facile. Ses sœurs et frères ont beau l'encourager, lui dire à quel point ils apprécient sa présence, Michel est déprimé. Il erre dans la maison, silencieux et triste, vêtu de sa chasuble blanche, perdu dans ses pensées. Son corps est dans la maison paternelle mais sa tête est demeurée à la Trappe d'Oka. Il se lève aux petites heures du matin alors qu'il n'y a pourtant plus d'offices matinaux, plus de cantiques avec les autres moines, plus de travaux manuels à faire. Il se remet en question. Serait-il tout à coup devenu inutile ? De quoi seront faits les jours à venir ? Jamais il n'acceptera d'être le parasite de la famille. Les repas sont difficiles à avaler. La nourriture est trop variée, trop copieuse. Son estomac n'est plus habituée à ce genre de repas et son hernie hiatale n'arrange pas les choses. Louis est triste de voir son fils dépérir et la mère se demande si elle avait raison de s'opposer à la vocation précoce de son fils Michel.

On demande alors à un ami de la famille, un médecin généraliste, de s'occuper du défroqué malgré lui.

Celui-ci le soigne comme s'il s'agissait de son propre fils. Grâce à ses bons soins, Michel est remis sur pied rapidement et il prend même goût à la vie publique. Il redécouvre aussi la parole, qui lui a tant manqué.

Pour son beau-frère, Bernard Couvrette, l'époux de sa sœur Myrielle, il était plus que surprenant que Michel Chartrand aille s'enfermer dans un endroit où le silence est de rigueur :

> Quand on connaît Michel, avec son besoin de parler qui est quasi anormal, et qu'on le voit s'enfermer dans un endroit comme la Trappe d'Oka où le silence est obligatoire, on se rend compte qu'il s'agissait d'une punition épouvantable qu'il s'infligeait ainsi. À sa sortie, il avait l'air piteux, renfrogné, refermé sur lui-même. Il n'ouvrait plus la bouche, ne parlait presque plus et se promenait tranquillement, sans mot dire, comme un moine dans le corridor, en évitant les regards. Ça a duré quelque temps, mais heureusement, le retour à la vie normale n'a pas été très long.

Les Chartrand, un clan

Michel profite de l'aide précieuse de sa famille pour se refaire une nouvelle vie. Marius et Gabriel, ses frères, lui réapprennent, entre autres, les vertus de l'hygiène corporelle et de la douche : il en avait perdu l'habitude !

Il n'y a plus que quatre enfants à la maison. Gabriel, âgé de 28 ans, est un jeune homme dynamique, sans peur et sans reproche. Au tout début de la Deuxième Guerre mondiale, en 1940, il s'enrôle comme volontaire dans l'armée canadienne. Promu sergent dans le *Royal Montreal Regiment* rattaché au *War Office* de Londres, il agira comme agent de liaison au service de l'intelligence de l'armée canadienne et des forces françaises de libération. Il sera fait membre de l'Ordre du Canada et recevra la Croix de guerre française avec Palme de Vermeil ainsi que la médaille des Forces navales françaises de libération.

Marius, âgé de 22 ans, est un jeune homme fort débrouillard et ingénieux à qui on doit l'invention de la formule *Cash & Carry* («payez et emportez»). Il était également capable d'additionner, sans calculatrice, une colonne de quatre rangées de chiffres.

Jacqueline, à 16 ans, est la cadette de la famille. Jeune fille brillante et spontanée, elle épousera Joachim Cornellier, qui deviendra associé de Michel dans la coopérative de prêt-à-porter *La Bonne Coupe*.

Plusieurs enfants Chartrand sont morts en bas âge: Adrienne à 6 mois, Lucienne à 5 mois, et Gaétan à 11 mois, de la grippe espagnole, en 1915. Quelques années plus tôt, un autre enfant, Lionel, était décédé à l'âge de 12 ans des suites d'une méningite qui l'avait laissé infirme. Le père n'avait pas hésité à le présenter au frère André, réputé thaumaturge, dans l'espoir d'obtenir sa guérison. Peine perdue. Lionel, déjà trop affecté par la maladie, meurt chez lui quelque temps plus tard, entouré de ses parents et de son frère Paul.

Gérard, décédé en 1925 à 13 ans, connut une bien triste fin. Il est mort, ainsi que l'un de ses petits camarades de classe, empoisonné par l'eau bue au cours d'une excursion avec des compagnons de classe. Ils n'avaient pas vu ou n'avaient pas tenu compte de l'écriteau qui annonçait que l'eau était impropre à la consommation. Le médecin, appelé à son chevet, a été incapable de le sauver. Marius a été très affecté par la mort de son frère; ils étaient très proches l'un de l'autre, se considérant presque comme des jumeaux. Après la mort de son frère, Marius lui écrivit, en cachette, des lettres pour lui dire combien il lui manquait.

Quand Michel revient parmi les siens, son frère Paul, l'aîné de la famille, a 37 ans ; il est marié et vit avec sa femme et ses enfants. Promu colonel, il combattra dans l'armée canadienne pendant la Deuxième Guerre mondiale, avec Gabriel, pour ensuite se lancer dans l'importation de vins français et italiens, entre autres.

Lilianne (Lili), 35 ans, a épousé le 23 avril 1921 Azarie Choquet, notaire et consultant à la Commission des liqueurs. Celui-ci a souvent l'occasion de côtoyer son beau-père dans son travail.

Stella, âgée de 31 ans, a épousé Paul Verroneau. Elle mourra, deux ans plus tard, à 33 ans, emportée par la tuberculose. L'imprimerie que fondera son père portera son nom.

Myrielle, qui avait 27 ans au moment du retour de Michel à la maison, a épousé, le 21 avril 1930, Bernard Couvrette, qui deviendra maire d'Outremont, cofondateur de Couvrette et Sauriol, épicier en gros (l'ancêtre de Provigo), et copropriétaire de l'Imprimerie Stella avec son beau-père Louis Chartrand.

Finalement, Yvette, 24 ans, a épousé le 24 juin 1930 Kenneth Rowell. Chapelière experte, elle habitera les États-Unis pendant plusieurs années. Veuve, elle habite maintenant la région de Vancouver.

Les pots-de-vin ou la porte

Louis Chartrand a toujours refusé de fermer les yeux sur les manigances et les pots-de-vin, qui étaient pratiques courantes à la Commission des liqueurs. Si Louis Chartrand avait accepté les pots-de-vin qu'on lui offrait fréquemment, il aurait pu, selon certains, devenir millionnaire. Ainsi, lorsqu'on annonce le mariage de sa fille Lilianne au notaire Azarie Choquet, les futurs mariés reçoivent à la maison paternelle plusieurs cadeaux de grande valeur, qui proviennent de personnes désirant obtenir les faveurs de Louis Chartrand. Louis flaire le coup et il se fait un devoir de retourner ces cadeaux encombrants à leurs destinataires, au grand désespoir de certains...

En 1936, au beau milieu de la crise économique qui secoue le monde, Louis Chartrand, employé exemplaire et sans reproche, est congédié après 44 ans de loyaux services. Sans pension et sans reconnaissance. Il en voudra longtemps au gouvernement Taschereau, qu'il avait servi sans relâche pendant toutes ces années.

Pendant trois mois, il cache son congédiement à sa famille. Il n'accepte pas sa nouvelle situation. Tous les matins, il quitte la maison et fait semblant de se rendre à son travail. Il est aigri, désenchanté, dégoûté. C'est son fils Marius qui découvrira le pot aux roses : il le rencontre un midi dans un parc public en train de manger son lunch... Le père avouera alors son congédiement.

Premier mentor de Michel Chartrand

Sans travail, il en profite pour effectuer de longues promenades avec son fils Michel. Ce dernier considère son père comme un dieu ; il écoute religieusement ses remarques et ses conseils. Il apprend ainsi que la vie est pleine d'injustices de toutes sortes. Il deviendra à son tour justicier et le patronat, l'adversaire inévitable.

Louis Chartrand doit tout de même voir à nourrir sa famille. Il met sur pied une imprimerie avec son gendre, Bernard Couvrette. Comme Michel adore les métiers et admire ceux qui les pratiquent avec maîtrise, son père lui fait aprendre la typographie, lui fournissant ainsi l'occasion d'apprendre un métier qui lui sera d'une grande utilité dans les années à venir. Michel travaillera ainsi à l'imprimerie de son père, comme apprenti typographe, le jour, et le soir, il suivra des cours à l'École des métiers. Il deviendra rapidement typographe puis, un peu plus tard, maître imprimeur.

Ses nouvelles occupations n'empêchent pas Michel de se mêler au mouvement catholique et ouvrier. Il aime discuter des problèmes de partage de la richesse et de justice sociale. Et les mouvements tels que la Jeunesse étudiante catholique (JEC), la Jeunesse ouvrière catholique (JOC), et l'Action catholique de la jeunesse canadienne, qui deviendra plus tard la Jeunesse indépendante catholique (JIC), répondent, pour l'instant, à ses aspirations de justice sociale.

La puissance du clergé

À cette époque, le clergé a la main haute sur la gestion de la province de Québec. Rien ne se pense, rien ne s'imagine, rien ne se décide, sans l'accord de la confrérie des évêques. Les politiciens les consultent avant de mettre en branle chaque grand projet de loi. Ce clergé, partie intégrante du pouvoir, maintient le petit peuple dans l'ignorance et la soumission. Pour le moment, ces organisations, malgré leur caractère religieux, sont les seules, mis à part le syndicalisme, à exercer une influence sur la place publique. C'est la raison pour laquelle le jeune Michel Chartrand se tourne vers ces mouvements, au sein desquels il pourra exercer ses talents de contestataire. Il a le goût d'agir, de changer le monde, et les mouvements catholiques semblent les canaux tout indiqués.

Un activiste sincère

Michel est actif dans tous les groupes de contestation sociale, mais il lui arrive de penser que ces organisations flirtent un peu trop avec le pouvoir, comme le fait la Jeunesse indépendante catholique (JIC). En sortant d'une réunion de l'ACJC, en 1940, où l'on a refusé de parler du chômage au Québec, il fait la rencontre de celle qu'il aimera toute sa vie, Simonne Monet.

Simonne Monet a 22 ans. Elle est la fille d'Amédée Monet, un juge à la Cour de la paix, et de Berthe Alain. Son grand-père paternel, Dominique Monet, a été nommé, à 43 ans, juge à la cour supérieure où il siégea de 1908 à 1923. Simonne est issue d'une famille de trois enfants : Jacqueline, décédée au berceau ; Roger, décédé de tuberculose à 19 ans, et Amédée, son jeune frère aux études classiques. Tout comme Chartrand, elle milite activement au sein des mouvements sociaux. Son travail de propagandiste de la JEC lui permet de parcourir tout le Québec.

Michel est un touche-à-tout. Il déborde d'énergie et d'intelligence. Il est pressé. Les événements et le contexte politique le bousculent. Typographe, il suit des cours à la faculté d'économie politique de l'Université de Montréal ainsi que des cours d'histoire du chanoine Lionel Groulx, dont il retiendra les précieux enseignements sur la domination des Canadiens français par les Anglais.

Des années de grande misère

Ce sont des années troubles. Le chômage sévit, la misère est grande et la population a faim. Même ceux qui sont instruits ne trouvent pas nécessairement de travail. Le clergé a beau brandir la menace de l'enfer pour ceux qui revendiquent plus de justice, ses vieux discours font de moins en moins peur.

Des jeunes — André Laurendeau, Pierre Dansereau, Pierre Asselin, Roger Larose, Pierre Dagenais, Dollard

Dansereau, Paul Dumas et Gérard Filion — font part de leurs revendications dans un document intitulé *Manifeste de la jeune génération*. Ce regroupement appelé Les Jeunes Canada publie en février 1933, dans la revue *L'Action nationale*, un appel à la jeunesse :

> Nous faisons donc appel à la jeunesse, à toute la jeunesse de notre race : à la jeunesse universitaire, à la jeunesse des collèges et des écoles, à la jeunesse ouvrière, à la jeunesse agricole, à la jeunesse professionnelle. Que dans tous les domaines de la vie nationale le souci s'éveille, ardent de reconquérir les positions perdues, de faire meilleur l'avenir. C'est à un vaste labeur : intellectuel, littéraire, artistique, scientifique, économique, national que nous, les jeunes, sommes conviés par les exigences de notre temps. Souvenons-nous que nous ne serons maîtres chez nous que si nous devenons dignes de l'être.

Michel Chartrand, qui, du coin de l'œil, regarde les choses bouger, en prend donc acte. Lentement, ses activités au sein des organisations de jeunes lui apporteront l'expérience dont il a grand besoin. Il veut travailler avec ceux qui veulent changer l'ordre établi.

La colonisation en Abitibi : un gouvernement canadien-français catholique qui tue des Canadiens français et des catholiques

Michel est gérant de l'Imprimerie Stella. Un jour, sans prévenir ses patrons, il décide de partir en Abitibi. Afin de contrer le chômage qui frappe surtout les jeunes, le gouvernement du Québec avait ouvert certaines terres à la colonisation. Avec l'accord de l'ACJC, Michel décide d'aller y travailler pour soutenir les nouveaux colons. La cause lui semble plus importante que son travail à l'imprimerie :

> J'ai décidé d'aller en Abitibi avec des chômeurs de Montréal regroupés dans une colonie formée par l'Association catholique de la jeunesse canadienne (ACJC). Il y avait également la compagnie Dollard-des-Ormeaux, à Saint-Dominique de Béarn. Tout cela se faisait sous les auspices du ministère de la Colonisation de l'Union nationale de Maurice Le Noblet Duplessis, un bon gouvernement catholique et de langue française.

> J'avais apporté mon lit pliant et mes couvertures de laine. Les premiers colons étaient arrivés 15 jours avant moi mais leurs effets personnels n'étaient même pas encore arrivés. Ils avaient dû coucher par terre. Les nouveaux venus avaient tenté de monter des tentes de fortune, sans savoir y faire. L'eau s'était infiltrée dans la tente. Il n'y avait à peu près pas de nourriture. C'était épouvantable, la misère noire, comme les épinettes fluettes !

> Pour attirer les gens dans cette aventure, on leur promettait, en échange de leur travail de colonisation et de défrichement, la possession des terres. La véritable raison, c'était de les faire travailler à la construction de routes pour les compagnies minières, comme le chemin qui partait de la rivière Davie jusqu'à la rivière Harricana. J'étais allé en Abitibi pour partager le quotidien de ces défricheurs, mais deux jours après mon arrivée je me suis ouvert la jambe avec un coup de hache. Je n'allais donc plus travailler dans le bois. Je restais au campement. Quand un gars était malade, je lui faisais ses pansements. Je le descendais chez la garde-malade. On ne peut laisser des personnes travailler dans des conditions si peu hygiéniques sans qu'elles risquent de graves problèmes de santé.

Il y avait aussi des cas d'empoisonnement avec l'eau que l'on buvait et qui venait de la rivière Davie. On était sur un chantier du gouvernement et le ministère de la Santé avait condamné l'eau de cette rivière. Est-ce un problème de communication entre ministères? Toujours est-il que les travailleurs ont bu de l'eau empoisonnée par leur propre développeur. Des colons mouraient de la fièvre typhoïde, empoisonnés par l'eau de la rivière. Pour compléter le portrait du laisser-aller total, la viande était gardée en plein air, laissée en pâture aux mouches qui se régalaient à qui mieux mieux, et les gars attrapaient des diarrhées. Je leur donnais des ponces avec du gros gin, de l'eau chaude et du gingembre.

Parti pour 15 jours en juillet, Michel Chartrand reviendra en septembre, dégoûté de l'attitude des petits politiciens de bouts de chemin. À son retour, il adhère à l'Action libérale nationale, fondée par Paul Gouin, fils de Sir Lomer Gouin, ex-premier ministre de la province de Québec de 1905 à 1920. Ce nouveau parti politique est formé de dissidents du Parti libéral d'Alexandre Taschereau. C'est le milieu qui lui semble le plus approprié pour faire valoir ses idées et celles de la JOC.

Retour aux études et action jeunesse

Toujours débordant d'énergie, Michel s'inscrit à la faculté des sciences sociales, économiques et politiques de l'Université de Montréal tout en prenant de plus en plus à cœur l'organisation de mouvements de jeunesse.

À cette époque, une vaste campagne contre le tabac et l'alcool bat son plein. Les regroupements de jeunes sont appelés à travailler activement à ce mouvement de boycottage et de sensibilisation. Or, la compagnie Imperial Tobacco engage en tant qu'avocat-conseil un dénommé Leblanc, alors président de l'Association catholique de la jeunesse canadienne (ACJC)! En 1938, Joachim Cornellier, futur beau-frère de Michel Chartrand, est président de l'ACJC. Cette association est composée pour la moitié de groupes nationalistes et pour l'autre moitié de cercles d'études littéraires. L'ACJC, émanation de l'évêché, est une fédération qui chapeaute divers mouvements comme la Jeunesse ouvrière catholique (JOC), la Jeunesse étudiante catholique (JEC) et la Jeunesse agricole catholique (JAC). Son comité de direction est formé de membres élus par chacune des associations. Plus tard, l'ACJC deviendra la Jeunesse indépendante catholique (JIC). C'est à l'ACJC que Joachim Cornellier fait la rencontre de Michel Chartrand. Des élections, prévues selon les statuts de l'organisme, sont subitement annulées par un décret de l'évêché. Grosse déception pour des démocrates en herbe, surtout pour Michel Chartrand qui, comme on peut l'imaginer, se fait un devoir de crier son indignation.

La Bonne Coupe et la coopération

En 1939, quelques mois avant le déclenchement de la Deuxième Guerre mondiale, Michel et son futur beau-frère, Joachim Cornellier, fondent une coopérative de vêtements, *La Bonne Coupe*.

Michel n'a pas encore quitté son travail à l'imprimerie de son père et de son beau-frère, l'Imprimerie Stella, mais il veut retrouver son entière liberté de mouvement et mettre en pratique l'enseignement de l'abbé Groulx. Selon lui, le système coopératif, géré par des individus selon le principe «un homme = un vote», peut devenir l'outil idéal pour redonner aux Canadiens français le pouvoir économique qu'ils n'ont plus. Toute sa vie, Michel Chartrand tentera d'instaurer le coopératisme, qui est à ses yeux la seule solution d'avenir pour empêcher les puissantes compagnies américaines d'exploiter les richesses naturelles, les femmes et les hommes de ce pays :

> Je me souviens encore de la journée où nous avons fondé *La Bonne Coupe*, raconte Joachim Cornellier. Nous étions assis sur le bord du trottoir, les deux pieds dans la rue. Il était cinq ou six heures du soir et Michel me dit : « Il n'y a qu'un moyen pour avoir la liberté de faire ce qu'on veut, c'est de créer notre propre *business*. Quand on aura notre propre *business*, on sera libre de notre temps. »
>
> Ça prouve qu'on était joliment naïfs parce que quand tu as ta propre *business*, ton temps, la *business* le mange. Michel, lui, était influencé par l'exemple de son beau-frère, qui était devenu président de la compagnie de son père et qui avait du temps pour s'impliquer dans toutes sortes d'associations. Il ne se rendait pas compte que cette belle liberté était attribuable au fait qu'il avait en fait hérité d'une entreprise qui marchait déjà bien. Alors, quand les gens disent que Michel a fondé *La Bonne Coupe* pour aider le peuple, il faut savoir que la première motivation, c'était de se créer une job. *La Bonne Coupe*, c'était une coopérative de vêtements pour hommes, formée d'un minimum de 12 membres. Nous vendions des costumes sur mesure. Notre premier bureau était situé au-dessus du *Café Saint-Jacques*, à l'angle nord-est des rues Saint-Denis et Sainte-Catherine. Nous avons vivoté un certain temps, puis la guerre est arrivée. On a eu des difficultés. Michel menait aussi d'autres activités de front : il était président et gérant du magasin, c'est lui qui était présent pendant la journée pour

recevoir les clients. Il faut dire qu'il n'y en avait pas tous les jours, des clients. Moi, j'avais encore mon emploi à la Banque d'épargne. Je finissais vers 15 h 30 et je me rendais à *La Bonne Coupe* où je tenais les livres tout en secondant Michel. Mais Michel était bien meilleur vendeur que moi. Pendant la guerre, *La Bonne Coupe* a commencé à éprouver des difficultés. On ne grossissait pas assez vite, les membres étaient peu nombreux et les ventes d'habits étaient plutôt faibles. Nous éprouvions aussi de la difficulté à les faire confectionner. Un bon jour, on a décidé d'acheter une manufacture. Ce fut la faillite de *La Bonne Coupe*.

Duplessis, le « cheuf »

Aux élections générales du Québec, le 25 novembre 1935, le gouvernement libéral de Taschereau a été reporté au pouvoir avec une faible majorité. Les libéraux ont obtenu 48 sièges sur 90, les conservateurs de Duplessis 16, et l'Alliance libérale nationale de Paul Gouin, 26.

Duplessis devient rapidement le véritable chef de l'opposition. Il réussit à convoquer le Comité des comptes publics et dévoile ainsi au grand jour les dessous de certaines transactions douteuses. Quarante-deux personnes, apparentées de près ou de loin avec le premier ministre, ont reçu de l'argent provenant de fonds gouvernementaux. Les travaux de l'Assemblée législative sont paralysés et Taschereau est forcé de démissionner le 11 juin 1936.

Son remplaçant, Adélard Godbout, déclenche des élections générales pour le 17 août 1936. Dès le début de la campagne, Duplessis met Paul Gouin de côté. Plusieurs membres de l'Alliance libérale nationale se rallient à Duplessis. Le 18 juin, Paul Gouin met un terme à l'alliance entre les deux partis. L'Action libérale nationale ne se relèvera jamais du coup de Jarnac de Duplessis.

Duplessis remporte, avec son Union nationale, une victoire écrasante. Avec 55,5 % des suffrages, il remporte 84,4 % des sièges, soit 76 sur 90. C'est le début de ce qu'on a qualifié « la grande noirceur ».

L'Action libérale nationale de Paul Gouin

En 1938, à son retour d'Abitibi, Michel Chartrand adhère au nouveau parti, l'Action libérale nationale, dirigé par Paul Gouin. Il lui dévoile les conditions inhumaines dans lesquelles vivent les bûcherons. Il se fait fort de dénoncer publiquement dans les journaux cette situation, mais seule la presse de langue anglaise fait écho à sa dénonciation. Les journaux de langue française, trop près du clergé, n'osent pas se compromettre.

Chartrand voit en Paul Gouin un honnête politicien dont le parti est doté d'un programme axé sur les problèmes économiques que vit le Québec. Il consacrera toutes ses énergies à relever le parti, qui bat de l'aile. Il y voit une tribune importante, même si le pouvoir n'est pas à portée de la main. Ce parti devra affronter, aux élections générales du 25 octobre 1939, à la fois les libéraux d'Adélard Godbout et l'Union nationale de Duplessis.

Michel convainc alors son frère Marius de l'aider à organiser la campagne électorale à l'intérieur des rangs de l'Action libérale nationale. Il faut, entre autres, surveiller les bureaux de votation, car il est courant de voir des fiers-à-bras menacer les électeurs qui ne votent pas « du bon bord ». À la fin de cette dure journée, Michel décide d'aller quelque peu récupérer chez lui, en attendant les résultats des élections. Épuisé, il s'endort.

Son frère Marius le réveillera pour lui annoncer que leur candidat non seulement n'a pas remporté les élections mais a aussi perdu son « dépôt » !

Rencontre d'André Laurendeau

Michel Chartrand fera la connaissance d'André Laurendeau à l'École des sciences sociales du père Lévesque. Ce jeune homme mince, vêtu avec élégance, issu du milieu intellectuel bourgeois, est aussi un artiste de talent qui dans sa jeunesse s'était lié au poète Saint-Denys Garneau. André Laurendeau a étudié la musique et il a composé quelques œuvres musicales.

Son calme contraste avec le tempéramment bouillant de Michel Chartrand et ses décisions sont toujours le fruit d'une mûre réflexion, mais ces quelques différences n'empêcheront pas l'amitié entre les deux hommes. Leurs familles se fréquenteront régulièrement.

En septembre 1942, Michel Chartrand participera, avec Maxime Raymond, député libéral dissident du comté de Beauharnois, et André Laurendeau à la fondation du Bloc populaire canadien, après avoir milité ensemble à la Ligue de défense du Canada.

Chapitre 3

Bouleversements majeurs

Le monde entier est bouleversé. C'est la guerre !

L'armée allemande envahit la Pologne le 1ᵉʳ septembre 1939. Hitler rejette l'ultimatum de l'Angleterre et de la France et refuse de quitter la Pologne. L'Angleterre déclare la guerre à l'Allemagne. Le Canada, en tant que sujet britannique, met en vigueur le 3 septembre les *Règlements concernant la défense du Canada*.

Le lundi 4 septembre 1939, au marché Maisonneuve à Montréal, René Chaloult invite tous les Canadiens français à refuser le service militaire obligatoire. Le 8 septembre, le premier ministre du Canada, William Lyon Mckenzie King, redoutant l'opposition des francophones du Québec, déclare qu'il n'est pas nécessaire, dans le contexte actuel, de décréter la conscription obligatoire des Canadiens.

De son côté, Maxime Raymond, député de Beauharnois-Laprairie, veut déposer une pétition de 100 000 signatures demandant que le Canada s'abstienne de participer à des guerres extérieures. Le président de la Chambre des communes à Ottawa refuse la motion parce que, dit-il, « il s'agit d'une déclaration et non d'une pétition». Il sait bien que cette pétition risque de faire mal à King et à son gouvernement.

Pour son pays, contre la guerre

Michel Chartrand est tiraillé par cette question. Nationaliste et antimilitariste, il ne peut accepter que ses deux frères aînés, Paul et Gabriel, s'enrôlent volontairement dans l'armée canadienne pour servir le Canada outre-mer, particulièrement en Angleterre. Pour lui, ses frères ne sont que de vulgaires mercenaires qui acceptent de se mettre au service d'un empire qui méprise les francophones du Canada. Il jure que jamais il n'ira défendre ce que certains appellent la *Mother Land*, l'Angleterre. Son pays, c'est le Canada, et non pas l'Angleterre. De plus, il déteste férocement quiconque est revêtu d'un uniforme, qu'il soit militaire ou petit politicien parasite à col-blanc.

Rencontre de Simonne Monet

C'est dans ce contexte, à la sortie d'une réunion de l'ACJC, en 1940, dans les couloirs de la Palestre nationale, rue Cherrier à Montréal, que Michel Chartrand fait la connaissance de Simonne Monet, fille et petite-fille de juge.

C'est en fait Alec Leduc, la future épouse de Gérard Pelletier — qui deviendra ministre sous le gouvernement de Pierre Elliott Trudeau — qui a présenté à Michel Chartrand cette jeune femme d'une grande beauté, Simonne, son amie, sa compagne de travail et sa confidente. Cette rencontre marquera le début d'une nouvelle vie pour ces deux jeunes idéalistes dont les destins seront soudés à jamais. Michel a alors 24 ans et Simonne, 21.

Fille et petite-fille de juge

Simonne Monet est issue d'un milieu bourgeois. Elle habite chez ses parents au 2634, chemin de la Côte Sainte-Catherine à Montréal, le quartier où se retrouve une bonne partie de la bourgeoisie canadienne-française.

À la maison, cette aisance financière est doublée d'une pensée libérale. Le père de Simonne s'était fait expulser du Parti libéral à cause de ses idées trop à gauche et ce même parti avait préféré le nommer juge, à 32 ans, sachant qu'ainsi il serait tenu à une plus grande discrétion. Tous deux, Simonne et Michel, partagent donc les mêmes idéaux de justice sociale. Simonne sera fascinée par le beau grand jeune homme que lui présente son amie Alec. Elle sera surtout séduite par ses grandes qualités d'orateur et par son allure distinguée. Michel, en effet, soigne toujours son apparence ; toujours bien mis, il est souvent vêtu d'un costume impeccable, d'une chemise blanche avec cravate. Utilisant parfois un parapluie qui lui sert de canne d'apparat, il se déplace avec grâce et aisance. Simonne découvrira petit à petit un homme raffiné qui aime les arts, la lecture, la musique... la bonne chère et les bons vins.

L'armée — premier tableau

En janvier 1941, l'Angleterre, la France et le Canada sont en guerre contre l'Allemagne. Étudiant à l'Université de Montréal, Michel est appelé, comme de nombreux jeunes de son âge, à suivre un entraînement militaire même si la conscription n'a pas encore été rendue obligatoire. Il se présente donc au Corps École des officiers de l'Université de Montréal, plus précisément le *Canadian Officers Training Corps* (COTC). On lui remet un formulaire à compléter rédigé uniquement en anglais. Michel exige qu'on lui présente un texte en français. On l'informe qu'il n'en existe pas. Il s'objecte avec véhémence. Un tel comportement, plutôt inusité à l'époque, crée tout un émoi et un officier doit s'en mêler. Ce dernier, on s'en doute, ne partage pas les opinions du jeune Chartrand. Michel invite alors les autres étudiants francophones à protester et à défendre leur langue comme il le fait, en refusant tout document rédigé uniquement en anglais. Et sur ce, il quitte cet endroit qui commençait drôlement à ressembler à une poudrière.

Étant donné qu'il a refusé de signer le formulaire en anglais et de joindre les rangs du *Canadian Officers Training Corps*, on lui ordonne, quelques jours après cet incident, de se rendre au camp militaire d'Huntingdon. On l'avertit que s'il ne le fait pas, c'est la Gendarmerie royale du Canada qui s'en chargera, avec toute la subtilité qu'on lui connaît.

Michel, qui est amoureux, ne veut surtout pas trop s'éloigner de Simonne. Il rêve de fiançailles prochaines. Passer outre aux ordres militaires le placerait dans une situation gênante devant le famille Monet. Que faire ? Il accepte alors de se rendre à Huntingdon pour y subir, pendant un mois, un entraînement militaire. Il ne s'agit, en fait, que d'un entraînement et non pas d'un engagement. La nuance est importante.

Il profitera de cette courte parenthèse pour se plonger, entre deux exercices militaires, dans ses lectures favorites, les œuvres des poètes. On se rend rapidement compte qu'il n'est pas fait pour ce type de discipline. Et il ne se gêne pas pour le faire savoir, refusant de signer son engagement dans le service actif. Il n'aura pas à compléter son mois d'entraînement, les officiers jugeant préférable pour le « moral des troupes » de le renvoyer à ses amours premières.

Les fréquentations

Michel revient à Montréal pour s'occuper, entre autres, de sa coopérative, *La Bonne Coupe*. Il suit des cours de psychologie à l'Institut canadien d'orientation professionnelle, tout en poursuivant sa formation avec le père Lévesque. Il retrouve Simonne et ils s'invitent à des concerts, des pièces de théâtre. Ils discutent beaucoup de littérature et se découvrent des affinités. Chartrand est un passionné de l'écrivain français Georges Duhamel, qu'il cite souvent: «La somme des injustices dans le monde ne peut nous laisser indifférents», aime-t-il répéter.

Michel surprend Simonne à Sainte-Adèle

Dans une lettre qu'elle envoie à sa mère, le 15 février 1941, le lendemain de la Saint-Valentin, Simonne lui apprend qu'elle éprouve autre chose que de l'amitié pour Michel Chartrand, venu lui faire une visite surprise la veille. Leurs sentiments sont si forts qu'ils ont décidé de se fiancer. Elle se trouve à ce moment en «retraite fermée» volontaire avec son amie Lorraine. Elle avoue qu'elle trouve ce militant prévenant et affectueux, écrit-elle. Elle envisage déjà la possibilité d'une vie commune.

On peut facilement imaginer le désarroi de Mᵐᵉ Monet à l'annonce d'une pareille nouvelle. Simonne a beau être majeure, ces choses ne doivent pas se faire à la légère; une jeune fille bien élevée doit toujours obéissance à ses parents et ceux-ci ont leur mot à dire... Quelle emprise a donc ce Michel Chartrand sur leur fille? D'où sort cet individu? A-t-il les moyens de faire vivre Simonne convenablement? Les convictions et les engagements du jeune prétendant ne pèsent pas lourd dans la balance. Parce qu'il n'a pas été choisi et accepté par la famille, la mère de Simonne fera une guerre ouverte à Michel... jusqu'à la célébration du mariage.

Mme Monet ne sait pas tout. Michel, avant de quitter Simonne à Sainte-Adèle, lui a proposé le 11 octobre prochain comme date de leur mariage. Pourquoi cette date? Parce que les parents de Simonne célébreront, ce 11 octobre, leur vingt-cinquième anniversaire de mariage. La célébration de leur propre mariage, à la même occasion, apporterait à cette journée la dimension d'une fête de famille élargie.

Michel est un grand rêveur. Il déploiera tous ses talents pour convaincre les parents de Simonne. Peine perdue! Ceux-ci s'opposeront fermement aux fiançailles, surtout la mère, qui peut se montrer possessive et autoritaire malgré la chaleur et la générosité dont elle sait entourer les siens.

Simonne le répète: «Je suis une fille gâtée et favorisée financièrement. Je n'ai pas à gagner ma vie: d'ailleurs, je ne sais rien faire qu'étudier et animer des réunions.» Alors que Michel, lui, est encore aux études et sans véritable travail rémunérateur.

Les tourtereaux n'en continuent pas moins de se fréquenter assidûment. Lorsque Michel passe prendre Simonne à son domicile pour aller écouter un concert, il est reçu plutôt froidement. C'est tout juste si Berthe ne lui demande pas de passer par l'entrée des livreurs et des domestiques. La situation n'ébranle pas Michel, et il persiste.

Si les présentations officielles ont été froides chez les Monet, il en va tout autrement chez les Chartrand. Un mois environ après leurs fiançailles, Michel invite pour la première fois Simonne chez ses parents, au 288, Carré Saint-Louis, à Montréal. Ses parents, sa sœur Jacqueline et surtout son frère Marius semblent fort étonnés d'apprendre qu'un garçon si sérieux soit tombé amoureux. Quoi qu'il en soit, Simonne est reçue avec chaleur et ce premier contact se déroule dans une ambiance cordiale.

Simonne et la vie mondaine

Après être revenue de Sainte-Adèle, Simonne, qui souffre d'arythmie cardiaque, doit se reposer et diminuer considérablement ses activités au sein des organismes sociaux. On peut voir Simonne et son cavalier effectuant de longues promenades main dans la main dans les sentiers du mont Royal. En compagnie de Michel, Simonne assiste à des concerts ou visite des galeries d'art. Elle participera toujours à la vie culturelle. Sa famille, en effet, fréquente, par obligation ou par amitié, quelques grands noms du milieu culturel — l'écrivain Jean Narrache, le chef d'orchestre réputé Wilfrid Pelletier, les Boulizon qui fondèrent le premier collège français laïque au Québec (le collège Stanislas).

Michel coopérateur...

Michel demeure très actif dans le mouvement coopératif. Il parcourt le Québec dans tous les sens pour prêcher la bonne nouvelle, tout en cherchant à acquérir une usine de textile, à Sherbrooke, pour *La Bonne Coupe*. Il fréquente le père Lévesque, qui est président du Conseil de la Coopération, ainsi qu'Alfred Rouleau, qui deviendra président du Mouvement Desjardins et qui est membre, lui aussi, de la JIC.

... et sexologue

Les JIC ne sont pas nécessairement à l'avant-garde en ce qui concerne les relations pré-maritales :

> ... il est encore question des dangers de la sexualité, de la séduction par les femmes, et d'occasions de perte de vocation religieuse et de missionnaires, du risque pour les jeunes filles de perdre leur virginité et pour nous, notre chasteté par les méfaits de la chair, écrit-il à Simonne de Québec où il assiste à une réunion de la JIC. Les prêtres et les éducateurs sont encore bien jansénistes. Ils méprisent la vie sexuelle, même normalement vécue. Ils n'y voient que des occasions de péché et non d'épanouissement. Une conversation et une discussion se sont engagées entre le directeur du comité et les membres présents sur la fréquence et la durée des baisers et leurs graves conséquences pour la morale. Mon idée est faite là-dessus.

Michel et Simonne ne partagent sûrement pas ces points de vue et, là comme ailleurs, ils seront à l'avant-garde des idées de leur temps. Ils s'écrivent des lettres d'amour passionnées.

« Même si dans ce voyage tout ne va pas à mon goût, ta photo illustrant ton sourire, la bonté qui se traduit en beauté sur ta figure et la flamme de tes yeux chassent mes hésitations, mes mécontentements. Quand je suis sur le point de me décourager, de m'affaisser, tu m'apparais et alors c'est une nouvelle journée qui commence et je suis dispos. Tu es ma force, ma confiance, mon espoir », écrit-il à Simonne, qui lui répond tout de go qu'elle rêve d'apposer son nom au côté du sien et qu'elle veut demeurer amoureuse de lui, « même mariée ».

Simonne choisit Michel parce qu'il est romantique, passionné et idéaliste comme elle, mais aussi parce qu'il souhaite une compagne et une complice, une femme avec qui il veut vivre d'égal à égal.

Cueilli par l'armée

Le fiancé ne peut combler le vœu de sa bien-aimée qui le presse de venir la rejoindre, car le gouvernement et son armée n'en ont pas encore fini avec Michel Chartrand.

Michel n'aura même pas le temps de réfléchir à l'invitation de Simonne. Les autorités administratives l'incitent fortement à s'inscrire au camp d'entraînement militaire à Saint-Jean-sur-Richelieu. Il doit donc s'y rendre et y demeurer pendant un mois afin d'éviter les tracasseries inutiles. Pour le réconforter, Simonne, le 21 juillet, lui écrit de Belœil où elle se trouve, une lettre pressante où elle dit souhaiter que la patrie l'appelle plutôt auprès d'elle.

N'en pouvant plus de tant de passion, Michel réussit à obtenir une autorisation de sortie de deux jours, qu'il passera aux côtés de l'amour de sa vie. Il envisage alors sérieusement d'épouser Simonne et de se trouver un travail rémunérateur, comme il le lui écrira dès le lendemain. Il profite de son isolement temporaire pour faire des plans d'avenir.

Indésirable pour l'armée

Comme on peut s'en douter, Michel Chartrand profite aussi de ce camp d'entraînement pour mettre de l'avant ses idées antimilitaristes auprès de ses collègues. Surtout, il n'accepte de signer l'autorisation de son examen médical qu'à condition qu'on lui promette de ne jamais l'envoyer outre-mer. La recrue est rapidement classée «indésirable» par les autorités militaires, qui ne l'embêteront plus.

Michel Chartrand est renvoyé dans ses foyers le 30 juillet 1941, même si son mois d'entraînement militaire n'est pas terminé.

Libres, chacun de son côté

Entre-temps, Simonne Monet s'est lancée dans de nouveaux projets. Aux côtés de Françoise Gaudet-Smet, elle parcourt la province pour aider les fermières à mieux s'organiser à l'intérieur du milieu rural. Mme Gaudet-Smet a exercé une influence sur le couple Chartrand. Elle a valorisé le monde rural qui avait des complexes vis-à-vis du monde urbain. Simonne, elle, découvre le travail fait à la main. Tous deux encourageront toujours la pratique de l'«achat chez nous».

Simonne ignore encore le retour à la vie civile de son «beau prince noir» à qui elle écrit avec assiduité, le tenant au courant de ses déplacements et de ses états d'âme.

Michel, de son côté, reprend le bâton du pèlerin. Avec Alfred Rouleau, il se rend dans la région du Saguenay-Lac-Saint-Jean pour promouvoir l'organisation de coopératives de vêtements. Mais il oublie trop souvent qu'il doit également vendre les produits de sa propre coopérative. Heureusement, Joachim Cornellier, son futur beau-frère, demeure sur place et veille au grain.

Les deux amants ne se voient guère, cependant. Cette absence commence à peser lourdement, écrit Simonne à Michel, car elle désespère d'obtenir bientôt l'assentiment de sa mère pour leur future union. C'est donc à titre d'ami et non de fiancé que Michel se rendra à la maison familiale de Simonne pour la célébration du vingt-cinquième anniversaire de mariage de ses parents.

Quelques semaines plus tard, il franchit de nouveau la porte du monastère cistercien d'Oka. Il a besoin de cette oasis de paix et de silence pour réfléchir sur le sacrement du mariage. Simonne, qui célébrera ses 22 ans dans quelques jours, se réfugie chez les Bénédictines de Notre-Dame-des-Deux-Montagnes. En plus de méditer, elle aussi, sur le mariage, elle lit l'encyclique du pape Pie XI, *Casti Connubil*, sur la chasteté du mariage chrétien.

Au sortir de ces retraites, les choses ne semblent guère s'être améliorées. Les relations de Simonne avec sa famille demeurent très tendues. Sa famille cherche par tous les moyens à séparer les deux amoureux, faisant même appel à des autorités ecclésiastiques pour tenter de dissuader Simonne d'unir sa destinée à cet agitateur malvenu.

Simonne et Michel continuent d'assister assidûment aux cours de l'abbé Groulx à l'Université de Montréal. Ils auront besoin, un peu plus tard, des services précieux de ce dernier pour célébrer leur mariage et faire baptiser leurs enfants, mais cela, ils ne le savent pas encore...

Une rencontre qui tourne à l'orage

Un jour, sentant l'impatience se manifester un peu trop, Michel Chartrand décide de vider la question une fois pour toutes. Il demande au juge Monet de le recevoir pour discuter de sa demande en mariage.

Michel suggère à ce dernier que les fiançailles officielles se fassent à Noël. Le juge, en bon père de famille, commence par s'enquérir de ses véritables sentiments pour sa fille. Il est inquiet. Il veut également savoir quel genre de sécurité matérielle il peut lui offrir. Il aime bien Michel l'idéaliste, mais il le considère un peu inconstant. Surtout, il n'oublie pas que son épouse, déterminée et autoritaire, est farouchement opposée à ce mariage.

Michel doit faire preuve de tact s'il ne veut pas envenimer la situation, mais il n'a jamais été d'une patience exemplaire. Il peut même devenir insolent, ce qui n'arrange rien. Pressé par son amour et soudainement impatient, il emploiera des paroles qui déborderont sa pensée. C'est l'échec total! (Il faut préciser que Michel Chartrand faisait usage à cette époque d'un langage très châtié; il n'a donc pas utilisé, pour appuyer ses arguments, certains mots rappelant des objets saints!)

Un juge qui aime sévèrement

Le juge Monet n'est pas très heureux de l'entretien. Il écrit à sa fille une lettre laconique et sévère dans laquelle il lui réitère son opposition farouche au mariage projeté. Du même souffle, il lui précise qu'elle est libre d'accepter ou de refuser les conseils désintéressés de son père.

Simonne est très ébranlée par le ton de la lettre et par les propos de son père. Celui-ci lui demande ni plus ni moins de choisir entre Michel et sa famille. Il ne semble plus y avoir de place pour la discussion ou le compromis.

Ses parents suggèrent alors à Simonne d'aller réfléchir quelques jours à la Maison des sœurs de Marie Réparatrice, sur le boulevard Mont-Royal à Outremont. Cinq jours avant Noël, Simonne part donc s'isoler de nouveau. Elle doute maintenant de tout, y compris de sa place dans la vie de Michel. Elle accepte même, sur les conseils de ses parents, de s'exiler pendant six mois aux États-Unis, chez des parents qui habitent l'Illinois, mais son amour pour Michel demeure entier.

Auparavant, Simonne et Michel assistent à la messe de minuit à la chapelle des Carmélites. C'est la première fois que Simonne n'assiste pas aux cérémonies religieuses de Noël en compagnie de ses parents. À son retour à la maison, ses parents demandent à Simonne de se présenter le plus tôt possible au Consulat américain afin d'obtenir les documents nécessaires à son voyage aux États-Unis.

Simonne n'a plus le choix, elle doit se résigner à ce malheureux départ. Michel l'accompagnera discrètement à la gare, le cœur gros. Ils se promettent de s'écrire et de se téléphoner chaque fois que cela sera possible.

Simonne vivra cette période chez sa parenté aux États-Unis comme un véritable exil, loin de son amour. Elle a l'impression d'être punie et rejetée par les siens. Son Michel la rassure, dans des lettres enflammées, remplies de poésie :

> Mon bel amour,
>
> Ta voix, entendue tout à l'heure au téléphone avec tant de bonheur, ta voix légèrement émue est celle d'une douce et délicate jeune fille. Cependant, je garde de toi dans ma chair et mon cœur l'impression, la conviction d'avoir parlé à une compagne hardie devant la vie. Tu as le courage éprouvé et l'amour prévenant sans relâche d'une jeune maman dont la très profonde tendresse et les attraits te parent abondamment.
>
> Ma grande Simonne, je te sais déjà toute la fidélité, la compréhension et le grand amour d'une épouse, cependant que tu es la plus aimable des amoureuses par ton indicible charme et la grâce exquise de ton caractère.
>
> [...]
>
> Je continue d'exprimer les mots d'amour transmis par téléphone. J'ai, en pensée, assisté à ton coucher et j'ai contemplé ton sommeil, bel ange. Au réveil, je viens d'écouter avec toi la rhapsodie espagnole de Liszt et quelques sonates vibrantes de ton souvenir.
>
> Amoureux, je souffre, j'étouffe, incapable de te donner tout mon cœur en quatre vers :

Écoute les battements du tien qui rythment le mien,
exalté à contempler
tes yeux scintillants
tes lèvres toujours frémissantes de passion
la grâce de tout ton corps
la symphonie de tendresse jaillie de ton caractère
qui harmonise ta beauté.

[...]

Ma mie, je reprends mon colloque avec toi par écrit
car il n'est pas interrompu dans mon cœur.

Au Carré Saint-Louis, cet après-midi, les enfants patinaient dans la grande piscine face à la fenêtre de ma chambre. Puis la lumière s'est assagie avec la fin des jeux. Lentement, au coin de l'avenue Laval, les maisons ont refermé l'enceinte du parc. Ce coin de la muraille s'est épaissi, ce fusain a pris du relief dans le bleu des yeux de ta grand-mère Marie-Louise. J'aime à t'appeler par ce nom, le tien, donné par ta marraine. C'est ton nom d'amoureuse. Sans bruit, le soir a tiré une sombre tenture devant le ciel, juste au-dessus des toits. Dans la cour close, une lampe, tel ton sourire, sans percer la nuit, dessine l'ombre de cinq ou six grands troncs d'arbres et descend se marier aux deux sentiers à même le sol tout blanc.

Viens, allons ensemble près de la boule de neige qui scintille à la croisée des chemins du parc. Marchons ensemble, l'un près de l'autre. L'immense peau de brebis du sol rendra discrets les rares passants. Nous sommes seuls. Les grands arbres noirs et droits veillent avec nous, veillent sur nous, veillent en nous comme de belles et profondes convictions.

Comme on peut le constater, Michel Chartrand n'est pas uniquement le militant que l'on connaît et reconnaît. Il est aussi un poète qui aime lire les poètes et qui sait aussi s'en inspirer pour écrire.

CHAPITRE 4

Envers et contre tous

La détermination récompensée

En éloignant Simonne de Michel Chartrand, les Monet croyaient les dissuader à jamais et mettre un terme à leurs «folies de jeunesse». Or, c'est tout le contraire qui se produit. L'absence ne fait qu'aviver leurs sentiments amoureux et les rend plus tenaces. Ils s'écrivent, ils se téléphonent aussi souvent qu'ils le peuvent, tissant ainsi des liens de plus en plus intimes. Personne ne pourra, selon toute vraisemblance, mettre un terme à cette idylle.

Michel, plus passionné que jamais, ne se lasse pas d'écrire à Simonne des lettres empreintes d'une poésie digne des grands maîtres.

En janvier 1942, il lui écrit:

> Vois, toi, mon espoir. ma vie, vois comme elle est belle la flamme de notre amour en pleine nature.
>
> [...]
>
> Laisse-moi te bercer, ta poitrine contre la mienne, la tête renversée sur mon bras. Je pourrai ainsi, à la clarté ineffable de ton sourire, contempler ta mansuétude incommensurable. Tes yeux purs et

clairs sont comme du cristal et perçants comme une lame trempée. Ta mignonne figure évoque la candeur confiante d'une enfant doucement bercée dans les bras de son père. Le bercement affectueux rend à tes traits, à ton regard et à ta peau, leur limpidité et leurs tendres couleurs.

[...]

Je te regarde,

À ton cou, mon suprême abri, ma consolation et ma réfection indispensables, est suspendue une perle, symbole de la valeur inestimable que tu représentes pour moi.

Ton sein, c'est une chaude larme d'amour qui a fait du moment où je l'ai bue le plus beau jour de ma vie. Souviens-toi de la tendresse qu'il contenait à tes retours de voyage.

Ton sein, c'est le symbole de toi-même. Il est plus blanc qu'une perle et sa forme plus parfaite. Il est la synthèse de ta beauté physique et morale. Sa proéminence est l'indice de ta noblesse, de ta fierté et de l'audace de ta jeunesse. Ta générosité est coupable de son abondance.

Toute ta beauté est contenue dans ton sein. Quand tu pares tes cheveux, c'est ton sein que tu pares. Quand tes yeux brillent, sourient, aiment, se donnent, c'est ton sein qui brille, sourit, aime, se donne. Quand tes lèvres sont passionnées, ton sein n'est-il pas frémissant ?

En ton sein, la blancheur, la beauté, la noblesse de la ligne de ton cou et de tes épaules, tes longues et fines jambes, tes fortes et séduisantes hanches, tes flancs généreux trouvent leur perfection.

Ton sein, c'est tout toi-même. De ta chevelure, il a le velouté, la souplesse et la chaleur. De tes yeux brillants, l'éclat de sa blancheur est le reflet. De l'exquise finesse et de la simplicité de tes traits, on trouve l'évocation dans la grâce de tes contours. C'est le charme pur de ton sourire au bonheur. C'est la franchise et la tendresse de tes yeux que les laideurs, la poussière et l'effort n'ont pas cernés. Ton sein c'est la passion sans contrainte de tes lèvres.

Où donc frappent, déchirent, flattent, épanouissent, réconfortent l'oppression de la douleur, les transports de joie, les pulsations bouleversantes et le rythme exaltant du bonheur ? En ton sein, source de vie, écrin de ton cœur et son univers.

Je prie le Nouveau-Né que, par sa Mère, il accorde à ton sein la grâce d'abreuver après la mienne une âme qu'il aura fait germer en toi grâce à l'Amour. [...]

Simonne répond à Michel. Elle ne veut pas brûler les étapes et lui rappelle qu'il faudra réunir certaines conditions gagnantes pour réaliser leur souhait de mariage. Attendre peut-être la fin de la guerre ? Jouir d'une certaine sécurité que procureraient un emploi stable et un bon logement ? Le doute s'est-il installé en elle ?

Simonne semble de nouveau attacher beaucoup d'importance aux volontés de sa famille. Elle se veut conciliante. Elle est de nouveau plongée dans la tourmente...

Le nationalisme canadien-français

Michel n'écrit pas que des lettres d'amour, il s'active dans le mouvement anticonscriptionniste. Le gouvernement fédéral vient en effet d'annoncer la tenue prochaine d'un référendum sur la conscription, demandant qu'on le délie de ses promesses. Les sociétés patriotiques et les mouvements de jeunesse se mobilisent pour résister. Même Henri Bourassa, le vieux chef nationaliste, sera mis à contribution.

Michel aimera Simonne toute sa vie, mais sa première maîtresse sera toujours la politique. Tout est politique, comme il le répétera inlassablement. Il deviendra rapidement un des organisateurs-fondateurs de la Ligue pour la défense du Canada. Il travaillera au mouvement anticonscription et au Bloc populaire canadien.

Ici, il convient d'ouvrir une courte parenthèse pour expliquer ce qui peut sembler aujourd'hui un paradoxe. Les gens parlant français au Québec se définissaient, à l'époque, comme des «Canadiens» ou, mieux encore, comme des «Canayens», afin d'insister sur leur différence avec les gens parlant anglais mais qui habitaient tout de même le Québec. Les autres, ceux qui habitaient aussi bien au Québec que dans le reste du Canada, étaient appelés les «Anglais». Il existait par conséquent deux formes de nationalismes: celui des «Canadiens» (habitant le Québec) qui s'identifiaient aux premiers fondateurs parlant français, et celui des «Anglais». Henri Bourassa, André Laurendeau et Michel Chartrand s'identifient au nationalisme «canadien». Ils sont attachés au Canada. Ils entonnent fréquemment le *Ô Canada*, composé par Basile Routhier et considéré comme l'hymne national «canadien», un hymne qui n'est pourtant pas encore reconnu officiellement par le gouvernement du Canada et qui, évidemment, n'existe pas en version anglaise. Les autres, les «Anglais», pratiquent un nationalisme qui se rattache surtout à leur mère patrie, l'Angleterre. Ce n'est que dans les années soixante qu'est apparue l'expression *Québécois* pour désigner les habitants du Québec.

Amoureux... militant et homme d'action

Tout militant qu'il soit, Michel ne néglige pas pour autant sa vie amoureuse. Il essaie de réconforter et d'apaiser son amoureuse en exil en lui écrivant et en lui téléphonant à l'occasion. Simonne insiste : elle veut que ses parents avalisent leur union, surtout du côté de son père, cet homme qu'elle a le plus aimé dans sa vie. Elle y tient. Et elle demande à Michel de se montrer patient et de comprendre son désarroi. Ses parents, d'ailleurs, n'ont pas tardé à voir en Michel un être dominateur qui influence un peu trop les comportements de leur fille. Il faut donc les convaincre du contraire.

Le 2 février, Simonne lance une dernière tentative de négociation avec Michel. Elle se fait ni plus ni moins le porte-parole de son père et le presse de questions : En a-t-il vraiment fini avec son service militaire ? Quel salaire justifiera-t-il, aux yeux de son père, pour faire vivre la petite famille ? Et comment compte-t-il gagner sa vie à l'avenir ?

Michel semble avoir tout prévu et trouve réponse à tout. Faisant toujours preuve de tendresse et d'amour, il ne veut pas que les choses traînent en longueur. Homme d'action, il a entrepris certaines démarches et il s'organise. C'est ce qu'il précise dans la dernière lettre qu'il adresse à Simonne avant leur mariage, lettre que Simonne montrera certainement à son père, il n'en doute pas.

Ville-Marie, le 5 février 1942

Mlle Simonne Monet
a/s M. et Mme Marc Desmarteau
962, Court Street
Kankakee, Illinois

Ma chère Simonne,

Je ne cesse de t'attendre, rempli de tendresse et d'affection. Étant donné nos natures respectives et l'idéal de notre vie en commun, il est rassurant de constater que nos sentiments sont immuables depuis le début de notre rencontre, et cela parce qu'ils étaient vrais. Il importe qu'en arrivant à Montréal tu tiennes calmement et courageusement à ta décision de nous fiancer dès ton arrivée. Attendre serait aggraver davantage la situation.

De plus, il sera nécessaire, je crois, pour ton bien, ta santé et notre amour, pour tes parents aussi, que nous nous épousions le mardi 17 février avant le Carême, car il faudrait des dispenses de l'évêché pour pouvoir nous marier après le mercredi des Cendres. Le jeûne des sens est prescrit et recommandé durant le Carême. C'est ainsi. La vie sexuelle est peu valorisée dans la religion.

Notre vénéré ami, l'abbé Lionel Groulx, bénira notre union soit à l'église Notre-Dame ou même, si cela est préférable, dans sa chapelle particulière. Nos sentiments sont mûrs depuis longtemps. Notre sensibilité est surexcitée. Tu vis à moitié avec l'impression d'être partagée entre ta famille et moi. Il serait malsain et immoral de prolonger nos fréquentations dans un tel état. Nous essaierons dès ton arrivée de les consoler sans avoir trop à discuter. N'acceptons pas d'objections non fondées et ne dramatisons pas. Il vaudrait mieux sympathiser avec eux.

Au sujet de ma situation, voilà : je travaille à plein temps à l'Imprimerie Stella, rue de Brésole, dans le Vieux-Montréal. J'y reçois un salaire convenable comme typographe, métier que j'ai appris et pratiqué en sortant de la Trappe d'Oka. Je m'y plais et tranquillement, par des travaux d'édition, je pourrai grossir mon revenu. Je continuerai de suivre des cours du soir. Côté santé, j'ai vu hier le médecin de famille. Il m'assure que je ne puis être forcé de faire du camp militaire ou être appelé dans « l'armée active » à cause du régime alimentaire de l'armée qui ne convient pas à la faiblesse de mon estomac. Une petite hernie m'impose un régime alimentaire sévère, mais la maladie n'est pas grave, seulement désagréable.

Nous nous marierons donc sans crainte et sans bruit. La décision du mariage ne concerne que les époux. Ce n'est pas une fête pour plaire même à ceux qu'on préfère. Il ne faut pas exagérer l'importance du consentement des parents. Tu as 22 ans, moi, 25 ans. Nous sommes depuis longtemps des adultes consciencieux. Leur consentement n'est nullement obligatoire aux yeux de l'Église ni même une condition essentielle au bonheur. Tu feras comprendre à ta mère qu'au lieu de te perdre tu vas mieux l'aimer en rapprochant vos deux personnalités de femme dans un état analogue de femme mariée.

Ma grande Simonne, tu es la seule femme que j'ai aimée, la première et la seule en qui je me suis entièrement confié, la première et la seule que j'ai connue aussi belle et aussi bonne depuis que je t'ai vue pour la première fois, la première et la seule qui m'a pris, me tient, me presse, me trouble, m'exalte, m'encourage, me rend fort. Tu es celle qui a engendré mon cœur d'homme, qui a nourri et fortifié l'amour invincible qui me lance vers toi et me fait mourir à t'appeler.

À Dieu, à toi, ma vie d'amour. Viens vite ma compagne, viens vite que je te berce longtemps, longtemps, longtemps. N'écoute que ton cœur, sans te croire égoïste. Même si ta décision peine ceux que tu aimes, sois ferme et courageuse comme tu sais l'être.

Télégraphie-moi si tu veux que je fasse faire la publication dans les journaux du samedi 7 pour nous marier le 14 ou le 17 février.

Hommages et remerciements de ma part à la famille Desmarteau.

Michel

Comme on peut le constater, le ton de la lettre est ferme. Il n'est pas question pour Michel Chartrand de reculer ni d'arrêter la démarche nuptiale.

Un allié précieux : l'abbé Lionel Groulx

De son côté, le juge Amédée Monet, père de Simonne, n'entend pas baisser les bras. Il n'hésite pas à se servir de ses influences pour faire en sorte qu'aucun prêtre du diocèse de Montréal, y compris le curé de la paroisse Saint-Germain d'Outremont, un ami de la famille, n'accepte de bénir ce mariage. On peut facilement imaginer la réaction intempestive de Michel devant cette levée de boucliers. Il n'a pas joué sa dernière carte, celle de l'abbé Lionel Groulx ! Et Groulx n'est pas le genre d'homme à se laisser imposer des directives, d'où qu'elles viennent. Michel et Simonne ne sont-ils pas ses deux élèves, ses deux disciples, à la fois nationalistes et catholiques ?

La famille de Michel, elle, ne s'oppose pas à cette union. Bien sûr, sa mère doit se résigner à perdre son «prince noir», mais Michel la console en lui disant qu'elle gagnera ainsi une nouvelle femme dans le clan Chartrand. Quant à Louis Chartrand, il a trop d'admiration, d'affection et d'amour pour son dernier garçon pour lui refuser la permission de convoler en justes noces. D'autant plus qu'il connaît fort bien, plus que tout autre, son archange Michel-Raphaël. Il sait sa fougue, sa passion d'homme d'action, sa capacité à dépasser les limites. Il préfère le savoir marié que de craindre qu'il puisse commettre un jour prochain l'adultère avec Simonne. Ce serait, pour ce fervent catholique, l'offense suprême dont il ne se remettrait jamais.

L'exil prend fin avant terme

Sur ce, Simonne, qui n'a été partie aux États-Unis que deux mois, revient à Montréal. Au cours de son long et pénible trajet en train, elle ne réussit pas à trouver le sommeil et pour cause : elle se demande comment aborder ses parents. C'est d'abord vers son père qu'elle ira, c'est lui qu'elle doit chercher à convaincre en premier lieu. Sinon, c'est la fin de tout espoir. Ah ! si ses arguments pouvaient ébranler un tant soit peu sa forteresse, ce serait une demi-victoire, elle serait mieux équipée pour affronter les foudres de sa mère. À son arrivée à Montréal, le père de Simonne est sur le quai de la gare à l'attendre. Un « gros » malaise, de part et d'autre, les empêche de se répandre en effusions : c'est que Simonne n'est pas seule... le fiancé Chartrand est à son bras ! Ce dernier, de connivence avec Simonne, est allé la rejoindre à mi-chemin, à un arrêt du train. C'est à ce moment que sa décision d'épouser Michel est devenue irrévocable. Alors, la grande discussion avec son père, ce sera pour plus tard ! La situation est beaucoup trop tendue.

La mère est heureuse, elle aussi, de retrouver enfin sa fille, mais la chaleur et l'affection ne sont pas au rendez-vous. Le retour prématuré de Simonne y est pour quelque chose.

Simonne, en larmes, se réfugie dans sa chambre. Son père la suit et tente de la consoler. Simonne se ressaisit :

— Papa ! maman et toi, avez-vous modifié votre décision ? Allez-vous consentir à ce que j'épouse celui qui m'aime et que j'aime, mon bien-aimé Michel Chartrand ?

— Ma Simonnette, pourquoi persistes-tu à te tourmenter ? Mon enfant chérie, pourquoi ne pas remettre à plus tard ce mariage, juste le temps de réfléchir un peu plus ? Tu t'embarques dans une aventure à laquelle je ne vois hélas pas de point d'arrivée salutaire.

— Papa, je ne veux pas reprendre la discussion. Nous avons eu assez de temps pour approfondir la question. Veux-tu une fois pour toute m'accorder ta bénédiction pour mon mariage ?

— Ma Simonnette, ta mère et moi ne pouvons t'accorder ce souhait. Trop de choses entourant ton ami restent à éclairer et à préciser. Votre équipée pourrait malheureusement mal se terminer et nous ne pouvons nous astreindre à te voir souffrir. Notre amour pour toi est trop grand et il est de notre devoir de parents de te mettre en garde contre les dangers qui te guettent. L'incertitude est reine dans votre projet ; aucune garantie de bonheur n'est présente, sauf ton amour aveuglé pour cet homme.

— Je regrette pour vous deux, papa, mais Michel et moi n'avons pas les mêmes valeurs que vous. Nos sentiments reposent sur l'amour : l'amour de notre prochain et du dévouement envers les plus démunis. J'ai 22 ans et ma décision est prise, je marierai Michel Chartrand le 17 février prochain. Maman et toi êtes invités à la cérémonie religieuse.

Le juge : un homme seul et malheureux

Quelques jours avant la cérémonie, Simonne rencontre son père à son bureau de juge au Palais de justice de Montréal. Il la reçoit cordialement mais sans plus. Elle se rend bien compte que son père est de plus en plus indolent et désabusé, et qu'il n'y a certainement pas uniquement son projet de mariage qui l'ennuie.

Le juge s'est mis à boire parce qu'il n'a plus d'espoir, surtout depuis la mort de son fils aîné, Roger, emporté en 1935 par une tuberculose galopante. Le juge boit aussi pour oublier qu'il aurait pu et dû jouer un rôle plus actif au sein de la société.

Simonne ne sent pas d'attaque et préfère fermer les yeux sur ce comportement qu'habituellement elle ne se gêne pas pour dénoncer. Elle informe son père que son mariage aura lieu à la petite chapelle du Sacré-Cœur de la Basilique Notre-Dame à Montréal. C'est l'abbé Lionel Groulx qui bénira l'union et Michel qui paiera pour la cérémonie. Le juge Monet proteste un peu pour la forme, mais sa fille lui rétorque que Michel a insisté pour défrayer les coûts du mariage. Rien de plus normal, selon Michel, puisque c'est lui qui épouse Simonne. Simonne demande alors à son père s'il va assister à la cérémonie et, surprise, Amédée Monet lui répond tout de go qu'il ne peut laisser sa fille aller seule vers l'autel. Simonne est apaisée.

Mauvais présage ?

Le 17 février 1942, le verglas se déchaîne sur Montréal. Il fait un temps à ne pas mettre un chien dehors. La circulation automobile est réduite au strict minimum. Les tramways circulent difficilement et avec précaution. Les taxis se font rares.

Michel, au domicile de ses parents, au Carré Saint-Louis, est inquiet. Il se demande si son mariage pourra avoir lieu malgré la tempête. Quoi qu'il en soit, la cérémonie risque fort d'être retardée et il en avise aussitôt sa fiancée par téléphone. Simonne lui apprend que sa mère est toujours décidée à ne pas assister au mariage. Mme Monet a fait plus encore, elle a même demandé à un ancien ami, toujours amoureux de Simonne, de l'appeler et d'essayer de la convaincre de ne pas se marier. Simonne en vient à se demander s'il ne faut pas voir dans le déchaînement de la nature un signe du ciel…

CHAPITRE 5

Unis dans l'amour et la lutte

Berthe résiste encore et toujours

Pour ce grand jour solennel, il fait vraiment un « temps de chien ». Malgré la tempête de verglas, l'irréductible Simonne se prépare frénétiquement, plus déterminée que jamais. Se marier elle veut, mariée elle sera.

L'intraitable Berthe Monet exhorte une dernière fois sa fille unique à ne pas se présenter à l'autel. Elle la supplie de renoncer au mariage avec cet homme imprévu, au destin plus qu'incertain. Cette dernière tentative de convaincre Simonne échoue comme les précédentes. La mère refuse alors d'assister au mariage. Seul le père accompagnera la future mariée à la basilique Notre-Dame… en taxi, en raison du mauvais temps.

Demeurée seule à la maison, Berthe Monet décide de faire contre mauvaise fortune bon cœur. Devant l'inévitable, elle se résigne et, avec sa bonne, elle prépare toute une surprise aux futurs mariés.

Contre vent et verglas

C'est donc à la chapelle du Sacré-Cœur de l'église Notre-Dame que sera célébré le mariage. La basilique Notre-Dame avait été inaugurée en 1829, devenant le plus vaste édifice religieux de l'Amérique du Nord. Elle abrite la chapelle du Sacré-Cœur, surnommée la « chapelle des mariages », où on peut admirer un retable de bronze du sculpteur Charles Daudelin.

Bravant la tempête, la fille et le père arrivent de peine et de misère à l'église. Michel les attendait devant la porte mais, dans sa grande nervosité, il a oublié les anneaux chez lui et il a dû les faire venir par taxi ! Assistent à la cérémonie, célébrée par l'abbé Lionel Groulx, le père et la mère de Michel, son frère Paul, l'aîné, une tante et la grand-mère de Simonne, ainsi que son jeune frère Amédée et quelques amis de la JEC. Les pères servent de témoins.

Un prince délicat, attentionné, et une princesse en devenir

Michel a veillé au bon déroulement de la cérémonie. La veille, il a acquitté le coût du mariage auprès du vicaire et il a demandé au bedeau de faire sonner les cloches après la cérémonie. Il a acheté un bouquet de lis Callas, qu'il remettra à Simonne. Il a demandé qu'on enlève le tapis rouge de l'allée centrale ainsi que les fleurs artificielles et il a déposé sur le prie-Dieu un rideau fleurdelisé, tout tissé en laine.

Simonne porte une robe longue en organza blanc doublé de satin. Cette robe, elle l'avait d'abord portée à l'occasion de la célébration du vingt-cinquième anniversaire de mariage de ses parents. C'est à cette date que Michel et Simonne avaient convenu de se marier et cette robe était tout indiquée, même si les futurs époux avaient dû retarder leur engagement face au refus catégorique des Monet.

Michel a, lui aussi, des allures de grand prince. Il a loué « un *coat* à queue », un *tuxedo* de cérémonie. Les mariés sont tous deux resplendissants de bonheur et vêtus avec élégance. Ils garderont de cette journée un souvenir mémorable.

La cérémonie peut débuter. Le chanoine Groulx, qui, en toute modestie, préfère se faire appeler abbé, s'adresse au couple :

— Vous êtes des jeunes remplis d'idéal, un idéal qui sera difficile à réaliser mais votre courage et votre noblesse d'âme vous honorent. Vous vous unissez pour mener une vie utile et ardente. Vos convictions et votre ténacité vous guideront tout au long de votre vie.

Le prêtre bénit d'abord les anneaux, puis fait lecture des promesses que les fiancés s'engagent à respecter toute la vie durant.

Simonne et Michel se promettent mutuellement amour, assistance et fidélité pour la vie. L'un le fait d'une voix ferme et déterminée, tandis que l'autre, émue, a peine à réprimer ses larmes. Le chanoine Groulx n'a plus qu'à bénir ce mariage :

— Mes chers amis, soyez toujours de fervents chrétiens et de bons patriotes. Je prie pour que vous soyez heureux ; vous le méritez bien.

Simonne et Michel s'enlacent et s'embrassent tendrement. Ils échangent par la suite un regard complice qui en dit long.

Berthe baisse sa garde. Vive la mariée !

Le juge Monet invite tous et chacun à venir célébrer et faire la noce à son domicile. Les jeunes mariés, Michel en tête, sont surpris de cette invitation, étant donné la vigueur avec laquelle la mère de Simonne s'est opposée jusqu'au dernier moment à ce mariage.

Une surprise attend tout ce beau monde au domicile des Monet. La mère de Simonne, avec la complicité de la bonne, a préparé le repas et décoré la salle à manger comme aux grands jours de fête. Le menu est alléchant et la table dressée avec un grand savoir-faire. Berthe a montré qu'elle savait être aussi bonne cachottière que femme de caractère.

C'est l'occasion pour les deux familles de se rencontrer et de se connaître. Heureusement, aucune ombre au tableau n'est venue assombrir la fête.

Un beau voyage de noces

Après la réception, Marius, le frère de Michel, reconduit les jeunes mariés à la gare Jean-Talon, située dans la partie nord-ouest de Montréal. Là, ils prennent le train, « le p'tit train du Nord », pour se rendre à Sainte-Adèle, dans « les pays d'en haut ».

Grâce à la générosité de Myrielle Chartrand, sœur de Michel, et de Bernard Couvrette, copropriétaire de l'Imprimerie Stella où Michel exerce son métier de typographe, les nouveaux mariés bénéficient de neuf jours de vacances, qu'ils passent dans une petite chambre de l'*Auberge Candle Inn*.

Le juge Monet a lui aussi réservé une surprise aux jeunes mariés. Il a embauché un photographe qui a charge d'immortaliser la cérémonie du mariage. Il fera paraître la photo des nouveaux mariés dans la chronique des événements mondains de tous les journaux. Simonne et Michel découvriront avec étonnement leur photo dans un des journaux que le propriétaire de l'hôtel a laissé traîner dans le petit salon. Pendant le repas du soir, les gens attablés près d'eux leur sourient gentiment.

Simonne bien évidemment est très touchée par ce geste et elle s'empresse d'écrire à ses parents pour les remercier et aussi pour les rassurer : tout va bien et Michel se comporte comme un véritable amoureux envers elle !

La grande réconciliation

Pour défrayer les coûts du mariage et du voyage de noces, Michel a dû emprunter de l'argent d'un ami qui est gérant d'une Caisse populaire. Au retour de Sainte-Adèle, il n'a plus qu'un ticket de tramway en poche.

Heureusement, Simonne avait anticipé cette situation un peu malheureuse et M. Monet viendra les cueillir à la gare pour les ramener à la maison paternelle. En chemin, ils apprendront que la famille a décidé de se réconcilier avec les jeunes mariés et qu'une belle surprise les attend.

Après le déballage des cadeaux de mariage et un souper gastronomique, la mère de Simonne leur annonce qu'elle leur a préparé une chambre. Ce sera leur premier nid d'amour ! Elle y a installé des meubles, des rideaux de dentelle, de la fine lingerie. En fait, elle avait commencé à préparer en cachette le trousseau de mariage de sa fille, il y a quelque temps déjà. Simonne et Michel, s'ils se montrent ravis sur le coup, voudront bien vite reprendre leur liberté…

Liberté quand tu m'appelles

Après deux jours de cohabitation avec les parents de Simonne, le couple Monet-Chartrand s'en va habiter chez les Couvrette, dans le quartier Notre-Dame-de-Grâce. La mère de Simonne est plutôt déçue de cette décision et elle s'en plaint à sa fille qui s'explique. Ils vont pouvoir jouir d'une grande maison bien organisée car les Couvrette vont déménager temporairement à Sainte-Adèle. Là-bas, Myrielle, faible physiquement mais forte moralement, doit se refaire une santé. Michel et Simonne s'occuperont de son fils de sept ans, André, le futur ambassadeur du Canada à Rome. Pendant le séjour de Michel et de Simonne chez les Couvrette, la grand-mère maternelle de Simonne vivra avec eux. Simonne, dans son autobiographie, nous rapporte les précieux conseils de sa grand-mère.

> Avec un homme, vois-tu, il faut avoir beaucoup de tact, lui laisser l'impression de tout mener, de tout diriger, mais en même temps lui suggérer ce qu'il nous plairait de faire. Mais il ne faut jamais insister ni contredire ouvertement. Ça c'est mortel. C'est pas péché, c'est maladroit. Moi, je suis pour la coquetterie. C'est une bonne arme, une douce.

Les jeunes époux ont la bougeotte: 15 jours plus tard, avec armes et bagages, meubles, vêtements et livres, ils atterrissent chez Yvette, sœur aînée de Michel. Chapelière de métier, elle gagne bien sa vie et son mari d'origine écossaise, Kenneth Rowell, est dessinateur pour de grandes firmes commerciales. Ils ont invité Simonne et Michel à habiter avec eux, rue Maplewood (devenue boulevard Édouard-Montpetit), près de la rue Bellingham (devenue l'avenue Vincent-d'Indy), dans le très chic Outremont.

« Dégagez-nous de notre promesse ! »
« Non », dit la Ligue pour la défense du Canada

Quelle est, pendant tout ce temps, la situation politique au Canada et au Québec ? En janvier 1942, dans son discours du Trône, le gouvernement libéral de Mackenzie King annonce la tenue d'un plébiscite pour demander aux Canadiens de relever le gouvernement de sa promesse de ne pas établir la conscription militaire pour le service outre-mer. Il s'agit d'une façon déguisée de mettre en marche la conscription obligatoire, particulièrement pour les Canadiens français. À Montréal, la Ligue pour la défense du Canada organise l'opposition à ce plébiscite. Michel Chartrand et Roger Varin en sont les principaux instigateurs. Michel Chartrand s'entend très bien avec le chanoine Groulx, qu'il rencontre avec Varin. Groulx leur conseille de s'allier à André Laurendeau et à Paul Gouin. Le quotidien *Le Devoir* publie le manifeste de la Ligue, que plusieurs personnalités n'hésitent pas à signer, tels Maxime Raymond, Georges Pelletier (rédacteur en chef au *Devoir*), Philippe Girard (de la CTCC), Gérard Filion (au nom des cultivateurs), Jean Drapeau (étudiant en droit), Roger Varin (fondateur de la Ligue) et André Laurendeau. Michel n'a pas vraiment participé à la rédaction de ce manifeste. Il préfère l'action et l'organisation, et on ne l'a pas encore entendu exercer ses dons d'orateur. Il lit énormément, mais il n'écrit presque jamais, sauf des lettres d'amour à Simonne.

André Laurendeau écrira, beaucoup plus tard, dans ses mémoires, en parlant de lui :

> La lutte commence. C'est novembre. Jeune et vivant auditoire à qui des jeunes parlent avec fougue. Michel Chartrand s'attaque à l'abbé Sabourin, aumônier militaire qui vient de se rendre célèbre par une longue tirade à la gloire de la Grande-Bretagne. « J'aime l'Angleterre parce que... » a dit

l'abbé Sabourin. J'aime l'Angleterre, reprend Chartrand, mais ses « parce que » ne ressemblent pas à
ceux de l'aumônier : tous les griefs historiques que
nous entretenons contre la *Mother England*, il les
reprend dans son style virulent, avec une âcreté,
une violence dont nous demeurons saisis. La
Gendarmerie royale a des représentants dans
l'assistance : Chartrand les reconnaît, les interpelle,
redit lentement certaines de ses violences pour
donner aux scribes présents le temps de les enregis-
trer. Nous avons la conviction qu'il sera arrêté...

Michel Chartrand ne sera pas arrêté comme on le
craignait. Il se rappelle son discours :

> Je donnais 24 raisons pour lesquelles j'aimais
> l'Angleterre et, parmi celles-là, il y avait le fait
> qu'elle avait envoyé les Acadiens en pique-nique
> autrefois.

Plus de 10 000 personnes au marché Saint-Jacques à Montréal

Mais il ne fait pas que parler, il participe tout
particulièrement à l'organisation d'une grande assemblée
en faveur du Non qui a lieu au marché Saint-Jacques à
Montréal. Plus de 10 000 personnes ont répondu à l'appel.
Jean Drapeau, un jeune étudiant en droit encore inconnu,
prend la parole au nom de la jeunesse et des étudiants.
Gérard Filion, qui prend aussi la parole à cette occasion,
affirme que les jeunes cultivateurs sont prêts à défendre
leur « petite patrie », mais qu'ils ne sont pas prêts à défendre « l'autre patrie, celle des profiteurs internationaux,
celle des marchands de caoutchouc à Singapour, celle des
trafiquants d'opium à Hong-Kong, celle des raffineurs de

pétrole en Irak, celle des négociants en coton en Égypte et en Inde, cette autre patrie des Deux-Cents de Toronto... Cette patrie-là, nos jeunes cultivateurs refusent d'être forcés de verser leur sang pour la défendre». Malgré son âge avancé, Henri Bourassa ne tient pas à être en reste. Il y va d'une déclaration prémonitoire: «Jeunes gens, quel que soit le résultat du plébiscite, si la guerre dure encore deux ans, la conscription, vous l'aurez.»

La foule grossit et l'impatience grandit. Des petits groupes de militaires anglophones sont parmi les spectateurs, massés à l'extérieur, et on les entend crier: «*This is an English country. These French Canadians should speak English.*» C'est dans cette atmosphère surchauffée que des étudiants affrontent les policiers à motocyclette. Bilan: 18 arrestations et un grand nombre de blessés, parmi lesquels 8 policiers.

Mackenzie King demande l'absolution. C'est NON.

Le projet de loi de Mackenzie King est tout de même adopté et la question sera soumise au vote populaire le 27 avril. Son énoncé se lit ainsi:

> Consentez-vous à libérer le gouvernement de toute obligation résultant d'engagements antérieurs restreignant les méthodes de mobilisation pour le service militaire?

Le premier ministre du Québec, Adélard Godbout, invite la population à voter Oui. Les journaux sont inondés d'annonces publiées et payées par le gouvernement fédéral libéral en faveur du Oui.

La Ligue proteste contre la Société Radio-Canada qui offre gratuitement ses ondes aux partisans du Oui et les refuse à ceux du Non. La Ligue doit, elle, acheter du temps dans les postes de la radio privée, entre autres à CKAC et à CHLP, pour défendre ses positions.

Simonne, à l'insistance de Michel, prononce alors son premier discours politique au poste CHLP, à Montréal. Elle incite les Canadiens français, jeunes et vieux, filles et femmes, à voter Non au plébiscite :

> Parce que nul pouvoir ne demande d'être relevé d'un engagement s'il n'a déjà la tentation de le violer, affirme-t-elle. La promesse que le Parti libéral fédéral a déjà faite au peuple du Canada, il voudrait être autorisé à n'être plus obligé de la tenir. C'est la promesse de ne pas conscrire les Canadiens pour outre-mer.

Et la question reçoit sa réponse le 27 avril 1942. L'ensemble du Canada vote à 80 % pour le Oui. Au Québec, le Non récolte 71,2 % du vote, ce qui fait dire à François-Albert Angers : « C'est un vote de race. » La Ligue conclut, de son côté, que « rien n'est réglé, un pacte reste un pacte ». « Comment un gouvernement fédéral, demande la Ligue, peut-il demander au Canada de le libérer de promesses qu'il a faites au Québec ? »

Comme l'avait prévu Henri Bourassa, King présente son projet de loi instaurant la conscription.

La Ligue n'abdique pas pour autant. Elle convoque encore une fois la population à une assemblée publique au marché Saint-Jacques, à Montréal. Quelques milliers de personnes répondent à l'appel. Plusieurs prennent la parole, mais Chartrand n'est pas encore du nombre car ses talents de tribun ne sont pas encore connus. Le député René Chaloult, de l'Assemblée législative du Québec, harangue la foule :

> Il vous est arrivé sans doute dans la rue de vous faire poursuivre par un chien qui jappait après

vous. Lorsque vous paraissiez le craindre, il accentuait son humeur, mais quand vous lui faisiez face résolument, il se taisait et reculait. La situation est la même dans le Canada. Nos associés anglais dans la Confédération respectent ceux qui savent leur tenir tête, mais ils méprisent ceux qui rampent devant eux comme le font un grand nombre de nos hommes politiques à Ottawa et à Québec. Les Anglais méprisent leurs valets, mais ils respectent ceux qui peuvent se tenir et ont le courage de leurs convictions. [...] On dit que le gouvernement fédéral est actuellement délié de ses engagements. J'affirme qu'il est plus lié que jamais. Le gouvernement fédéral s'est engagé non pas envers la minorité anglaise, envers la majorité conscriptionniste, mais envers la minorité canadienne-française, vers les anticonscriptionnistes. Pour qu'il fût libéré, il aurait fallu que la majorité des Canadiens français votât Oui. Je n'accepte pas davantage la conscription imposée par M. King et son cabinet que celle de M. Borden ou de M. Meighen. Mordu par un chien ou par une chienne, c'est la même chose.

Et selon l'historien Jacques Lacoursière, dans son *Histoire populaire du Québec 1896-1960* :

Les propos de Chaloult soulèvent l'indignation. Le 27 mai, le ministre canadien de la Justice, Louis Saint-Laurent, décide d'entreprendre des poursuites judiciaires contre le député de Lotbinière, qui aurait tenu des « propos séditieux » (nous sommes sous la *Loi des mesures de guerre*). On reproche à l'orateur la phrase suivante : « Je crois qu'après cette guerre se rompra tout lien avec l'Angleterre. » Le procès débutera le 6 juillet 1942. Chaloult sera acquitté le 3 août suivant.

God save the King

Le 17 juillet 1942, par un vote de 158 voix contre 54, la Chambre des communes adopte, en deuxième lecture, le projet de loi n° 80 concernant la mobilisation générale. La majeure partie des députés du Québec se prononcent contre la mesure. Le vote en troisième lecture a lieu le 23 juillet : 141 voix contre 45. King avait averti la députation que la conscription pour outre-mer serait imposée par un arrêté en Conseil et non par une décision de la Chambre des communes. Le Sénat consacre peu de temps à l'étude du projet de loi. Celui-ci est adopté par 42 voix contre 9, 5 des voix dissidentes étant francophones. Peu de temps après, la sanction royale est accordée au projet de loi et le Parlement ajourne ses travaux.

La *Loi pour la mobilisation outre-mer* sera appliquée avec vigueur et plusieurs récalcitrants paieront de leur personne pour avoir osé refuser d'obtempérer aux ordres du dominateur anglais et de ses pairs.

Le Bloc populaire canadien

En septembre 1942, Maxime Raymond, député libéral de Beauharnois, dissident de son parti et membre fondateur de la Ligue pour la défense du Canada, annonce la formation d'un nouveau parti politique, le Bloc populaire canadien. Ce nouveau parti défendra l'autonomie provinciale à Ottawa et les droits des Canadiens français en lançant comme mot d'ordre : « Le Canada aux Canadiens (non aux Britanniques) et le Québec aux Québécois (non aux Canadiens anglais). »

Michel Chartrand, déjà membre fondateur de la Ligue de défense du Canada, adhère aussitôt au Bloc populaire. Il s'active en vendant des cartes de membre et en organisant des réunions pour faire connaître le Bloc.

La famille de Louis Chartrand, en 1921.
Michel est à l'avant-plan, à gauche.
Collection Lucie Couvrette.

Le père et la mère de Michel
Chartrand, Louis et Sophie-
Hélène Patenaude.
Collection Lucie Couvrette.

Michel, 8 ans, en compagnie de
sa sœur, Jacqueline, 7 ans.
Collection Jacqueline
Chartrand-Cornellier.

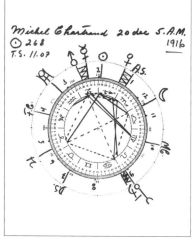

Michel Chartrand
à l'académie Querbes,
pendant son cours primaire.
Collection Alain Chartrand.

La « carte du ciel »
de Michel Chartrand,
né le 20 décembre 1916, à 5 h.

Marius Chartrand,
le frère aîné de Michel.
Collection Michel Chartrand.

Gabriel Chartrand,
qui a épousé, à la fin de la
Deuxième Guerre mondiale,
Violet Chambers.

Les sœurs Chartrand : Yvette,
Lili, Murielle et Jacqueline.
Collection Violet Chartrand.

Le frère-moine Adrien
Corriveau, qui fut compagnon
de cellule de Michel Chartrand,
à la Trappe d'Oka,
de 1933 à 1935.
Collection Fernand Foisy.

Simonne Monet à Belœil,
en 1938.
Collection Alain Chartrand.

Michel, l'homme élégant
avec son parapluie.
Collection Alain Chartrand.

Michel et Simonne, en juillet 1942, à Belœil.
Collection Alain Chartrand.

Simonne Monet à son
retour de Kankekie, dans
l'État d'Illinois, trois mois
avant son mariage.
Collection Michel Chartrand.

Le mariage de Simonne et Michel a
eu lieu à la chapelle Sacré-Cœur de
l'église Notre-Dame de Montréal,
le 17 février 1942.
Collection Alain Chartrand.

Départ de la gare Jean-Talon
pour le voyage de noces.
Collection Alain Chartrand.

Michel et Simonne aux noces de Marius Chartrand
et de Lucille Moelleur, le 21 mai 1942.
Collection Alain Chartrand.

Jeanne Benoît (qui deviendra Gouverneur général du
Canada), Simonne Monet, Alexandrine Leduc (future
épouse de Gérard Pelletier) et Huguette Chamard
(à l'arrière), au cours d'une journée d'études
des Jeunesses étudiantes catholiques,
à l'été 1939, au Sault-aux-Récollets.
Collection Alain Chartrand.

Hélène Patenaude, la mère de Michel, la petite Micheline
dans les bras de sa mère, Simonne Monet, et le père de
Michel, Louis Chartrand, en 1944.
Collection Michel Chartrand.

Michel Chartrand, le « prince noir », alors qu'il milite pour le
Bloc populaire aux élections générales du 11 juin 1945.
Collection Alain Chartrand.

Toujours curieux, il est un ardent partisan du progrès social. Petit à petit, il développe ses talents d'orateur et de tribun.

Les Chartrand occupent maintenant un nouveau logement, leur premier logement à eux, sur la Rive-Sud, à Longueuil, autrefois appelé Montréal-Sud. À peine installés, ils redéménagent leurs pénates chez les parents de Simonne à Montréal. C'est que, tous les deux ayant l'intention de participer aux prochaines élections fédérales partielles, ils pourront ainsi être plus efficaces et présents.

Jean Drapeau, le « candidat des conscrits », et Michel Chartrand

En octobre 1942, le gouvernement fédéral déclenche deux élections partielles, l'une dans le comté de Charlevoix-Saguenay et l'autre dans Montréal-Outremont. C'est dans ce dernier comté que Michel fera ses premières armes en politique active. Les libéraux s'accordent déjà la victoire, avec leur candidat, le major général Léo-L. Laflèche, alors ministre des Services nationaux de guerre. Les partisans nationalistes n'entendent pas laisser Laflèche être élu sans opposition, même si les journaux anglais et la « grosse » presse appuient unanimement sa candidature. Toutefois, ni la Ligue de la défense du Canada, ni le tout nouveau Bloc populaire canadien ne veulent embarquer officiellement dans la bataille. On laisse les membres libres de participer ou non à la campagne.

Un étudiant en troisième année de droit de l'Université de Montréal et secrétaire adjoint de la Ligue, Jean Drapeau, se déclare alors le « candidat des conscrits ». Les organisateurs de sa campagne axeront surtout leurs efforts dans le quartier populaire outremontois de Saint-Jean-de-la-Croix, situé au nord de la voie ferrée.

Marc Carrière, qui deviendra plus tard président du magasin *Dupuis et Frères*, est un homme respecté et respectable. Il offre ses services comme organisateur des assemblées publiques de Jean Drapeau. Il organise des assemblées populaires auxquelles Jean Drapeau, grâce ses talents d'orateur, réussit à attirer des foules nombreuses. Carrière prend à quelques reprises la parole. Le 8 novembre, il déclare à l'emporte-pièce :

> Je suis conscrit, mais je ne répondrai pas à l'appel militaire. Je ne porterai l'uniforme que pour servir ma patrie, le Canada, et non l'étranger.

Les journaux de langue anglaise réclament à grands cris son arrestation tout comme on l'avait fait pour le maire de Montréal, Camillien Houde, emprisonné au camp de Petawawa en Ontario depuis le 5 août dernier.

La Gendarmerie royale du Canada s'empresse alors d'arrêter, sans aucun mandat, le téméraire Marc Carrière. Cette arrestation se fait dans les locaux de l'organisation et Jean Drapeau assiste impuissant à l'événement. L'avocat Fernand Chaussé essaie de faire libérer Carrière, mais sans succès. La *Loi des mesures de guerre* sévit.

Michel Chartrand, toujours prêt à s'engager dans l'action, s'offre alors pour remplacer Carrière en tant qu'organisateur et orateur. Aidé d'une petite équipe de très jeunes militants, il organise les assemblées publiques du « candidat des conscrits », Jean Drapeau. Simonne, de son côté, utilise l'auto de son père pour emmener d'une salle à l'autre les organisateurs et les orateurs. Toutes les salles de sous-sol d'église, dans les quartiers populaires du comté d'Outremont, sont mises à contribution.

Tout comme lors du vote sur le plébiscite, Radio-Canada refuse encore une fois de donner gratuitement du temps d'antenne au « candidat des conscrits ».

Michel Chartrand et son groupe tentent de recueillir quelques oboles auprès des militants afin de pouvoir acheter du temps à la radio privée. Et c'est Simonne qui, à la demande d'André Laurendeau et de son mari, prépare «avec soin, tact et ruses» deux émissions de radio pour les postes CHLP et CKAC.

La campagne électorale libérale débute officiellement le 22 novembre. Les libéraux mettent à contribution tous les gros bonnets du parti. Lors de leur première assemblée, de jeunes partisans anticonscriptionnistes chahutent les orateurs libéraux. Le comité d'organisation, dirigé par André Laurendeau et Jacques Perrault (ce dernier deviendra le mentor de Michel Chartrand), a en effet envoyé des militants pour justement remettre en question publiquement la position des conscriptionnistes. Pierre Elliott Trudeau était de ce nombre. Au même moment, Michel Chartrand prend la parole dans une autre salle d'école et il a chargé Pierre Elliott Trudeau de prendre soin de Simonne, qui est enceinte de cinq mois. La bagarre éclate à l'arrière de la salle et Simonne est, comme plusieurs autres, bousculée et insultée par des membres du service d'ordre. Elle sera expulsée *manu militari* de l'assemblée, en compagnie, entre autres, de Pierre Elliott Trudeau, et jetée à la rue.

Pierre Elliott Trudeau déclarera plus tard :

On m'a appris à l'université qu'en démocratie c'est en tant que citoyen qu'on se présente aux élections et non comme le représentant d'une clique militaire. On fait à Ottawa une politique «après moi le déluge». Cette politique est imbécile quand elle n'est pas écœurante. On l'a bien vu ce soir-là.

Du côté de l'organisation de Jean Drapeau, Michel Chartrand multiplie les réunions. Le programme du

« candidat des conscrits » et de son équipe bénéficie d'un fort courant de sympathie populaire, mais la partie est loin d'être gagnée, surtout que ce comté a un fort pourcentage d'habitants anglophones et allophones. Michel ne se gêne pas pour rappeler, lors de ses discours publics, le sort que la GRC a réservé à Marc Carrière. Il rappelle aussi qu'Honoré Mercier, chef provincial nationaliste, a été élu parce que le peuple se souvenait de l'exécution de Riel. Il est furieux du traitement qu'on a fait subir à sa Simonne :

> Si *The general from Ottawa, Ontario* [avec un fort accent *british*], prétend représenter si bien la province de Québec, pourquoi n'a-t-il pas choisi de se présenter dans le comté de Charlevoix-Saguenay, comté uniquement francophone ? Non, car il savait qu'il aurait été battu. Cette élection fédérale est un gaspillage d'argent. L'argent coule à flots pour gagner le comté. C'est de l'usurpation de pouvoir. Il faut, nous, les jeunes, remettre à leur place l'honnêteté et la justice dans la conduite des affaires de l'État, l'Église, dans la sacristie et les aumôniers militaires, dans leur confessionnal.

Exaspéré, il s'en prend aux agents de la Gendarmerie royale du Canada qui s'infiltrent dans la salle, à chaque assemblée, déguisés en spectateurs ou en journalistes dûment accrédités :

> Écoutez-moi bien, messieurs de la GRC. Peut-être comprenez-vous mal le français. Je vais répéter mes griefs contre l'Angleterre et le gouvernement de façon plus lente pour que vous me compreniez bien. [Il ne jure pas encore à cette époque.] Vous pourrez ainsi rapporter mes propos à vos *boss* avec plus d'exactitude...

André Laurendeau et Simonne assistent bien entendu à ces assemblées et ils craignent de plus en plus pour la sécurité de Michel. Simonne craint surtout qu'on emprisonne Michel comme on l'a fait avec d'autres.

Le 30 novembre, jour des élections partielles, Michel et son équipe tentent tant bien que mal d'être présents dans tous les bureaux de scrutin, mais les effectifs ne sont pas assez nombreux. La ténacité, l'ardeur et la soif de justice de l'équipe Drapeau compensent et font en sorte que le résultat final est somme toute plutôt satisfaisant, compte tenu du climat politique et de l'argent que le gouvernement et le Parti libéral ont injecté dans cette campagne électorale. Le major général Laflèche obtient 12 288 voix, et Jean Drapeau, « candidat des conscrits », 6 920. Il s'agit de l'une de ces grandes victoires… morales, auxquelles nous sommes tant habitués au Québec.

Le 3 décembre, à une assemblée où on essaie de faire le bilan de la campagne électorale, Drapeau déclare devant un auditoire enthousiaste :

L'esprit de parti est mort. Vive le parti de l'esprit !
Laflèche est devenu honorable, la population de
Saint-Jean-de-la-Croix l'est restée… Ouvrez d'autres
comtés dans la province et nous y serons.

Le Devoir du lendemain rapporte ses propos :

Si notre voix est faible, c'est que nous avons chanté
la belle liberté canadienne, pour laquelle nous nous
battons partout dans le monde. Le soir de l'élection,
l'organisation libérale avait retenu la salle où nous
parlions, mais sans tenir d'assemblée. Était-ce donc
pour nous causer des désagréments ? Non, c'était
pour s'en épargner.

L'orateur critique ensuite du discours que M. King vient de prononcer à New York pour vanter, entre autres, l'effort de guerre du Canada :

> Nous avons des militaires partout dans le monde, même des aviateurs qui servent temporairement en Afrique du Nord. Peut-on se faire tuer de façon temporaire ? M. King est suave et acrobate, disant blanc aux uns et noir aux autres. Ah ! belle démocratie qui s'épanouit dans l'électoralisme et le suffrage universel !

À propos des élections partielles, Michel Chartrand révèle que dès 8 h 30, le lundi matin, il y avait déjà quelques milliers de votes enregistrés dans les bureaux de scrutin où personne de son organisation avait pu organiser une surveillance... Mais, rappelle-t-il :

> On est têtus et on va mourir têtus. Et nos enfants continueront de voter contre la conscription... Nous avons reçu pour la campagne de 3 000 $ à 4 000 $, que nous avons dépensés à la radio, pour la location des salles et pour les annonces. Lundi, nous n'avions pas de comités, nous avons dû établir nos quartiers chez Laurendeau. Le soir, il y eut fête intime au *Reform Club* [le club privé du Parti libéral], où l'on servit des boissons écossaises. Drapeau a continué la lutte contre la conscription et il veut aujourd'hui, avec ses camarades, la continuer jusqu'à leur mort contre l'impérialisme et la conscription. Nous n'attendrons pas une prochaine campagne électorale pour défendre nos vies et la liberté, pour exposer comment nous entendons que notre pays soit gouverné. »

La guerre est loin d'être terminée en Europe. Le gouvernement canadien impose donc le rationnement sur certains produits, dont les produits laitiers qu'il faut envoyer en grande quantité pour alimenter l'Angleterre.

Le 31 décembre 1942, le gouvernement canadien affirme que le Québec n'a pas fourni suffisamment d'hommes pour les forces armées canadiennes. Par un arrêté en Conseil, le gouvernement d'Ottawa décrète qu'il pourra, s'il le juge nécessaire, imposer au Québec la conscription pour le service outre-mer. Michel Chartrand ne perd rien pour attendre...

CHAPITRE 6

Une fille... et la mobilisation

— **B**onne race croise son sexe!
Voilà ce que dit à Michel le médecin de Simonne lorsque, le 11 mars 1943, elle donne naissance au premier enfant du nouveau clan Chartrand. La fille se prénommera Marie-Mance-Micheline. Marie, parce que c'est la tradition, au Québec catholique, de donner le nom de la Vierge à toutes les nouveau-nées. Mance, en l'honneur de la cofondatrice de Ville-Marie (premier nom de Montréal), Jeanne Mance. Micheline en l'honneur du... père. Michel est donc inscrit dans le prénom de l'enfant, mais Simonne aura aussi sa part : ses parents, M. le juge Amédée Monet, et son épouse Berthe Alain, seront respectivement parrain et marraine de la nouvelle Chartrand. Tous, donc, y trouvent leur compte.

Le baptême a lieu le surlendemain de la naissance de l'enfant. Simonne ne peut pas y assister car la mère doit garder le lit pendant 10 jours après son accouchement. À cette époque, on s'empressait de faire baptiser les enfants le plus tôt possible car la mortalité infantile était grande.

Pour la cérémonie du baptême, le poupon a revêtu la longue robe qui a déjà servi pour le baptême de Simonne. Michel a tenu à envelopper son enfant d'un tissu bleu garni de fleurs de lis blanches. Le drapeau du Québec n'a pas encore été adopté officiellement au Québec, mais avec les Chartrand c'est tout comme. À ceux et celles qui s'interrogent sur ce châle flamboyant et emblématique, Michel répond : « Ma fille saura de quelle race elle est née. »

Politique… tout est politique !

Michel n'attend pas le retour à la maison de ses deux femmes aimées pour reprendre ses activités politiques. Il délaisse les groupes catholiques comme la JEC et la JOC et se tourne carrément vers l'action politique et le Bloc populaire canadien. Politique, tout est politique. Désormais, il se consacrera à structurer ce tout nouveau venu sur la scène politique canadienne, le Bloc populaire.

Depuis le début de la Deuxième Guerre mondiale, des députés francophones à la Chambre des communes tentent d'éviter que les fils de cultivateur soient enrôlés dans les forces armées. Ainsi, en février 1943, le député de Richelieu (le comté où habite aujourd'hui Michel Chartrand), Arthur Cardin, appuyé par le député de Chicoutimi, J.-E. Alfred Dubuc, dépose un amendement en ce sens. Le débat tourne rapidement au vinaigre et le premier ministre King demande un vote de confiance envers son gouvernement. Comme il fallait s'y attendre, l'amendement d'Arthur Cardin est rejeté massivement. Une partie de la députation à Québec est inquiète de la menace de la conscription. René Chaloult, député dans l'opposition, dépose une motion déplorant l'envoi de conscrits outre-mer par le gouvernement d'Ottawa. Désireux d'atténuer la motion du député de l'opposition, le député du comté de Témiscouata du gouvernement libéral, J.-Alphonse Beaulieu, dépose une autre motion, qui, tout en déplorant l'envoi de conscrits outre-mer, se veut beaucoup plus conciliante. Il demande au gouvernement d'Ottawa de n'adopter aucune mesure favorisant la conscription pour outre-mer. La motion, plus modérée, est adoptée à l'unanimité.

Le gouvernement fédéral ne se laisse pas intimider par ces manœuvres. Par arrêté en Conseil, le 12 mars 1943, des conscrits sont appelés à servir en Jamaïque. S'agirait-il de douces vacances au bord de la mer ?

Le 16 août 1943, le ministre du Travail, Humphrey Mitchell, appelle sous les drapeaux tous les hommes mariés âgés entre 27 et 30 ans ainsi que tous les hommes qui atteindront cette même année l'âge de 18 ans. Michel Chartrand est sérieusement touché par cette nouvelle directive, on verra comment un peu plus tard.

Le Bloc populaire canadien, fondé à l'automne 1942 et dirigé par le député Maxime Raymond, se demande sérieusement où il doit mener le plus efficacement possible la bataille. Certains veulent travailler exclusivement au fédéral, d'autres désirent que le Bloc fasse élire des représentants à Québec.

Échaudé par sa difficile équipée avec l'Alliance libérale nationale, Paul Gouin pense que le Bloc populaire réussira à s'enraciner sur le plan fédéral et à former un vrai bloc canadien-français s'il défend une doctrine sociale et économique complète, bref une politique pro-canadienne-française. Il croit d'abord et avant tout à l'avènement d'un vrai État français à Québec. En fait, Gouin rêve de provinces autonomes dans un pays libre.

Michel Chartrand et Philippe Girard : deux organisateurs politiques

Michel Chartrand applaudit à cette initiative. On aura de nouveau l'occasion d'apprécier ses talents d'organisateur car deux nouveaux comtés viennent d'être laissés vacants.

Avec une poignée de militants, il prend en main l'organisation du candidat du Bloc populaire, Paul Massé, dans le comté de Montréal-Cartier. Michel ne se fait pas trop d'illusions sur les possibilités d'une victoire. La haute direction du Bloc ne croit pas que son poulain, Paul Massé, puisse triompher et elle ne déploiera donc pas son artillerie lourde. Montréal-Cartier n'est pas un comté facile, une grande majorité des électeurs résidant dans des maisons de chambres. Il s'agit de locataires que la chose politique n'intéresse guère. Ces gens-là n'iront pas voter. Le candidat le sait, il n'est pas un nouveau venu dans ce quartier où il s'est déjà présenté sans succès. Selon lui, il faut plus que de bons orateurs pour gagner, il faut d'abord et avant tout une équipe solide et expérimentée. Michel Chartrand ne peut à lui seul tout assumer. André Laurendeau, un des dirigeants du Bloc, n'entend pas tout risquer pour cette élection partielle, mais il se reprochera par la suite sa trop grande tiédeur.

Dans l'autre comté vacant, le comté de Montréal-Stanstead, c'est Philippe Girard, que Michel a rencontré en 1942 dans la Ligue pour la défense du Canada, qui dirige la campagne du candidat du Bloc populaire, Armand Choquette. Girard, un militant syndical de 20 ans l'aîné de Michel, est, depuis la fondation du Bloc et de la Ligue, le seul organisateur à plein temps. Président du syndicat des employés de la *Montreal Tramway*, il est alors en congé sans solde. Nationaliste convaincu et organisateur redouté, il est à l'aise aussi bien au provincial qu'à Ottawa. Il est, en outre, un orateur hors pair. Il réussira le tour de force de donner une première victoire au Bloc en faisant élire J. Armand Choquette, malgré le vote massif des anglophones pour le candidat libéral.

L'organisation de Michel Chartrand dans Cartier n'aura pas cette chance, mais le candidat du Bloc, Paul Massé, passera à un cheveu de la victoire, avec à peine 150 voix de moins que le candidat gagnant, Fred Rose, représentant le Parti communiste. Celui-ci, un intellectuel juif de l'Université McGill, était le candidat de la gauche canadienne. Les membres du Bloc regretteront amèrement de ne pas avoir participé plus activement à la campagne électorale dans le comté de Montréal-Cartier. Michel Chartrand n'a pas à avoir honte de sa performance. Il était peut-être le seul à croire à la victoire.

Incorrigible absent : en politique et dans l'armée

Simonne salue avec joie la fin de cette campagne électorale. Michel pourra ainsi passer plus de temps à la maison avec elle et leur toute jeune fille, pense-t-elle. Hélas ! Cet incorrigible absent ne sera de retour au foyer que pour quelques trop brèves journées, le temps de faire un second enfant… C'est ainsi, semble-t-il, que se déroulera la vie du couple. Les absences de Michel deviendront légendaires. Elles sont parfois plan-+s longtemps à l'avance, parfois imprévues et commandées par des événements de toutes sortes. Simonne, de son côté, ne reprendra sa vie de militante active qu'après la naissance de leur quatrième enfant. Elle éprouvera un urgent besoin de respirer, de changer d'air et de sortir du cadre parfois étouffant du foyer familial. Son immense désir de s'instruire et d'aider qui en a besoin la motivera. Elle se mettra littéralement au service des organismes populaires. Leur cause deviendra sa cause.

Le couple Monet-Chartrand n'entend pas regarder le train passer. Vivre, c'est combattre, défendre ses idées et chercher à les faire accepter par le plus grand nombre, et non pas suivre comme un mouton ou se vendre au plus offrant.

Michel aura bientôt l'occasion de défendre son camp : le ministre canadien du Travail entreprend d'appeler à l'instruction militaire, dès le 16 août, les hommes mariés âgés entre 27 et 30 ans. Michel Chartrand, alors âgé de 27 ans, entre dans cette catégorie. Il reçoit par la poste, des autorités fédérales, une convocation pour l'examen médical. Comme il fallait s'y attendre, il ignore la convocation. Les autorités ne tardent pas à réagir et des agents recruteurs le cueillent sur la rue, près de chez lui. De nouveau, on lui demande de signer des formulaires rédigés uniquement en anglais. De nouveau, il refuse d'apposer sa signature sur un document unilingue anglais, ne se gênant pas pour égratigner au passage, avec toute la verdeur qu'on lui connaît déjà, les représentants du roi d'Angleterre. En cela, il fait figure de précurseur.

Cette guerre n'est pas sa guerre, clame-t-il. Tout en admettant être sujet canadien, il refuse de servir de chair à canon pour défendre un autre pays que le sien, l'Angleterre. Il invite même les agents recruteurs à se joindre à la Ligue de défense pour le Canada, où, selon lui, ils seraient plus utiles à leur pays.

Peu importe ses objections, on l'oblige à subir cet examen médical. Or, Michel souffre bel et bien d'une hernie hiatale et cette maladie, de toute évidence, peut le soustraire à l'enrôlement. C'est ce qui arrive. Il n'aura donc pas à faire le service militaire. C'est en bout de ligne la meilleure solution pour les autorités. Ce « fauteur de troubles » risquerait fort de contaminer les autres recrues. Et, on le sait bien, l'armée ne tolère pas l'indiscipline. Michel Chartrand a-t-il été jugé indésirable ? Les dossier ont été supprimés.

Une deuxième fille

En 1944, Simonne accouche d'un deuxième enfant, une fille qui se prénommera Marie-Sophie-Hélène, du même prénom que sa grand-mère paternelle. Le parrain est le jeune frère de Simonne, Amédée « *junior* », encore aux études au collège Grasset, tandis que la marraine est Hélène Choquet, fille de Liliane Chartrand et d'Azarie Choquet. Hélène Choquet épousera plus tard Jean deGrandpré, le futur président de Bell Canada. Décidément, le prénom Hélène se porte bien chez les Chartrand. Le jeune poupon est présenté devant les fonts baptismaux, enveloppé lui aussi comme Micheline dans un tissu bleu garni de fleurs de lis blanches.

Simonne se retrouve à la maison à élever ses deux jeunes enfants qu'à peine 11 mois séparent l'une de l'autre. La jeune mère se débrouille tant bien que mal. Issue d'une famille bourgeoise et n'ayant jamais manqué de rien, elle n'est pas très familière avec les tâches ménagères. Surtout, l'argent se fait rare. Elle apprend à gérer sa nouvelle situation et trouve même le temps d'écrire une chronique dans le journal du Bloc populaire canadien.

Les élections approchent rapidement et Simonne appréhende le pire. Michel sera de nouveau absent pour de longues périodes, travaillant à l'élection des candidats du Bloc populaire, et elle sera encore plus seule à la maison. Elle sait que ces élections sont importantes pour son mari mais elle souhaiterait tellement qu'il soit plus présent à la maison afin qu'ils puissent tous deux élever ensemble leurs enfants. Pour Michel, cette situation est évidemment « temporaire », l'urgence de la situation commandant sa présence sur tous les fronts. Il rêve de pouvoir partager très bientôt toutes les joies familiales auprès de celle qu'il aime, mais Simonne commence à mieux connaître son homme et elle demeure sceptique.

Comment réussir à concilier leur rôle de parents et celui de militants ? se demande-t-elle, inquiète.

Entre deux corvées ménagères et deux réunions, les Monet-Chartrand trouvent néanmoins le temps de suivre des cours à l'École des parents, où Simonne assumera cerrtaines tâches au sein du conseil d'administration.

Au début du mois de mai, M. Smet et Mme Françoise Gaudet-Smet, avec qui Simonne a déjà travaillé avant son mariage, invitent Simonne à leur maison de campagne, à Saint-Sylvère. Michel, qui voit la santé de sa femme se détériorer quelque peu, l'encourage à accepter l'invitation. Il prendra grand soin de ses petites pendant son absence, lui promet-il.

Ce sera l'occasion rêvée pour Simonne de faire le point sur sa vie d'épouse, de militante et de mère de famille. Du fond de sa retraite, dans cette ferme rurale où elle tente de se refaire une santé au milieu de la nature et loin du brouhaha de la ville, elle s'interrogera sur son avenir immédiat, écrivant à Michel et le prenant à témoin. Elle souhaite que leur couple puisse trouver la sérénité nécessaire à leur épanouissement. Elle ne reproche surtout pas à Michel son engagement social, loin de là. Elle le savait homme d'action bien avant leur mariage et elle l'accepte ainsi. Simonne est aussi une femme d'action et elle ne veut pas être confinée aux rôles traditionnellement dévolus aux femmes.

Au retour de son séjour à la campagne, son père l'appelle, rempli d'inquiétude. La mère de Simonne est gravement malade et elle a été transportée d'urgence en ambulance de Québec à l'Hôpital Notre-Dame de Montréal. Le juge Monet, désemparé et abattu, implore sa fille de lui venir en aide. Il a bien tenté de trouver une personne qui verrait aux travaux domestiques de sa résidence pendant l'absence de son épouse, mais c'est la guerre et les jeunes femmes préfèrent travailler dans les usines de munitions, où les conditions de travail sont meilleures. Simonne accepte à contre-cœur — ainsi que Michel — de loger pendant quelque temps au domicile de ses parents, dans le quartier Côte-des-Neiges à Montréal.

Un enfantement difficile

André Laurendeau a été élu chef provincial du Bloc en février. Un soir, au cours d'une réunion du Bloc populaire tenue au domicile temporaire des Chartrand à Côte-des-Neiges, il se rend compte que Simonne n'est pas au meilleur de sa forme. Il fait part de ses inquiétudes à Michel et lui suggère de faire immédiatement examiner Simonne par son gynécologue. Il est prêt à offrir à Simonne sa maison de campagne, à Saint-Gabriel-de-Brandon, dans les Laurentides, afin qu'elle puisse récupérer en toute quiétude.

Simonne est donc amenée chez son gynécologue. Celui-ci lui apprend qu'elle est enceinte de trois mois et doit absolument se reposer si elle veut éviter des complications. Il l'encourage même à pratiquer la contraception à l'avenir. À son retour, Simonne accepte l'invitation des Laurendeau et elle se rend à leur chalet, à Saint-Gabriel-de-Brandon, avec Ghislaine, l'épouse d'André Laurendeau. Mais le voyage n'améliore pas la situation et Simonne doit de nouveau consulter un médecin qui sévèrement la gronde et lui recommande de demeurer alitée le plus longtemps possible, pour ne pas perdre l'enfant qu'elle porte. Quelques moments après le départ du médecin, Simonne croit faire une fausse-couche et les deux femmes s'empressent de faire une onction sur ce qu'elles croient être le fœtus. Quelques jours plus tard, Michel emprunte la voiture d'un ami et ramène Simonne en ville. Le retour se déroule dans la joie des retrouvailles, malgré tout. En juillet, Simonne découvre avec joie qu'elle est toujours enceinte.

Malgré l'opposition du Parti libéral, le Bloc populaire au stade De Lorimier

En prévision des prochaines élections provinciales au Québec, le Bloc populaire veut frapper un grand coup. Michel Chartrand et Philippe Girard décident d'organiser un grand rassemblement populaire au stade De Lorimier, situé à l'angle de la rue Ontario et de l'avenue De Lorimier à Montréal, là où les Royaux, l'équipe de baseball de Montréal, attirent les foules.

La veille de l'événement, André Laurendeau apprend que la direction du stade a cédé aux pressions du Parti libéral et qu'elle annule le contrat de location du stade. Accompagné de Michel Chartrand, Laurendeau se rend au bureau du président de la compagnie, qui refuse de recevoir les deux délégués en même temps. Laurendeau se présente donc seul pour parlementer avec le locateur. Il connaît les bonnes manières et entend miser sur ses qualités de négociateur. Peine perdue, la direction n'entend pas modifier sa décision. Laurendeau, au bord de la crise, annonce la mauvaise nouvelle à Chartrand : il faut annuler le rassemblement populaire prévu pour le lendemain et le reporter à une date ultérieure. Est-ce la fin du Bloc populaire à Montréal ?

Michel Chartrand n'accepte ni la réponse ni la défaite.

— Bon, tu as fini de gémir ? dit-il à Laurendeau. Tu as agi à ta façon, maintenant laisse-moi faire.

Il entre alors dans le bureau du président, ignorant l'interdit de sa secrétaire. Laurendeau le suit de près.

— Qui vous a permis d'entrer dans mon bureau ? Sortez immédiatement ou j'appelle la police ! s'exclame le maître des lieux.

— T'appelleras personne, mon blond, lui répond du tac au tact un Chartrand en colère mais posé.

Et sans hésiter, il s'empare du téléphone et arrache le fil du mur.

— C'est ça les bonnes manières du Parti libéral? Vous ne respectez plus rien, même pas les contrats signés en bonne et due forme et l'argent du peuple déposé en acompte. On va t'apprendre la politesse, mon gamin. Tu vas respecter notre contrat et si demain tu nous causes des problèmes, je reviendrai et tu vas passer par la fenêtre. C'est-ti assez clair ça, docteur?

— Oui, oui, monsieur, un contrat demeure un contrat, s'empresse de répondre le gamin en question, qui n'est d'ailleurs pas si blond que ça.

— Tu vois, quand tu veux comprendre comme du monde, on peut s'arranger! Merci de ton empressement. À demain donc.

Au retour, il commente en ces termes l'événement avec André Laurendeau:

— André, les bonnes manières, je connais ça tout autant que toi mais, avec les gens sans scrupule, pas de pitié, seul le rapport de force compte. Avec les loups, il faut hurler comme des loups. C'est malheureusement le seul langage qu'ils comprennent.

Il y a cependant un autre gros problème: c'est que les conducteurs de tramways sont en grève et le monde ordinaire, les travailleurs ne possèdent pas d'automobile pour se déplacer. C'est donc à pied, à cheval ou autrement que les sympathisants du Bloc populaire se dirigent en grand nombre vers le stade De Lorimier au jour J. Selon les journaux du temps, vers 20 h 30, ce jour-là, plus de 20 000 personnes sont présentes sur le site du stade pour assister au meeting populaire. Le président-fondateur du Bloc, Maxime Raymond, malgré ses 70 ans et sa maladie, prend part à l'assemblée. Henri Bourassa, véritable légende vivante du nationalisme, harangue la foule pour la dernière fois. Il est âgé de 78 ans. Jusqu'à minuit, un grand nombre de personnalités viendront dire avec force et conviction leur opposition à la conscription outre-mer. Tous les membres du Bloc populaire arborent un pendentif en bois en forme de cube, le cube du Bloc populaire.

Jean Drapeau, candidat du Bloc dans le comté de Jeanne-Mance, et André Laurendeau, chef provincial du Bloc et candidat dans le comté Montréal-Laurier, prendront la parole. Laurendeau s'exprime aisément et il sait fouetter l'ardeur des troupes. Quant à Chartrand, il agit en coulisses ce soir-là car il ne fait pas encore partie des vedettes du Bloc populaire. À la fin de la soirée, la foule entonne l'hymne du Bloc, composé par André Mathieu, un jeune musicien au talent prometteur. Cet hymne a été enregistré sur disque sous la direction d'Arthur Laurendeau, le père d'André Laurendeau.

La soirée se termine dans la joie et l'euphorie. Les deux principaux organisateurs, Michel Chartrand et Philippe Girard, jubilent car ce meeting se révèle un grand succès populaire. Tous sont fatigués, fourbus, mais fiers de leur coup. On prévoit même l'élection sans difficulté d'André Laurendeau, malgré l'avalanche de coups bas organisés par les vieux partis.

Quatre bloquistes élus — Duplessis au pouvoir avec moins de votes

Le jour J arrive enfin. On est le 8 août 1944. Dans chaque foyer, la famille au grand complet, silencieuse et attentive, est installée devant l'instrument d'information, la radio. Malheur à celui qui viendra briser ce silence quasi religieux. Les premiers résultats laissent entrevoir une percée du Bloc populaire. Celui-ci récolte finalement 16 % du vote populaire et fait élire 4 députés. Le Parti libéral d'Adélard Godbout est défait. Malgré une majorité des voix (39,5 %), il ne fait élire que 37 candidats alors que Duplessis, avec seulement 35,8 % du vote, obtient 48 représentants à l'Assemblée législative. Cette victoire de Duplessis s'explique en partie par le découpage de la carte électorale de la province, qui favorise nettement les comtés ruraux. La grande surprise de cette élection, c'est la victoire de David Côté, le candidat d'un parti presque inconnu au Québec, le CCF, un parti nettement à gauche de l'échiquier politique, dans Rouyn-Noranda, un comté de travailleurs miniers. Une autre surprise de taille est l'arrivée d'un nouveau parti politique, l'Union créditiste des électeurs, avec à sa tête un garagiste, Réal Caouette, dont on entendra beaucoup parler quelques années plus tard.

Pour la première fois dans l'histoire du Québec, les femmes peuvent voter. Duplessis et son parti, l'Union nationale, plongeront la province dans ce qu'on a appelé « la grande noirceur », jusqu'en septembre 1959. Le Bloc populaire a fait élire quatre députés. André Laurendeau, le plus connu des candidats du Bloc, a été élu dans le comté de Montréal-Laurier avec 9 540 votes, dépassant de 647 votes son plus proche adversaire. Le lendemain de la victoire, tous les artisans se retrouvent au domicile des Laurendeau, à Outremont. Michel Chartrand et Philippe Girard, les deux principaux organisateurs, sont présents à cette rencontre, ainsi que Jacques Perrault, mentor de Michel et beau-frère de Laurendeau, Victor Trépanier, directeur du journal du Bloc, ainsi que plusieurs épouses de militants.

Camillien Houde libéré

L'arrivée du Bloc populaire modifie, il va sans dire, l'attitude des partis politiques traditionnels à l'égard des revendications du Québec. C'est sans aucun doute pour cette raison que le 14 août, on annonce en grande pompe la libération, du camp militaire de Petawawa, du maire de Montréal, Camillien Houde. Celui-ci avait été arrêté par la Gendarmerie royale le 5 août 1940 en vertu de la *Loi des mesures de guerre* parce qu'il s'était opposé publiquement à la conscription. Il était interné depuis ce temps à Petawawa:

> Je me déclare tout à fait opposé à l'enregistrement national qui est sans équivoque une mesure déguisée de conscription, avait-il dit. D'après moi, le Parlement canadien n'a pas de mandat pour la voter. Je n'ai pas l'intention de me conformer à cette loi. Je ne me sens pas tenu de le faire. Je demande à la population de ne pas s'y conformer.

C'est cette déclaration qui lui a mérité quatre ans d'internement. Aux yeux de la population, il demeurait un héros et celle-ci lui en donnera la preuve en le réélisant, au mois de décembre suivant, à la mairie de Montréal.

Pendant ce temps, le 25 août 1944, le général Leclerc et ses troupes libèrent la France occupée par les troupes nazies et le 31, le général de Gaulle, chef de la Résistance, est élu président de la République française. Les deux frères de Michel Chartrand, Paul et Gabriel, tous deux officiers, assistent à l'heureux événement.

Le premier mentor disparaît

Après une longue maladie, le père de Michel, M. Louis Chartrand, s'éteint paisiblement à l'âge de 77 ans. Il avait déjà souffert de tuberculose, une quarantaine d'années auparavant, et le médecin lui avait recommandé de demeurer à la campagne pour pouvoir guérir. Louis Chartrand n'en avait pas les moyens. Il avait trouvé néanmoins une solution de compromis en s'installant, avec sa famille, tout près du mont Royal, là où il y a tout de même un peu plus de verdure. L'air y est de bonne qualité et les logements tout à fait abordables. Grâce à ce déménagement, Louis Chartrand a pu vivre jusqu'à cet âge respectable.

Depuis que leur fils Michel s'est marié, en 1942, Louis Chartrand et son épouse, Hélène, habitent chez les Couvrette (Bernard Couvrette et Myrielle Chartrand), au 372, chemin de la Côte-Sainte-Catherine, à Outremont. Il peut ainsi mieux être soigné et recevoir les traitements dont il a besoin.

C'est entouré de ses enfants (à l'exception de Paul et de Gabriel, partis à la guerre en Europe), de ses petits-enfants et d'autres membres de la grande famille que Louis s'éteint tout doucement le 6 novembre 1944.

Michel est très secoué par la mort de son père. Il pleure ce père qu'il adorait et qu'il aime toujours profondément.

«Pourquoi est-il parti?» s'écrie-t-il haut et fort en sanglotant devant la dépouille de son père exposée dans le grand salon de la demeure des Couvrette.

M. Chartrand avait un passe-temps bien particulier. Il amassait des coupures de presse ou toutes autres formes d'informations sur ce qu'il appelait «les têtes d'affiche», les chefs d'État, les rois et les grands de ce monde. À sa mort, son épouse Hélène remet à sa nièce Lucie Couvrette le précieux spicilège. Lucie poursuivra l'œuvre de son grand-père et elle continue encore aujourd'hui à ramasser, elle aussi, «les têtes d'affiche».

Le chanoine Lionel Groulx, ami intime et grand confident de Simonne et de Michel Chartrand, n'a pu assister aux funérailles de Louis Chartrand. Il est alors en voyage, mais dès son retour il s'empresse d'écrire quelques mots à Michel:

Outremont, le 23 novembre 1944

Mon cher Michel,

J'ai appris à mon retour de voyage dans l'Ouest canadien, où j'ai visité tous les groupes canadiens-français, le grand malheur qui vous a tout récemment frappé. J'aurais préféré vous présenter mes condoléances de vive voix, mais je n'ai pas attendu ce jour pour penser dans mes prières à votre cher père défunt.

J'avais causé une couple de fois avec lui et pu me rendre compte de quelle solide étoffe canadienne et chrétienne il était fait. Vous perdez beaucoup. Ce fut un homme de conscience et de devoir irréprochables.

Nos vieux parents sont le don suprême qui nous relie à tout notre passé. Heureusement que la foi ne se brise jamais si on la vivifie et qu'elle présente devant nos yeux ses émouvantes perspectives. Nous savons par elle que cette vie n'est pas la seule vie, que nos morts ne sont pas vraiment morts mais de plus en plus vivants, qu'ils restent plus près de nous que pendant leur existence terrestre, plus que nous ne saurions l'imaginer.

Réfléchissez, méditez, vous qui avez appris à le faire à la Trappe d'Oka, vivez ces pensées, ces idées d'espérance.

Que le Père des humains, le Père de votre père vous accorde ainsi qu'aux vôtres paix et consolation.

Mes respects à votre chère épouse madame Simonne.

Cordialement en Notre-Seigneur,

Lionel Groulx, prêtre

Le jour même où le chanoine Groulx envoie ses condoléances à Michel, un arrêté ministériel du gouvernement libéral fédéral à Ottawa autorise l'envoi outre-mer de 16 000 conscrits canadiens.

Heureusement qu'il y a la vie

Le 8 décembre 1944, Michel Chartrand assiste à la grand-messe, à l'église de la paroisse Saint-Georges de Montréal-Sud, à Longueuil. À son retour, il trouve sa femme, Simonne, en douleurs, prête à accoucher. Rapidement, ils sautent dans un taxi et se dirigent vers l'hôpital Notre-Dame de Montréal, où Simonne a déjà donné naissance à Micheline et à Hélène. Cette troisième naissance leur donnera une autre fille. Celle-ci naît à peine 10 mois après sa sœur Hélène.

Marie-Andrée, tout comme ses sœurs aînées, Micheline et Hélène, sera baptisée par le chanoine Groulx, enveloppée dans une écharpe fleurdelisée. La « porteuse » est Mme Françoise Gaudet-Smet. La marraine, Ghislaine Perreault-Laurendeau, suggère le prénom de son mari, le parrain André Laurendeau, plutôt que le sien.

La vie ne sera pas toujours rose pour la petite Marie-Andrée. À l'âge de six semaines, elle souffre d'une gastro-entérite. Michel est à l'extérieur de la ville et Simonne est seule avec ses enfants. Marie-Andrée est très malade, elle vomit tous ses boires et maigrit à vue d'œil, pesant moins qu'à sa naissance. Prise de panique, Simonne se précipite à l'hôpital Notre-Dame, où elle rencontre, par un heureux hasard, le Dr André Mackay, un ami. Grâce à la ténacité de Simonne et au dévouement des membres du personnel médical, la petite Marie-Andrée sera sauvée *in extremis* d'une mort certaine.

C'est une Marie-Andrée rayonnante de santé qui revient bientôt à la maison paternelle, le jour de l'anniversaire d'Hélène. Dix mois à peine séparent les deux sœurs. Marie-Andrée mourra en 1971, dans des circonstances tragiques.

Suivant la tradition du clan Chartrand, tout comme le faisait Louis Chartrand avec les siens, au troisième enfant, chiffre impair, les Monet-Chartrand déménagent dans un nouveau logement, sur la rue Hindland, toujours à Montréal-Sud (Longueuil).

Fin de la Deuxième Guerre mondiale

Au printemps de 1945, les Alliés envahissent l'Allemagne et la capitulation des Allemands est acceptée le 8 mai.

Cette même année, Gabriel, frère aîné de 10 ans de Michel, épouse Violet Chambers, une jeune Anglaise d'Angleterre. Après l'annonce de la fin de guerre, en mai 1945, Violet et une compagne feront partie du premier voyage transatlantique à bord d'un avion commercial, de l'Europe au Canada. La technologie développée pendant les deux dernières guerres commence à servir le grand public.

Au Québec et un peu partout au Canada, la population fête dans les rues la fin de la guerre. Tout le monde fraternise et s'embrasse allégrement.

Michel, lui, demeure préoccupé par les problèmes politiques. Il n'a guère le temps de se réjouir et de festoyer. C'est qu'on parle encore et toujours d'élections.

Candidat du populaire

Profitant de l'accalmie de la fin de la guerre, le gouvernement libéral de Mackenzie King déclenche en effet des élections générales pour le 11 juin. Michel Chartrand et le Bloc populaire du Canada partent de nouveau en campagne électorale.

Le 2 juin 1945, Simonne aperçoit, accrochée au poteau de téléphone, près de sa maison, une affiche avec la photo de son bien-aimé. Surprise! Michel Chartrand s'est porté candidat du Bloc populaire dans le comté Chambly-Rouville, leur quartier, sans même la prévenir! C'est la première fois que cela se produit depuis leur mariage encore tout récent. Simonne a l'impression qu'ils sont de moins en moins dans le même «bateau». Sommé de s'expliquer, Michel tout d'abord s'excuse — ce qu'il ne fait que très rarement — et tente de lui faire comprendre que le temps pressait et que de toute façon il savait qu'elle serait d'accord avec son engagement et que le militantisme actif leur manquait peut-être un peu à tous les deux. Ce n'est pas une fournée de trois enfants en bas âge qui les empêchera de faire de la politique active, clame-t-il. Simonne accepte ses explications et décide de prêter main-forte à son mari candidat. Ils n'auront que très peu de temps pour mener la campagne électorale. Le clan Chartrand reprend donc du service et fait appel au bénévolat des amis. Des gardiennes s'occupent des trois petites filles pendant que les époux Chartrand se lancent corps et âme dans cette nouvelle bataille. Discours à la sortie des messes, assemblées populaires dans les sous-sols d'église et dans les salles municipales, distribution de tracts et du programme politique, etc.

Michel se classera bon troisième derrière le candidat libéral, Roch Pinard, et le maire de Longueuil, Paul Pratt, qui se présente comme indépendant.

C'est la quatrième élection à laquelle participent les Chartrand, sans véritable victoire. Simonne, toujours rêveuse, a bien hâte que son bien-aimé laisse tomber l'activité politique et qu'il soit davantage présent au domicile familial.

Les allocations familiales

La future distribution d'allocations familiales, par le gouvernement fédéral, donne lieu au premier affrontement sérieux entre Michel et Simonne.

Le gouvernement fédéral entend créer un régime d'allocations familiales, en faire lui-même la distribution et émettre le chèque au nom de la mère de famille.

Michel défend la position des curés, des cultivateurs et des syndicats. Selon eux, les pères de famille ont, eux aussi, un rôle à jouer dans la famille. De plus, le domaine social devrait être de juridiction exclusivement provinciale.

Simonne, elle, se range du côté de Thérèse Casgrain. On assiste aux premières revendications féministes. Plusieurs personnalités féminines, dont Laure Hurteau, journaliste à *La Presse*, Jean Desprez, scénariste réputée, Jeanne Barabé-Langlois, directrice du Bureau de l'assistance aux familles, et Simonne, qui représente une École de parents, se regroupent pour mieux défendre leur position, qui, compte tenu des circonstances, est très près de celle du gouvernement fédéral.

Lorsque le premier chèque arrive, libellé au nom de la mère de famille, Michel demande à Simonne de le retourner. Michel fait partie des incorruptibles, et sa décision est d'autant plus difficile à prendre que sa famille a grandement besoin de cet argent. Simonne accepte et retourne les trois premiers chèques. À compter du quatrième, elle décide de reprendre ses affaires en main et dépose elle-même le chèque dans son compte à la Caisse populaire. L'histoire se termine bien, Michel n'étant jamais revenu sur le sujet. Aujourd'hui encore, les chèques d'allocation sont émis au nom de la mère de famille. Il s'agit d'une évidente victoire des femmes.

La barbarie américaine au Japon

La Deuxième Guerre mondiale est terminée depuis le 8 mai dernier, mais le conflit avec le Japon s'éternise. Les États-Unis, pressés d'en finir et ne se préoccupant guère du sort des populations civiles, lâchent, le 6 août 1945, sur la ville d'Hiroshima, une première bombe atomique. L'Amérique ignorant l'ampleur du désastre, une seconde bombe atomique est larguée sur la ville japonaise Nagasaki, avec la bénédiction du président Harry Truman. Des millions de personnes, hommes, femmes, vieillards et enfants, mourront brûlées vives et des millions d'autres verront leur agonie se prolonger pendant des dizaines d'années. Ce n'est que beaucoup plus tard que le peuple américain réalisera les atrocités causées par leurs autorités « responsables ». Il sera alors scandalisé et bouleversé par ce geste d'une violence inouïe, d'une ampleur insoupçonnée.

Un père de famille absent

Les absences répétées et de plus en plus prolongées de Michel commencent à peser lourd dans les rapports amoureux du couple Chartrand. Michel est de toutes les bonnes causes, mais il en oublie une, capitale : celle d'être présent pour voir à l'éducation de ses enfants.

Vers la fin du mois de novembre, Gabriel, un frère de Michel qui a combattu en Europe, invite Simonne et ses trois petites à venir se reposer pendant quelques jours à Sainte-Adèle. Simonne, qui est enceinte d'un quatrième enfant, en profite pour écrire une longue lettre à Michel dans laquelle elle tente de lui faire comprendre que les pères, eux aussi, ont certains devoirs. Il lui est plus facile d'écrire ses états d'âme que de les exprimer de vive voix à Michel, car ce dernier n'est pas un modèle de patience lorsqu'on l'interpelle de la sorte. Il s'emporte facilement et Simonne perd toute contenance. Dans cette lettre, pour la énième fois, Simonne explique à Michel qu'il doit absolument s'impliquer davantage dans l'éducation de ses enfants.

Enfin un garçon !

L'accouchement du quatrième enfant ne se déroulera pas sans heurt. Simonne est transportée à l'hôpital Notre-Dame de Montréal, à la fin du mois de janvier 1946. L'infirmière du département d'obstétrique, qui veut provoquer les contractions et accélérer le processus, administre alors à Simonne, contre son gré, un fort sédatif qui la plonge dans un profond sommeil. Elle ne se réveille que le lendemain soir, le 1er février. Michel est à ses côtés. Ô surprise ! elle est retenue à son lit par des courroies de cuir aux pieds et aux mains. Michel lui explique que, par mesure de précaution, le personnel infirmier a dû l'attacher parce qu'elle était trop agitée... Grosse consolation, elle apprend de la bouche de Michel qu'elle a donné naissance à un fils en pleine possession de ses moyens. Comme il s'agit d'un cas de siège, la récupération sera plus longue pour la mère qui a dû subir toutes sortes d'interventions pendant son sommeil forcé. Mais il y a pire : Simonne est couverte de rougeurs.

Michel remue alors ciel et terre a l'intérieur de l'hôpital pour dénicher un dermatologue, qui diagnostique une « infection due à un excès de médicaments ». Il faut cesser immédiatement d'en administrer ! Un autre médecin, chirurgien ami de la famille, diagnostique, lui, une infection au creux du bras qui s'étend au poignet et à l'épaule... Il faut absolument et rapidement opérer la mère. Simonne ne peut, pour la première fois, nourrir son enfant. Elle et son fils auront passé trois semaines à l'hôpital. Michel doit acquitter les frais d'hospitalisation.

Michel décide alors de consulter un avocat afin de poursuivre, pour négligence, l'irresponsable médecin mais, curieusement, le dossier médical de Simonne est introuvable...

Le deuxième homme de la famille s'appellera Louis-Lionel-Alain. Louis en souvenir du père de Michel, Alain en l'honneur du grand-père de Simonne, Lazare Alain, et Lionel en l'honneur de l'abbé Groulx et de l'un des frères de Michel décédé en bas âge. Marius, un des frères de Michel, et son épouse Lucille sont les parrain et marraine.

C'est le chanoine Groulx qui baptise le nouveau-né, comme il l'a fait pour ses sœurs. Celui-ci est enveloppé, encore une fois, avec le fameux tissu fleurdelisé. C'est ce même Alain qui réalisera, en 1991, 45 ans plus tard, avec sa compagne Diane Cailhier, qui en écrira le scénario, le film sur son père intitulé *Un homme de parole*. Les deux complices termineront également l'édition des deux derniers livres que Simonne a laissés inachevés à sa mort, *Les Québécoises et le mouvement pacifiste 1939-1967* et ils travailleront ensemble à la réalisation d'un film sur Simonne intitulé *Une vie comme rivière*. La série télévisée *Chartrand et Simonne* est aussi l'œuvre d'Alain et de Diane.

La perte d'un père aimant et aimé

L'année se termine sur une note sombre et triste pour Simonne. Son père, on le sait, a petit à petit sombré dans l'alcoolisme. Le juge Monet est un homme tourmenté et désabusé de la vie et il trouve dans l'alcool un exutoire. Sa femme le supporte comme elle le peut, mais à certains moments elle ne sait plus où donner de la tête. Pour ne pas tout perdre, le juge accepte, sous les conseils de Simonne et de Michel entre autres, de suivre une cure de désintoxication, au sanatorium Prévost, sur le boulevard Gouin, dans l'ouest de la métropole.

Deux semaines après son hospitalisation, le patient se dit sobre à 100 %. Michel, Simonne et Micheline le visitent fréquemment pendant sa convalescence. Michel apporte même à son beau-père des sucreries qu'il a lui-même confectionnées ! Tous ses proches, amis et parents ont hâte de le revoir parmi eux. Mais subitement, au matin du 23 octobre, Amédée Monet, alors âgé de 56 ans, meurt, terrassé par une hémorragie cérébrale. Curieusement, Simonne avait reçu, le matin même, une lettre de son père dans laquelle il la rassurait sur son état de santé. Quelques instants à peine plus tard, elle reçoit un appel téléphonique du Dr Saucier lui annonçant la mort de son père adoré.

L'argent... un mal nécessaire

Trois mois plus tard, Simonne et sa marmaille se trouvent en pension chez Gabriel, le frère de Michel, à Sainte-Adèle. Simonne y a trouvé refuge après tous ces tristes événements qui l'ont solidement ébranlée. Par ailleurs, le couple a de plus en plus de difficulté à joindre les deux bouts, Michel se retrouvant souvent en chômage à cause de ses idées politiques et syndicales. Simonne est consciente qu'une famille de quatre enfants (en moins de cinq ans de mariage) nécessite des revenus supérieurs à la moyenne. Dorénavant, pense-t-elle, il faudra faire plus attention et être davantage prévoyants...

Une autre fille

Pendant l'été de 1947, Simonne et Michel séjournent pendant quelques jours au chalet des Laurendeau, à Saint-Grabriel-de-Brandon. Simonne est de nouveau enceinte !

Un peu avant Noël, le couple Laurendeau demande à Simonne et à Michel d'accepter de devenir la marraine et le parrain de leur prochain bébé. Quelques jours plus tard, le 3 janvier 1948, Simonne donne naissance à une jolie fille au visage rond, au teint rosé, aux cheveux noirs et touffus. L'accouchement est long et pénible, mais cette fois-ci, c'est à l'hôpital de la Miséricorde, plutôt qu'à l'hôpital Notre-Dame, que Simonne s'est rendue.

Une amie de Simonne, Suzanne Marier, devient la marraine de la petite Geneviève-Suzanne. Celle-ci, couverte à son tour du drap fleurdelisé, sera baptisée, comme les autres enfants, par le chanoine Lionel Groulx. Il s'agit du cinquième enfant né en six ans de mariage !

Suzanne Marier, une femme de tête et d'action, participera avec son père, pendant les années soixante-dix, à la fondation du Comité Québec-Palestine et, en 1983, à la Fondation pour aider les travailleuses et les travailleurs accidenté-e-s, la FATA, un organisme voué à la défense des accidentés du travail. De plus, elle participera activement à la mise sur pied du Comité Québec-Chili, à la suite du coup d'État contre Salvador Allende, en septembre 1973.

Santé et sécurité au travail : l'abattoir de Saint-Rémi d'Amherst

C'est en lisant un article publié dans la revue *Relations*, dirigée par les Jésuites, que Michel découvre l'horreur de « l'abattoir humain » de Saint-Rémi d'Amherst, un petit village perché dans les Laurentides. Des dizaines de mineurs de la mine de kaolin meurent, atteints de silicose, rapporte l'écrivain et recherchiste Berton Ledoux. Michel prend de plus en plus conscience de l'absence de respect pour la santé et la sécurité des travailleurs. Quatre ans auparavant, il avait rencontré et invité à son domicile Berton Ledoux afin de discuter des maladies industrielles. Berton Ledoux est un citoyen américain dont les parents, originaires de Trois-Rivières, ont immigré aux États-Unis. Il s'était fait un plaisir d'initier Michel au problème délicat des maladies industrielles, causées trop souvent par la négligence des patrons et leur soif effrénée de profits. Michel retiendra la leçon. Bientôt, une grève chez les mineurs de l'amiante, à Asbestos, sonnera la sirène d'alarme qui appellera Michel au combat. Ainsi débutera sa carrière dans le syndicalisme.

CHAPITRE 7

Apprenti syndicaliste
Asbestos – non au travail qui tue

Apprendre dans l'action

Un soir de printemps en 1949, pendant que Simonne sert le repas à ses cinq jeunes enfants, Michel prend connaissance des propos de Gérard Pelletier publiés dans le quotidien *Le Devoir*.

Brusquement, il se lève, indigné. Il veut se porter à la défense des travailleurs, les aider à négocier leurs conditions de travail, mais il se sent impuissant à le faire car il doit également gagner la vie de sa famille.

C'est vers cette période qu'il reçoit la visite de son vieil ami Philippe Girard et du journaliste Gérard Pelletier. Philippe est organisateur syndical à la CTCC et militant du Bloc populaire canadien. Quant à Gérard Pelletier, il est journaliste au *Devoir*. Michel l'a connu dans les locaux de l'Action catholique, l'organisme qui chapeautait la JEC (les étudiants), la JIC (les indépendantistes), la JAC (les agriculteurs) et la JOC (les ouvriers). Les deux hommes sont venus demander à Michel de les accompagner à Asbestos pour aller « parler aux gars », qui ont bien besoin qu'on leur remonte le moral. Il faudra parler aux femmes aussi. Michel

Chartrand n'hésite pas une seconde et il se prépare à les accompagner. Simonne proteste par principe. Elle voudrait garder son homme à la maison, mais elle se doute bien que c'est impossible, compte tenu des circonstances.

Philippe Girard, qui veut rassurer Simonne, affirme : «T'en fais pas, Simonne, on te le ramène, ton Michel, juste le temps d'une assemblée.»

L'absence qui devait durer une soirée, «pas plus», se transformera en une absence de 15 jours! Comme il fallait s'y attendre, lorsqu'il revient en ville, Michel a perdu son emploi. Simonne, comme d'habitude, fera des miracles afin de nourrir sa famille : tous les moyens sont bons, y compris la vente de bouteilles de bière vides.

L'ex-ministre, ambassadeur et journaliste Gérard Pelletier se rappelle que, pour maintenir le moral des troupes, il fallait tenir une assemblée générale chaque jour. C'est une des raisons pour lesquelles Philippe Girard et lui avaient demandé à Michel Chartrand de venir entretenir les grévistes. Ils ont besoin d'orateurs convaincus et convaincants.

1949 constitue, à n'en pas douter, une année charnière dans la vie de Michel Chartrand. Son éducation syndicale commence avec Asbestos. Il pourra compter sur des professeurs émérites, tels Gérard Picard, président de la CTCC, Philippe Girard, organisateur chevronné, Rodolphe Hamel, le président du Syndicat des travailleurs de l'amiante, et Jean-Paul Geoffroy, un négociateur hors pair doté d'un calme à toute épreuve et d'un sens égal de l'absolu et du relatif. Geoffroy deviendra juge en chef de la Cour du Québec, sans jamais trahir ses convictions et ses origines jusqu'à sa mort.

Une grève historique, Asbestos

Dans l'histoire du monde syndical québécois, la grève des mineurs de l'amiante à Asbestos constitue «la grève» au Québec.

À cette époque, les mines d'amiante emploient 5106 personnes qui tirent de la mine, bon an mal an, 716 769 tonnes de minerai pour une valeur de 42 231 475 $. Les mines sont réparties à Asbestos, Thetford Mines, Lac Noir, Saint-Rémi de Tingwick et Coleraine. Les salaires représentent 35 % de la valeur des ventes nettes. Les négociations entre, d'une part, la Fédération des syndicats de l'industrie minière, présidée par Rodolphe Hamel, à la fois président de son syndicat et de la Fédération, Gérard Picard et Jean Marchand, respectivement président et secrétaire général de la CTCC, et, d'autre part, les représentants de la Canadian Johns-Manville d'Asbestos sont rompues le 14 janvier 1949. Le principal litige porte sur la demande d'augmentation de salaire — 0,15 $ l'heure —, ce qui porterait le salaire horaire à 1 $. La compagnie n'offre que 5 % d'augmentation.

Le premier ministre du Québec, l'honorable Maurice Duplessis, coiffé du chapeau de procureur général du Québec (ni plus ni moins que le «cheuf» de police), ne prise guère les «unions» et encore moins celles qui sont affiliées à la CTCC. Il dort dans le même lit que celui des patrons de compagnie; il leur fournit une main-d'œuvre à bon marché, ainsi que des matières premières à des prix défiant toute concurrence. On peut même voir, aux frontières américaines, des affiches clamant avec fierté que la main-d'œuvre du Québec est la moins coûteuse en Amérique du Nord! Duplessis se fait ainsi une gloire de vendre son peuple au plus bas offrant. Avec l'appui évident des milieux ecclésiastiques: «Les évêques mangent tous dans ma main», affirme-t-il fièrement.

Les enjeux sont grands car, dans ce conflit, il n'est pas uniquement question du salaire des mineurs. Le syndicat entend améliorer l'ensemble de leurs conditions de travail. Le droit de propriété, le respect de la vie humaine et la prévention des maladies industrielles font partie des principales revendications. On découvrira, chemin faisant, qu'une bonne partie des mineurs, ainsi que les membres de leur famille, meurent d'amiantose. D'ailleurs, un dirigeant syndical n'a-t-il pas affirmé, un peu cyniquement: «Si vous allez déterrer le cimetière d'Asbestos, je suis certain que vous y trouverez une mine d'amiante»?

Donc le 13 février 1949, un dimanche soir, les 2 000 employés syndiqués de la Canadian Johns-Manville décident de se mettre en grève. Des mineurs à l'œuvre dans d'autres mines débrayent à leur tour, par solidarité.

Le président de la Fédération des syndicats de l'industrie minière, Rodolphe Hamel, demande à l'employeur de s'engager à éliminer autant que possible la poussière d'amiante à l'intérieur et à l'extérieur de l'usine:

> Ici, nos gens, les mineurs et leurs familles, sont empestés, rappelle-t-il. Il nous en est mort je ne sais pas combien. Ils sont morts debout, bloqués, incapables de respirer. L'amiantose en principe est reconnue comme une maladie industrielle, mais allez-y voir... On n'est jamais dédommagés.

La machine pour briser la grève des mineurs se met en branle. La Johns-Manville déclare que les négociations ne reprendront pas tant et aussi longtemps que les ouvriers demeureront en grève. Le ministre du Travail, Antonio Barrette, de connivence avec la compagnie, envoie au jeune Jean Marchand, alors secrétaire général de la CTCC, un télégramme dans lequel il condamne la grève «illégale»; il se dit disposé à former un tribunal d'arbitrage qui sera mis en force lorsque les ouvriers seront retournés au travail; il menace le syndicat de lui retirer son accréditation syndicale si la grève perdure.

Le 18 février, alors que la grève se poursuit, les ouvriers se rendent aux bureaux de la compagnie afin de toucher leur paie. Ils invitent alors les employés de bureau à quitter les lieux; ces derniers sortent sans qu'aucun incident ne se produise. La Johns-Manville appelle aussitôt la Sûreté du Québec — la fameuse police provinciale, communément appelée la «PP» — à son secours. Un juge lui accorde même une injonction interdisant tout piquetage devant l'édifice de la compagnie.

La «PP» de Duplessis à l'œuvre

Le premier ministre Duplessis ordonne alors à 100 agents de sa «PP» de se rendre à Asbestos afin de protéger les biens et le personnel de la compagnie. Par l'intermédiaire de la Commission des relations ouvrières qu'il contrôle, il en profite pour retirer le certificat d'accréditation syndicale aux quatre syndicats solidaires et au syndicat des mineurs d'Asbestos.

Le conseil municipal d'Asbestos — le maire, qui appartient à l'Union nationale, a préféré ne pas se présenter — proteste contre la présence des policiers provinciaux. Le conseil municipal déclare:

> Attendu qu'à leur arrivée, un grand nombre de ces policiers étaient sous l'influence de liqueurs alcooliques [c'est-à-dire soûls comme des cochons...];

> Attendu qu'un certain nombre de ces agents se sont même rendus coupables d'actes indécents dans les rues de la ville et ont causé le désordre dans les places publiques;

Attendu que dans certains cas les agents de la police provinciale ont usé de violence contre les préposés à l'entretien des usines durant la grève et contre les constables de la Canadian Johns-Manville ;

Attendu que ces actes ont été commis sans avertissement et dans le but évident de provoquer des troubles :

Il est résolu, à l'unanimité des membres présents, de protester auprès de M. Hilaire Beauregard, directeur de la police provinciale, contre ses hommes, et que copie de cette résolution soit adressée aux divers postes de radio ainsi qu'aux journaux pour publication.

C'est la faute aux syndicats

Duplessis n'entend pas se croiser les bras. Selon lui, les travailleurs sont tout simplement manipulés par leurs chefs syndicaux, lesquels veulent renverser le gouvernement.

Des inconnus dynamitent la voie ferrée de la Johns-Manville à Danville. La GRC est affectée à l'enquête, devenant ainsi le troisième corps de police impliqué dans la grève d'Asbestos.

Le conseil municipal obtient des syndicats qu'il n'y ait plus de rassemblements dans les rues à la suite d'un incident au cours duquel un camion de la compagnie est renversé par des grévistes, La police provinciale multiplie alors les arrestations. Le bas clergé, lui, appuie les grévistes. Ainsi, le curé de la paroisse de Saint-Aimé, l'abbé Camirand, déclare à *La Presse* :

Les mineurs d'Asbestos, que je connais bien car je suis leur aumônier syndical, ont été et sont encore patients et dociles à l'extrême. Ils ne se sont pas temporairement privés de leur gagne-pain et de celui de leurs enfants pour le plaisir de la chose, mais ils y ont été forcés par d'inqualifiables tactiques provocatrices. Si j'étais mineur, je serais moi-même en grève et, dans les circonstances, j'aurais la conscience parfaitement tranquille.

Cette opinion n'est pas partagée, on s'en doute, par tous les membres du clergé catholique.

La Johns-Manville décide alors de frapper un grand coup. Tout d'abord, elle embauche des briseurs de grève. Comme la compagnie est propriétaire des logements occupés par les mineurs, elle menace ensuite les grévistes de leur retirer leur logement. Comme mesure intimidante et vil chantage, on ne peut viser plus bas.

Chartrand entre dans la bataille

C'est dans ce climat houleux que Michel Chartrand arrive à Asbestos. Aussitôt, ses deux camarades, Girard et Pelletier, l'emmènent au sous-sol de l'église Saint-Aimé, où se déroule une réunion syndicale.

Chartrand est présenté aux quelque 100 grévistes présents dans la salle par le négociateur syndical, Jean-Paul Geoffroy:

— Mes chers amis, je vous présente un jeune travailleur, père de famille tout comme vous, qui s'intéresse de très près à vos conditions de vie familiale et à l'amiantose qui vous empoisonne.

Chartrand prend aussitôt la parole:

— Je vous apporte la solidarité des travailleurs de la région de Montréal. Vous vivez des heures importantes pour l'avenir de votre famille, de votre région et de la classe ouvrière en général. Vous avez dit «NON AU TRAVAIL QUI TUE» et vous avez parfaitement raison.

On travaille pour gagner sa vie, non pour la perdre en travaillant... Vous savez, ça n'a jamais énervé le gouvernement que les travailleurs meurent d'amiantose, mais quand la compagnie a peur pour ses biens, Duplessis, le « cheuf » des « cheufs », lui fournit sa police.

Chartrand, comme à son habitude, marque une pause afin d'évaluer son auditoire. Il n'a aucune note, il a tout mémorisé, il connaît bien son sujet car il suit de près, dans les journaux, ce conflit ouvrier. Il poursuit sur une note sarcastique :

— Pauvres petits capitalistes. La grève leur fait mal, elle fait baisser leurs profits ! Leurs agents de sécurité, la police municipale et la PP, c'était pas encore assez... ils ont demandé la RCMP, la police à cheval, pour protéger les jaunes, les voleurs de jobs, les *scabs*.

Un mineur, emporté par l'émotivité et la lenteur des négociations, suggère :

— Ils ont fini de nous écœurer, on va la noyer, la crisse de mine !

Michel Chartrand lui répond du tac au tac :

— La mine, c'est votre gagne-pain ! Il ne faut pas la détruire si vous voulez y retourner un jour.

— Qu'est-ce que tu suggères ?

— Il faut tenir bon, mes frères. Votre force, c'est d'avoir raison et d'avoir le courage de résister aux menaces et à l'intimidation des patrons. Vous verrez, toute la province va se réveiller. Même les curés sont choqués de voir leurs fidèles ainsi sacrifiés sur l'autel du capitalisme. Le chanoine Lionel Groulx, lui aussi, prépare déjà quelque chose dans ce sens [1].

Le chanoine historien Lionel Groulx lance en effet l'idée d'une souscription nationale. Michel Chartrand et André Laurendeau ne sont pas étrangers à cette initiative.

---

1. Extraits de la série télévisée *Chartrand et Simonne*, épisode 4.

Ces grévistes, on ne l'a peut-être pas assez souligné, affirme le chanoine, ne sont pas des grévistes comme les autres. Ils ne se battent pas seulement pour le salaire et pour le manger. Ils se battent proprement pour la défense de leur vie et celle de leurs filles et de leurs garçons ouvriers dans une usine meurtrière. Ils se battent contre des compagnies qui jamais, autant que l'on sache, ne se sont engagées nettement, loyalement, à la correction du mal abominable qu'elles propagent depuis longtemps. Le mal est grave. Le temps est venu de faire appel à toute la population. Toute la province a le devoir de faire cesser cette misère imméritée.

Les enjeux de la grève

Malheureusement, le grand public ne comprend pas tous les enjeux de la grève. Il oublie que ces grévistes combattent en tout premier lieu pour le respect de la dignité humaine, qu'ils veulent dénoncer l'insouciance des patrons face aux graves maladies industrielles dont souffrent bon nombre de mineurs. Les mineurs revendiquent également le droit à la propriété. Petit à petit, tout y passe : les relations entre l'industrie et l'État, ainsi qu'entre l'Église et l'État, et même la confessionnalité des syndicats.

Le Devoir appuie les grévistes

L'équipe éditoriale du Devoir et son reporter Gérard Pelletier appuient ouvertement la cause des grévistes d'Asbestos :

Le 22 avril, en se rendant sur les lieux, nous raconte le journaliste historien, Richard Gwyn, Gérard Pelletier passa prendre Pierre Elliott Trudeau qui est en sandales, imperméable en loques, barbe blonde mal taillée, et ils se mirent en route pour Asbestos dans la Singer cabossée de Pelletier dont le volant était installé à droite. Leur première rencontre leur parut sortir tout droit d'un film des Marx Brothers : un policier qui n'avait jamais vu de voiture avec le volant à droite les arrêta parce que Trudeau, assis sur le siège qui, dans l'esprit du policier, était celui du conducteur, n'avait pas de permis de conduire[1].

Gilles Beausoleil raconte, lui :

Devant leur refus, Pelletier et Trudeau furent amenés au Club Iroquois — le club social de la compagnie transformé temporairement en quartier général de la police provinciale —, où un officier supérieur du nom de Gagné les interrogea. Quand ce dernier se rendit compte qu'il s'agissait d'un correspondant de presse et de citoyens peu intimidables, l'arrogance fit place à la politesse[2].

De son côté, l'archevêque de Québec, Mgr Maurice Roy, multiplie les démarches afin que les parties acceptent l'arbitrage, mais on ne réussit pas à s'entendre sur le choix d'un président du tribunal d'arbitrage.

Il faut nourrir les familles

La grève, comme on s'en doute, affecte gravement le budget des familles des mineurs, privées de tout

---

1. Propos rapportés par le journaliste et historien Richard Gwyn, *in* Jacques Lacoursière, ouvr. cité.
2. *La grève de l'amiante*, en coll., sous la dir. de Pierre Elliott Trudeau, éditions Cité libre, 1956.

revenu. Depuis le 18 mars, la CTCC organise des livraisons de vivres et de vêtements. Ainsi, des ouvriers des salaisons, qui viennent tout juste de sortir d'une grève, expédient à Asbestos 1 000 livres de margarine, en dépit du fait que le gouvernement du Québec vient d'interdire la vente et même la consommation de ce produit.

Les Chartrand en chômage eux aussi

Michel revient à la maison 15 jours après avoir quitté le domicile familial. Il apprend que son employeur a décidé de se « priver » de ses services. Il devra se contenter des maigres prestations de l'assurance-chômage. Sa famille connaît donc le même sort que celle des grévistes.

Mgr Charbonneau reconnaît « la classe ouvrière »

Enfin, le 29 avril, alors que la grève sévit depuis plus de deux mois, le clergé décide d'agir. La Commission sacerdotale d'études sociales, avec l'accord de la Commission épiscopale des questions sociales, appelle la population à venir en aide aux travailleurs de l'amiante.

Mgr Joseph Charbonneau, archevêque de Montréal et président de la Commission épiscopale des questions sociales, lance un appel au secours en faveur des grévistes de l'amiante, à l'occasion de son sermon dominical, le 1er mai 1949, fête internationale des travailleurs.

« ON VEUT ÉCRASER LA CLASSE OUVRIÈRE », titre Le Devoir, qui rapporte ainsi ses propos :

En ce jour, je ne puis m'empêcher de penser ardemment à un groupe de mamans du Québec qui vivent présentement des heures angoissantes, ne sachant pas comment elles nourriront leurs enfants demain. [...] La classe ouvrière est victime d'une conspiration qui veut son écrasement et quand il y a conspiration pour écraser la classe ouvrière, c'est le devoir de l'Église d'intervenir. Nous voulons la paix sociale, mais nous ne voulons pas l'écrasement de la classe ouvrière. Nous nous attachons plus à l'homme qu'au capital. Voilà pourquoi le clergé a décidé d'intervenir. Il veut faire respecter la justice et la charité et il désire que l'on cesse d'accorder plus d'attention aux intérêts d'argent qu'à l'élément humain. [...] On doit savoir que notre cœur est et restera tout près de la classe ouvrière.

On organise des quêtes sur les perrons des églises de 12 diocèses. 167 558,24 $ seront ainsi amassés, dont le tiers dans le diocèse de Montréal. Tous les diocèses ne sont pas aussi généreux, certains évêques préférant toujours manger dans la main du « cheuf ».

Les *scabs*, ces voleurs de jobs

Avec l'aide de briseurs de grève, les dirigeants de la mine essaient, tant bien que mal, d'en maintenir la production.

Le Conseil municipal d'Asbestos, sans doute à la suggestion du maire, membre de l'Union nationale de Duplessis, écrit à la compagnie pour lui demander « d'engager ses anciens employés de préférence à toute personne venant de l'extérieur, ceci afin que la situation économique d'Asbestos soit affectée le moins possible ».

Le 5 mai, à la demande de Philippe Girard, Michel Chartrand est de retour sur les lieux du conflit. Les grévistes en ont plein le dos de voir les *scabs* leur voler leurs jobs et ils décident de les empêcher d'entrer dans l'usine. Ces voleurs de jobs viennent de toutes les régions du Québec. Les grévistes décident donc de bloquer toutes les routes conduisant à Asbestos. Des troubles éclatent, des voitures sont incendiées.

Voici en quels termes Gilles Beausoleil raconte cette journée du 5 mai 1949 :

> Vers six heures du matin, le 5 mai, les syndiqués se réunissaient en face de l'église pour organiser la parade. Durant ce temps, les policiers provinciaux s'affairaient sur les routes. Ils arrêtèrent, sur le chemin de Wotton, un camion de grévistes de Thetford Mines qui venaient participer à la manifestation d'Asbestos. Ils obligèrent les grévistes à quitter le camion ; ces derniers continuèrent leur route à pied pour prendre place un peu plus loin dans un autre camion. Les policiers voulurent aussi arrêter une automobile sur la route de Danville ; le conducteur n'y prit pas garde. On tira des coups de feu, mais la voiture s'éloigna rapidement. [...]

Dans la ville, des groupes considérables de piqueteurs occupaient l'entrée des propriétés de la compagnie. À l'entrée du moulin, au-delà des barrières, un peloton considérable d'agents de police armés de mitraillettes, de revolvers et de lance-grenades surveillaient les mouvements des grévistes. Les tuyaux d'arrosage étaient prêts à fonctionner. Vers 7 h 50, une procession s'approcha des lieux : des centaines de femmes récitant le chapelet défilèrent devant les barrières. Certaines, armées de longues épingles à chapeau, en profitèrent, en passant, pour piquer les fesses des policiers. Environ cinq minutes plus tard, quelques grévistes s'approchèrent lentement des barrières. Au moment où ils arrivaient à une trentaine de mètres de l'entrée, les policiers lancèrent des bombes lacrymogènes. Un gréviste fut frappé au front par un projectile. Les autres se replièrent tandis qu'on transportait le blessé à l'hôtel de ville.

Des grévistes interpellent des policiers en civil, infiltrés dans leurs rangs. Ceux-ci sont ivres, ce qui les rend encore plus fanfarons. Ils refusent de s'identifier et sont passés à tabac. Une douzaine de policiers se font ainsi rudoyer. Hilaire Beauregard, chef de la PP, demande des renforts, qui arrivent de Sherbrooke, Québec et Montréal. Le soir du 5 mai, il avertit les représentants syndicaux et le curé Camirand que l'acte d'émeute sera lu le lendemain.

> C'est pour vous rendre service, affirme-t-il, que je vous préviens. Vous êtes mieux de garder vos gars à la maison, sinon je ne réponds plus de mes hommes. Certains ont été battus et ils sont gonflés à bloc. Vous avez besoin de vous « watcher ». Restez chez vous, sinon vous allez y goûter.

La PP attaque Asbestos

Le lendemain matin, Asbestos se réveille avec plus de 290 policiers de la PP sur son territoire. Le commis de service, un Anglais comme les aime la Johns-Manville, le juge de paix Hartley O'Gradey, de Sherbrooke, lit sur le perron de l'église, devant une centaine de policiers et une cinquantaine de civils, l'acte d'émeute :

> Notre souverain Seigneur le Roi enjoint et commande à tous ceux qui sont ici présents de se disperser immédiatement et de retourner paisiblement à leurs domiciles ou à leurs occupations légitimes sous peine d'être déclarés coupables d'une infraction qui peut être punie de l'emprisonnement à perpétuité. Dieu sauve le Roi !

Immédiatement après la lecture de l'acte d'émeute, les policiers s'élancent et mettent sous arrêt toutes les personnes présentes.

Gérard Pelletier rapporte ainsi les événements dans *Le Devoir* :

> Ils arrêtent à l'œil tous les ouvriers qu'ils trouvent dans les restaurants, les salles de billard et autres lieux de rassemblement. Malgré la présence d'une forte brigade de journalistes, les policiers ne se gênent pas pour se montrer brutaux dans la répression entreprise. Ils ne se gênent pas pour frapper du poing ou de la matraque les grévistes, même lorsqu'ils sont à quatre pour effectuer l'arrestation. On cherche de toute évidence à intimider la population.

Au cours de cette première rafle, quelque 180 personnes seront détenues, dont 53 seront transférées à la prison de Sherbrooke.

Michel Chartrand est à Asbestos et il loge avec Philippe Girard dans une famille de grévistes. Il tente aussitôt, avec d'autres militants, d'amasser des fonds pour payer les cautionnements qui pourraient être exigés par la cour.

Les avocats chargés de défendre les détenus, dont Jean Drapeau, tentent d'entrer en communication avec eux, mais sans succès. Les policiers de la PP sont rois et maîtres de la situation et le droit à une défense pleine et entière est le dernier de leurs soucis. On retrouve aussi, parmi les sympathisants actifs, à peu près les mêmes acteurs que l'on rencontrait à la Ligue de défense du Canada, au Bloc populaire canadien, au cours de la campagne du « candidat des conscrits », les Trudeau, Girard, Pelletier, Chartrand et compagnie.

Ils mentent comme ils respirent

Les détenus comparaissent finalement devant la cour. Ils ont l'air piteux; leur réputation est désormais entachée. Ils n'ont pourtant commis aucun crime; ils n'ont fait qu'exercer leur droit de grève. La réputation, en milieu rural, c'est sacré.

Michel Chartrand est sur place, bien entendu, en compagnie de représentants syndicaux, dont Philippe Girard. Il a une vague impression que ce n'est pas dans cette cour que justice sera rendue et que «tout est arrangé avec le gars des vues». Les événements ne lui donneront pas tort.

Les avocats de la poursuite — des petits amis de l'Union nationale — déposent les actes d'accusation. Les prévenus sont accusés :

— d'avoir contrevenu à l'acte d'émeute;

— d'avoir troublé la paix; et

— d'avoir commis des actes criminels, selon le *Code criminel*.

Pour étayer leurs preuves, les avocats de la poursuite, procureurs du roi, appellent à la barre leurs témoins, essentiellement des policiers de la PP.

Ceux-ci, encore sous l'effet des vapeurs d'alcool de la veille, répondent tant bien que mal aux questions des procureurs de l'Union nationale. Ils mentent effrontément et tout le monde le sait. Ils n'en sont pas à un mensonge près... Michel Chartrand a de la difficulté à se retenir et à demeurer calme. Le mensonge l'horripile. Philippe Girard essaie de le calmer :

— Attends, Michel, nos avocats, Drapeau en tête, vont les ramasser.

Les policiers continuent à mentir de plus belle.

N'y tenant plus, Michel lance de sa voix forte et tonitruante :

— Mais ils mentent comme ils respirent, ces policiers-là !

Le juge le rappelle à l'ordre :

— Monsieur, vous n'êtes pas autorisé à parler dans ma cour. Taisez-vous ou je vous fais expulser de cette salle.

— Mais monsieur le juge, Votre Seigneurie, les policiers ne disent pas la vérité !

— Monsieur, pour la deuxième fois, taisez-vous sinon...

— Mais Votre Seigneurie, les policiers se parjurent...

— Je vous avais prévenu. Je vous condamne pour outrage au tribunal et vous passerez la fin de semaine en prison avec les détenus.

Ce sera la première condamnation de Michel Chartrand pour outrage au tribunal, et ce sera également la première fois qu'il séjournera en prison. Mais ce ne sera pas la dernière ! Comment faire taire, en effet, un homme de parole, un homme libre ?

Philippe Girard téléphone par la suite à Simonne, à Montréal, pour lui annoncer la mauvaise nouvelle tout en prenant soin de la rassurer sur le sort de son époux. Simonne, fille et petite-fille de juge, aura beau aimer Michel à la folie, il lui faudra tout de même un certain temps pour s'habituer aux frasques judiciaires du père de ses enfants.

Michel est libéré le lundi matin, comme prévu, mais les autres prévenus, qui sont maintenant des accusés, sont transférés de Sherbrooke à Montréal pour y subir leur procès. Pendant toute la fin de semaine, les avocats de la défense tentent en vain de rencontrer les accusés. Ce n'est qu'une fois transférés à Montréal que les détenus peuvent enfin rencontrer leurs avocats, Me Jean Drapeau et Me C. Fortin, quelques instants avant leur comparution, après que ceux-ci eurent insisté auprès du juge.

Pendant ce temps, la compagnie menace de fermer son usine définitivement si les syndicats maintiennent leurs demandes salariales.

Tentative de médiation et retour au travail

Les représentants syndicaux réussissent finalement à rencontrer le ministre du Travail du gouvernement Duplessis, Antonio Barrette, tandis que Mgr Maurice Roy, archevêque de Québec, rencontre les dirigeants de la Johns-Manville.

Le 1er juillet 1949, la grève prend fin. Les mineurs obtiennent une augmentation de 0,10 $ de l'heure et la compagnie s'engage à reprendre à son emploi tous les employés, sans discrimination, ni représailles. Mais ceux « qui pourraient être trouvés coupables d'actes criminels par les tribunaux ne seront pas réembauchés ».

Le retour au travail s'effectue sous la surveillance du directeur du Service de conciliation et d'arbitrage de la province de Québec. Il faudra encore plusieurs rencontres, discussions et interventions avant que les compagnies d'amiante et le syndicat ne signent, au début de 1950, des conventions collectives.

Un cimetière d'amiantose

Le syndicat a aussi appris, avec le temps, à mieux étoffer ses dossiers médicaux. Auparavant, lorsqu'un ouvrier mourait d'amiantose, les représentants du département d'hygiène industrielle venaient, après l'autopsie, chercher les poumons, supprimant ainsi toutes les preuves. Dorénavant, c'est le syndicat qui entend se charger de l'autopsie et qui gardera une partie des poumons comme preuve. Les familles d'ouvriers morts d'amiantose seront ainsi mieux protégées et les compagnies devront payer !

La morale de cette histoire...

Michel Chartrand, lui aussi, a beaucoup appris et il a dû payer de sa personne. Il a enduré, bien sûr, quelques jours d'emprisonnement, mais il a aussi perdu son emploi à l'imprimerie où il travaillait et il se retrouve sans ressources financières. Ce conflit ouvrier a suscité chez le couple Monet-Chartrand une nouvelle dynamique. Simonne et Michel, plus unis que jamais, vont se mettre entièrement au service des travailleurs et des démunis, laissant de côté leur désir de parfaire leur formation intellectuelle, culturelle et artistique. Désormais, les questions culturelles ou patriotiques passeront au deuxième rang.

Michel œuvrera à l'intérieur de la CTCC, dans ses Fédérations, dans ses syndicats et dans ses conseils centraux. Il travaillera étroitement avec celui qui demeure encore de nos jours un des plus grands présidents de la CSN, Gérard Picard. Son travail à l'intérieur de la CTCC lui permettra de rencontrer et d'affronter, à maintes occasions, le « p'tit coq de village », celui qui deviendra ministre sous Trudeau, celui qui fera partie de ce qu'on a appelé « les trois colombes », l'ineffable Jean Marchand. La façon qu'a Jean Marchand d'aborder les problèmes syndicaux n'a jamais plu à Michel Chartrand, et cela il l'apprendra dès la grève de l'amiante. Ce qu'il reproche à Marchand, c'est sa mollesse et son manque de courage. Marchand, semble-t-il, s'empressait toujours de démentir ses propos tels que rapportés dans les médias du lendemain. Marchand, par ses beaux discours — dira Michel —, mettait facilement le feu aux poudres mais, lorsque arrivait le moment de la vraie confrontation, il était le premier à conseiller aux grévistes de reculer et de rentrer au travail la queue entre les jambes [3].

3. Note de l'auteur : J'ai tenté dans ce chapitre de rendre hommage aux travailleurs de l'amiante d'Asbestos, qui commémorent, en 1999, le cinquantième anniversaire de leur lutte acharnée pour le mieux-être des travailleurs. Ce qui a pu paraître comme un échec, lors du retour au travail en 1949, s'est avéré, deux ans plus tard, une grande victoire syndicale. Les mineurs d'Asbestos, en effet, obtenaient le salaire horaire de base et le salaire quotidien le plus élevé dans tout le Canada.

J'espère, par cet humble apport à l'histoire syndicale, avoir suscité une réflexion, pour les jeunes générations, sur la nécessité de la solidarité ouvrière.

CHAPITRE 8

Permanent syndical

Sa vocation : le syndicalisme

— **V**ous savez, monsieur Chartrand, avant que vous
veniez ici, on s'entendait bien.

— Je comprends, vous agissiez en bon père de
famille : vous bottiez le derrière à vos employés tant que
vous le vouliez. C'est fini ce temps-là.

C'est en ces termes fort simples que Michel vient
d'expliquer à un patron d'une usine de textile de la
région de Sherbrooke que le paternalisme n'a pas sa
place dans les relations de travail.

Fort de l'expérience précieuse qu'il a acquise à Asbestos, Michel Chartrand dépose une demande d'emploi à
la Fédération du vêtement de la CTCC. Sous les conseils
de Gérard Picard, président de la CTCC, qui a pu constater
les talents de Michel dans la grève de l'amiante, le président de la Fédération, Angelo Forté, embauche Michel
Chartrand et décide de l'affecter au règlement des griefs.

— On aurait besoin de quelqu'un pour s'occuper
des usines de vêtements pour homme. Connais-tu ça,
des griefs ?

— C'est quand la compagnie ne respecte pas la convention collective.

Voilà, tout compte fait, l'entraînement que Michel reçoit avant de s'enrôler dans le syndicalisme, sa nouvelle vocation.

Il travaille au sein des syndicats des régions de Québec, Farnham, Victoriaville et Sherbrooke. Dans la plupart des cas, il s'agit d'usines qui ont fui la région de Montréal pour échapper à l'emprise de l'*Amalgamated Clothing Workers of America*, une union américaine. Les syndicats catholiques étaient déjà en place depuis plusieurs années, mais ils étaient devenus de véritables syndicats de boutique. Sous l'impulsion de Michel, les choses vont commencer à bouger, à la grande surprise des patrons et même des syndicats catholiques, généralement peu enclins à entamer des poursuites ou à lancer des griefs. Ces usines de textile emploient majoritairement des femmes, qui travaillent sur des machines à coudre, tandis que le personnel masculin est affecté à la coupe. « Les plus belles jobs, c'est pour les hommes ! » s'exclame un Michel Chartrand contestataire qui fait ses classes.

Une première grève à Sherbrooke

À Sherbrooke, Michel et des organisateurs de la Fédération convoquent les travailleuses et les travailleurs du textile à une assemblée générale.

Un vote de grève est demandé et les travailleuses votent massivement en faveur d'un débrayage. Comme la plupart des travailleuses habitent en pension à Sherbrooke, elles pourront toujours retourner, en cas de pépin, dans leurs familles, qui se feront un devoir de les aider. C'est là leur grande force. Elles peuvent ainsi tenir plus longtemps, et cela Michel l'avait prévu.

Entre-temps, Gérard Picard et ses camarades négocient activement avec les représentants de la compagnie à Montréal. Michel Chartrand est nommé directeur de grève et il doit se tenir sur le qui-vive. Il a prévenu ses délégués : si les négociations stagnent, il leur fera signe du trottoir, en face de l'usine, et ce sera le débrayage.

À un moment donné, Michel reçoit un appel téléphonique de Picard qui lui annonce que les négociations sont rompues.

Après cet appel, il se rend sur le trottoir et, apercevant une fille à la fenêtre, il lui fait signe de quitter l'atelier avec ses collègues.

Les délégués de département, avertis de la consigne, avisent tous les membres du syndicat, qui, sans mot dire, quittent l'usine dans l'ordre et dans le calme. Les contremaîtres sont stupéfaits, ignorant tout de la décision des employés. La grève durera près de cinq mois. Michel Chartrand, à peine connu à l'époque, commencera à se faire une réputation chez les patrons. On le traitera publiquement de « maudit communiste », l'opprobre suprême à l'époque de la chasse aux sorcières.

Premier congrès syndical

En 1950, Michel Chartrand assiste pour la première fois au congrès syndical de la CTCC. Il note qu'il y a énormément de travail à faire un peu partout au Québec pour bâtir un mouvement syndical fort et représentatif. Il découvre par la même occasion que le mouvement syndical n'est plus la chasse gardée des hommes. Arrivées massivement sur le marché du travail, les femmes chercheront à se faire représenter adéquatement, transformant petit à petit les pratiques syndicales.

Le piano de Simonne

Comme on peut s'en douter, toute cette agitation syndicale n'est pas de nature à favoriser l'économie familiale du couple Monet-Chartrand. Celui-ci connaît de nouveau des heures sombres et difficiles. Que faire pour tenter de joindre les deux bouts lorsque les fonds viennent à manquer dramatiquement? Simonne se décide à vendre son piano qu'elle chérissait tant. Avec l'argent ainsi obtenu, elle pourra nourrir sa famille quelques semaines, voire quelques mois, en attendant des jours meilleurs. C'est beaucoup plus l'absence du père auprès de ses enfants qui pèse lourd. Aucune vente de piano ne pourrait la combler. Et il n'y a pas que Simonne pour se plaindre. Les cinq enfants, eux aussi, demandent des explications, que Simonne tente de leur fournir en leur expliquant que leur père travaille à aider les ouvriers et les plus démunis. Ce père, qu'elle qualifie ironiquement de «Canadien errant», n'est que très rarement présent pour voir à l'éducation des cinq enfants, une tâche extrêmement lourde à porter lorsqu'on est seule à la maison! Michel passe, en effet, toute la semaine à l'extérieur, arrivant le vendredi soir pour repartir bien souvent le dimanche soir. Simonne en vient à jalouser les personnes, hommes et femmes, qui côtoient l'amour de sa vie, «exilé» dans la région de Sherbrooke.

Scènes de la vie quotidienne

Bientôt, la famille Chartrand déménage dans une nouvelle demeure, à Varennes. La maison a été construite par un cultivateur grand spécialiste de l'économie de bouts de chandelle. Il a érigé cette maison à sa façon et en tentant de couper court à des procédés pourtant indispensables au bon usage d'un domicile. Ainsi, il a omis d'installer un drain dans le sous-sol. Survient un gros orage, et le sous-sol se remplit d'eau. Simonne refuse de payer son loyer dans ces conditions. Le propriétaire demeure inflexible, il n'entend pas réparer les dégâts ainsi causés et il menace tout bonnement de faire saisir les biens de la famille. Le pauvre! il ne sait pas encore qu'il a devant lui une femme de caractère. Simonne lui tient tête. Quelques jours plus tard, un huissier se présente au logis des Chartrand avec en poche un mandat de saisie. Après avoir inspecté les lieux et fait l'inventaire des biens, il téléphone au propriétaire pour l'aviser qu'il n'y a absolument rien à saisir: il n'y avait aucun réfrigérateur, aucune automobile, que des couchettes et une table de cuisine. Que des enfants! Beaucoup d'enfants! Et énormément de livres et de caisses de documents.

C'est dans ce climat trouble que Michel Chartrand débarque les vendredis soir. Il a, en général, les bras chargés de modestes cadeaux pour tous ses enfants; il n'oublie pas le bouquet de fleurs pour Simonne ni la bouteille de vin pour célébrer son retour au foyer. Simonne est tellement heureuse de revoir son homme qu'elle en oublie momentanément tous ses tracas et ses combats pour la survie. Elle gardera de précieux souvenirs de ces instants de bonheur total avec l'homme de sa vie.

Monsieur l'abbé, au secours...

Simonne aime toujours et encore son homme, cela se sent, cela se voit dans ses lettres, mais l'absence de Michel lui est toujours aussi lourde à supporter. Elle admet que Michel soit loin d'elle pour l'accomplissement de sa vocation, défendre la classe ouvrière, mais elle a un besoin impératif de parler, de se confier à un adulte. Les conversations avec ses enfants demeurent des discussions avec des enfants. Même si ces derniers sont très ouverts d'esprit, ils demeurent quand même des enfants. Elle recherche une personne à qui elle puisse confier sa solitude, sa lassitude, une personne en qui elle aurait totalement confiance, une personne qui les connaisse intimement, elle et Michel, une personne qui connaisse aussi ses enfants. Cette personne toute désignée demeure le prêtre-abbé-chanoine Lionel Groulx, celui qui a béni leur mariage malgré l'opposition (maintenant disparue) de ses parents, qui a baptisé tous ses enfants. Michel et elle sont de fidèles disciples de l'historien. Simonne réfléchit longuement sur la teneur de sa lettre. Elle est si désemparée et si angoissée, et elle ne veut surtout pas commettre un impair. Elle livre donc ses pensées et ses inquiétudes au prêtre-abbé. Elle sollicite ses conseils et elle attend de lui presque l'impossible, le miracle, le retour définitif et permanent de Michel à la maison. Il est bon de rêver en pareilles circonstances. Simonne se livre donc au chanoine Lionel Groulx :

> Varennes, le 18 octobre 1951
>
> Monsieur l'abbé,
>
> Il y a très longtemps que vous avez eu de nos nouvelles. C'est que depuis plus d'un an Michel travaille continuellement en dehors de Montréal au service de la Fédération nationale du vêtement, fédération affiliée à la Confédération des travailleurs catholiques du Canada (CTCC).
>
> Son travail d'agent d'affaires l'amène à jouer un rôle d'aviseur technique dans les contrats de travail, les arbitrages, les conciliations, etc.
>
> Voilà ce qui explique surtout notre silence à part une négligence à remplir les devoirs pourtant

agréables de l'amitié et de la piété filiale.

Tous les soirs, lors de la prière en famille nous prions pour nos chefs spirituels et... temporels car ceux-ci en ont encore plus besoin. À ce moment de nos invocations, tous, nous prions pour vous spécialement. Vous êtes notre chef spirituel, malgré notre entière soumission à nos seigneurs les évêques.

Nous habitons maintenant le cher village de Varennes, face au fleuve et à l'historique oratoire dédié à sainte Anne, patronne de la paroisse. Il nous faudrait un cours d'histoire locale. Nous pourrions vous recevoir un jour, ici, avec un groupe d'amis pour nous le donner.

Malheureusement, Michel n'y vient que le samedi soir au retour de Québec, Sherbrooke ou Victoriaville pour se détendre un peu. Les bras chargés de documents à consulter, la tête pleine de tracas, l'esprit en travail de recherches, de projets, etc.

Il repart même souvent le dimanche soir afin d'être tôt, le lundi matin, soit aux conseils centraux des syndicats ou en tout autre endroit de rencontre entre les officiers syndicaux et les patrons.

Vous m'excuserez de vous donner tous ces renseignements sur le travail de Michel mais, n'ayant pas le téléphone et étant maintenant en dehors des cadres des mouvements diocésains, nous n'avons pas l'occasion de vous rencontrer.

Je viens vous demander le secours de vos prières et de vos conseils.

La CTCC demande à Michel de prendre la responsabilité d'un comité d'action politique à Québec, comité qui n'est qu'en formation comme un service de la CTCC. Il devra faire des enquêtes sur l'opinion politique des syndiqués, la former, l'éduquer pour en arriver enfin à présenter un candidat représentant de la classe ouvrière organisée à l'Assemblée législative, aux prochaines élections provinciales.

Le comté choisi serait tout probablement Mégantic, à cause de son nombre considérable d'ouvriers syndiqués.

MM. Picard et Marchand, respectivement président et secrétaire général de la CTCC, veulent confier à Michel la préparation de cette campagne politique et le dirigent dans cette voie.

Il s'agirait finalement qu'il se présente lui-même au nom des syndiqués de la P. de Q.

Il nous faudrait habiter Québec, loin de nos familles (nous avons encore nos mères) et en butte à des difficultés de toutes sortes.

Que pensez-vous de ce projet de la CTCC et du choix de Michel ?

Ce projet est-il réalisable ? Dans quelle mesure pareille tentative est-elle utile et efficace aux ouvriers, au syndicalisme canadien-français ?

Ce sont des questions que je me pose entre bien d'autres et je les soumets humblement à votre bon jugement.

Michel ne change pas. Il garde toute sa vigueur combative, ses convictions patriotiques, son fanatisme bien personnel.

Mais moi, je vieillis. Je n'abdique rien du credo religieux et national, mais je suis exténuée de vivre continuellement dans des tracas financiers qui s'apparentent à la misère ; et cela à cause des projets toujours audacieux et coûteux de Michel et de ceux qui le lancent toujours en avant sachant que c'est dans sa nature de se jeter au-devant des coups.

Ces activités sociales l'accaparent six jours par semaine. Je reste avec le souci de l'éducation des cinq enfants et le casse-tête d'un budget mal bâti, insuffisant.

Nous sommes plus que pauvres, nous avons des dettes qui sont des dettes occasionnées, non par des fantaisies personnelles, mais par des décisions audacieuses comme celles que ses activités politiques et syndicales entraînent.

Je suis très seule. Je prie l'Esprit saint de bien éclairer les dirigeants de la CTCC.

Mais je ne peux faire autrement que craindre pour l'avenir tant matériel que moral.

Car vous imaginez facilement que malgré nos sentiments réciproques d'affection, d'estime et de fidélité, la vie conjugale qui nécessite tant d'intimité, de soins délicats est souvent sacrifiée à ces activités professionnelles au-dehors du foyer. J'en souffre énormément, mais j'accepte ces sacrifices d'ordre sentimental, considérant que Michel a une vocation sociale à remplir; mais de là à accepter qu'il se jette délibérément dans une pareille entreprise politique, il y a de quoi hésiter et réfléchir avant de consentir.

Je m'adresse à vous en toute confiance. Ayez la bonté de me conseiller sur l'attitude à prendre devant Michel et devant la situation.

Au strict point de vue de l'efficacité et de l'opportunité de cette initiative de la CTCC, qu'elle est votre opinion?

Si vous n'avez pas le temps de m'écrire, priez pour nous. Si vous pouvez le faire, un mot de votre part, me redonnera courage et sérénité.

Si vous pouviez aussi éclairer Michel. Je vous laisse toute liberté d'intervenir ou non auprès de lui.

Vous êtes la seule personne au monde de qui il prendra conseil et je pèse mes mots.

Il comprendra qu'André Laurendeau ou une autre personne vous a mis au courant de ce projet de la CTCC et votre intervention paraîtra tout à fait normale tout en étant salutaire et opportune.

Ce n'est pas pour moi uniquement un problème sentimental; c'est un problème moral.

Est-il nécessaire de toujours faire d'énormes sacrifices, de se causer de graves préjudices financiers pour tenter une action politique?

Michel croit fortement que oui; moi, j'en doute maintenant.

Peut-être est-ce parce que j'en souffre par ricochet. J'essaie pourtant d'avoir un point de vue objectif.

Veuillez exercer une grande charité à mon égard et me diriger en me formant une opinion impartiale. Les enfants grandissent vite. Trois vont au couvent, les deux autres à l'école maternelle Chartrand...

Leur éducation est une mission magnifique à laquelle je consacre ma vie avec joie.

Vous serez le bienvenu chez vos baptisés qui respectent votre nom et prient pour que Dieu vous garde longtemps pour le bien de l'Église et de notre pauvre nation.

Avec l'assurance de mes sentiments respectueux et dévoués

Mme Michel Chartrand
135-A, rue Sainte-Anne
Varennes, cté de Verchères [1]

Le chanoine Groulx, loin de rassurer Simonne, lui confie plutôt qu'il y a belle lurette qu'il ne peut plus exercer aucune influence sur les décisions de Michel. Il

---

1. Archives de la Fondation Lionel-Groulx.

n'est certes pas d'accord avec l'idée de présenter un candidat ouvrier aux élections, mais que peut-il y faire? La famille Chartrand serait encore plus divisée, les époux se verraient encore moins. Il a la nette impression qu'on abuse de la générosité de Michel, que celui-ci veut trop embrasser. Finalement, il est d'accord avec Simonne pour dire que le devoir de Michel est d'abord et avant tout de s'occuper de sa famille nombreuse. Mais il connaît la fougue et l'impétuosité de Michel et sait que personne ne pourra le convaincre d'abandonner ses activités syndicales.

D'ailleurs, les conflits ouvriers se multiplient dans ce Québec en pleine ébullition et la CTCC y est de plus en plus présente. On voit Michel sur toutes les scènes, il est de tous les combats, comme s'il avait le don d'ubiquité.

Grève chez *Rubin* à Sherbrooke (1952)

Rubin, une usine de textile installée à Sherbrooke, a fui comme plusieurs autres le Grand Montréal par peur des unions américaines. Les ouvriers et les ouvrières y travaillent à la pièce. Ainsi, après avoir terminé une opération sur un morceau de tissu, le travailleur a droit à un coupon valant quelques sous, lesquels s'ajouteront à son salaire à la fin de la semaine. Or, quand tout se déroule très bien et à une bonne cadence, les ouvriers accumulent un grand nombre de ces coupons. Le problème, c'est que les ouvriers sont littéralement «gênés» de les présenter au paie-maître, de peur que leur patron trouve qu'ils travaillent trop rapidement. Alors, ils cachent leurs coupons.

Michel Chartrand est donc envoyé sur place pour convaincre les membres du syndicat de ne plus agir de la sorte et de se tenir debout. Cet argent que les travailleurs ne réclament pas, c'est du pur profit pour le patron. Ils doivent réclamer leur dû.

La grève éclate. L'employeur, tout en embauchant des briseurs de grève, menace, comme il fallait s'y attendre, de déménager au Vermont.

Michel Chartrand s'occupe donc de la grève, déclenchée majoritairement par de jeunes travailleuses. C'est à cette occasion qu'il fera la connaissance des frères jumeaux Claude et Guy Fournier, qui travaillent comme journalistes au quotidien *La Tribune* de Sherbrooke. Claude écrit la chronique ouvrière tandis que Guy rédige la chronique économique. Ces deux jeunes justiciers et contestataires, aimant la vie et la compagnie des belles femmes, trouveront en Michel Chartrand un ami solide. Une fois par semaine, les deux journalistes se retrouvent dans la chambre, plus que modeste, de Michel à l'*Hôtel Wellington* à Sherbrooke, pour faire le point sur la grève de la *Rubin*. Ces rencontres se font dans la plus stricte confidentialité car il n'est pas question que le patron du journal apprenne que ses journalistes frayent avec un leader syndical de la trempe de Michel Chartrand. Elles seront grandement profitables au mouvement ouvrier car Michel est à même de leur brosser un tableau complet et rigoureusement exact des derniers développements de la grève. Il y a également un autre intérêt pour nos deux journalistes : c'est que la grève dans le textile est avant tout une histoire de femmes et les jeunes ouvrières de la *Rubin* ont grandement besoin d'encouragement et de soutien sur les lignes de piquetage, ce qui n'est pas sans déplaire aux jumeaux. Quant à Michel Chartrand, il avait, lui, affirmera Guy Fournier, son amoureuse qui l'attendait à Varennes.

La grève de *Dupuis et Frères* en 1952

Dupuis et Frères est un magasin à grande surface situé sur la rue Sainte-Catherine, à l'est de la rue Saint-

Hubert à Montréal. On y vend presque de tout, particulièrement des vêtements et sous-vêtements, ainsi que des chaussures pour hommes, femmes et enfants. La clientèle provient majoritairement des milieux cléricaux ainsi que des milieux nationalistes. C'est un magasin du type *Eaton*, mais géré par des Canadiens français. Le propriétaire est Raymond Dupuis. Selon Michel Chartrand, celui-ci avait embauché un jeune universitaire, Rolland Chagnon, pour voir à la bonne marche de son commerce. Peu de temps après son entrée en fonction, Chagnon déclare qu'il y a 300 filles de trop dans le magasin et qu'il faudra les renvoyer. Cette déclaration met le feu aux poudres. La grève est déclenchée.

Un syndicat de boutique gérait les activités syndicales, de connivence avec les patrons, et aucune convention collective n'avait été signée à ce jour. Le président du syndicat était un gérant de département nommé par le patron, et il se montrait en général plus soucieux des intérêts de la direction que de ceux des travailleuses et des travailleurs. Jusqu'au jour où deux employés, Marcel Lanouette et Georges-Henri Gagnon, mettent sur pied un vrai syndicat, affilié celui-ci à la CTCC.

Le 1er mai 1952, les 900 membres du nouveau syndicat décident, par scrutin secret, à 97 %, de déclencher une grève.

Les grévistes, en grande majorité des femmes, installent des lignes de piquetage devant les entrées du magasin. Les policiers à cheval de la Ville de Montréal ne se gênent pas pour intimider les grévistes et pour faciliter l'accès des briseurs de grève, dont plusieurs sont des étudiants provenant des diverses facultés universitaires. Ces derniers ignorent manifestement les principes de base du syndicalisme et de la solidarité ouvrière. Heureusement, des professeurs d'université protesteront, dans une lettre ouverte au journal *Le Devoir*, contre la façon de faire de leurs étudiants. Un des signataires de ce manifeste de solidarité sera Marc Lalonde, futur bras droit du premier ministre du Canada Pierre Elliott Trudeau. La clientèle de *Dupuis*, peu informée elle aussi des difficiles conditions de travail des employés, continue de fréquenter le magasin à rayons malgré les lignes de piquetage.

Les employés gagnent en moyenne 17 $ pour une semaine de travail de 50 à 60 heures. Les travailleuses font l'objet de transferts fréquents, d'un département à un autre, sans préavis, et, comme il faut s'y attendre dans ce type de commerce à l'époque, les heures supplémentaires ne sont pas rémunérées.

Madeleine Brosseau, la vice-présidente du syndicat — le président est toujours un homme ! —, est responsable de la cantine pour les grévistes, située dans un local au coin des rues Beaudry et de Montigny (aujourd'hui de Maisonneuve). Avec un budget de 50 $ par jour, elle doit, avec l'aide de bénévoles, servir sandwichs et café aux 900 grévistes. Aussi bien le jour que la nuit. Une autre caissière au grand cœur, Thérèse Desforges, travaille activement à l'organisation de la grève sans ménager son temps et son argent. Elle deviendra par la suite une grande amie du clan Chartrand.

Les grévistes et des sympathisants se réunissent tous les jours dans la salle (aujourd'hui disparue) de l'Apostolat liturgique, au coin des rues La Gauchetière et Berri. Un militant, René Roch, qui s'était fait battre par les policiers de Duplessis à Asbestos et qui avait été condamné *in abstentia* à la prison, est de nouveau actif et il dirige fébrilement la grève. Raymond Couture, un ex-militaire et organisateur à la CTCC, fait appel à Michel Chartrand afin qu'il vienne remonter le moral des troupes.

Ainsi, lors de conflits syndicaux sérieux, on fait de plus en plus appel à Michel Chartrand, dont on commence à reconnaître les talents immenses d'orateur et de motivateur. Guy Fournier, qui est toujours journaliste à Sherbrooke, décide de faire le voyage à Montréal en compagnie de Gérard Picard, président de la CTCC, et de Michel. Voici ce qu'il dit de cette drôle de virée à Montréal :

> Michel avait demandé aux filles de la *Rubin* de ramasser des souris. Un vendredi soir, il décide qu'il faut aller livrer les souris chez *Dupuis et Frères*. Gérard Picard est du voyage. Michel et moi, nous rangeons les souris dans le coffre de l'auto et il est convenu de ne pas en parler à Picard. Entre Waterloo et Granby, l'atmosphère est devenue soudainement très lourde. C'est que Gérard Picard avait reproché à Michel d'avoir trop de voiles mais pas assez de gouvernail. Michel n'aimait pas beaucoup ce genre de critique. Il s'en est suivi un silence total. À Montréal, nous avons déposé Gérard à son bureau puis nous nous sommes dirigés chez *Dupuis et Frères*. Michel me demande alors d'aller donner les souris aux filles sur les lignes de piquetage. Ces dernières sont supposées savoir à quoi les petites bêtes vont servir. Il n'y avait, semble-t-il, rien à l'épreuve de Michel. Il y avait, bien entendu, une part de jeu dans sa façon d'agir, mais ses gestes portaient toujours.

Qu'est-il arrivé aux souris blanches chez *Dupuis et Frères* ? Elles avaient été soigneusement déposées par des inconnus, dans les rayons de sous-vêtements pour femmes. Arriva ce qui devait arriver. Les clientes aperçurent les souris blanches qui se baladaient entre des piles de sous-vêtements et poussèrent des hauts cris, comme on peut l'imaginer. Ce ne fut pas la panique générale mais ce fut tout comme. Les clientes, apeurées et dégoûtées, s'enfuirent en jurant qu'on ne les reverrait pas de sitôt dans ces lieux si mal tenus. Les journaux s'emparèrent de la nouvelle le lendemain, de sorte que toute la ville fut au courant que chez *Dupuis et Frères*, on trouvait et des briseurs de grève et des souris! Inutile de préciser que l'achalandage baissa énormément pendant les jours qui suivirent cet incident. Le but avait été atteint.

Le maire Camillien Houde, ce faux défenseur du peuple, s'était rangé ouvertement du côté des patrons. Il avait refusé la salle du marché Saint-Jacques aux grévistes qui voulaient y tenir une grande assemblée publique. Les grévistes lui réservent un accueil très particulier à l'occasion du défilé de la Saint-Jean-Baptiste, le 24 juin de cette même année. M. le maire et sa femme étaient assis, comme le veut la tradition, dans une voiture décapotable. Le cortège arrive sur la rue Sherbrooke près de la rue Amherst, et le maire, souriant largement, salue la foule massée des deux côtés de la rue. Soudain, de toutes parts, des dizaines, voire des centaines de minuscules projectiles blancs — des œufs! — sont lancés en direction de la voiture du maire et de la mairesse. Le maire a beau crier au chauffeur d'accélérer, rien à faire, les projectiles ont atteint leur cible, et c'est un maire dégoulinant qui salue, au coin de la rue Saint-André, le Cercle universitaire et les autres dignitaires postés sur l'estrade d'honneur!

Un gréviste est arrêté au moment de cet incident. Michel Chartrand et Pierre Vadeboncœur, avocat au service de la centrale syndicale, se rendent tous deux au poste de police n° 1 où était détenu ce manifestant. Vers 18 h 30, ils voient surgir Camillien Houde, habillé de frais dans un complet pâle, hors de lui, tonitruant, accompagné de son avocat, Mᵉ Masson. Il veut, de toute évidence, s'en prendre au prisonnier. Pierre Vadeboncœur se souvient que le maire de Montréal avait l'air d'un ogre qui n'avait pas mangé depuis deux jours. Michel tente alors de calmer ses ardeurs, mais sans y parvenir. Il essaie également de le convaincre de laisser tomber l'accusation et de libérer le gréviste sur-le-champ. Camillien Houde refuse catégoriquement et réplique à Michel Chartrand de sa voix tonitruante que les syndicats catholiques sont en train de l'assassiner à coups de crucifix. La suite de l'histoire : le gréviste dut comparaître devant le juge en chef de la cour municipale et il fut condamné à deux mois de prison pour avoir lancé un œuf sur un maire !

Il y avait, à ce moment-là, à la CTCC, un ancien juge du travail d'origine polonaise, M. Cracoski. Sa tâche consistait à organiser les travailleurs immigrés. Cet homme à l'esprit très pragmatique avait un petit côté « maquisard polonais ». Dans un mauvais français que tous comprenaient, il aimait répéter : « Faut chaque jour quelque chose faire. » C'est cette consigne que Michel et d'autres organisateurs vont appliquer, à la lettre... S'il y eut l'opération « souris blanches », dont il a été question plus haut, il y eut également l'opération « largage d'abeilles ». Malheureusement, les abeilles ne faisaient guère peur car elles allaient très vite se réfugier dans les hauteurs du magasin. D'autres travailleurs, demeurés à l'emploi de la compagnie mais affectés à des tâches auxquelles ils n'étaient pas habitués venaient compliquer la situation pour les patrons. Ainsi, il arrivait fréquemment qu'un gicleur à incendie soit déclenché accidentellement, produisant ici et là des inondations. Par ailleurs, tous les vendredis, il y avait une manifestation de solidarité. La police arrivait, bien entendu, avec ses chevaux, mais il se trouvait toujours une petite maligne pour piquer les fesses des chevaux avec une aiguille à chapeau. On devine facilement la suite : les chevaux se cambraient et valsaient de tous les côtés avec leur cavalier paniqué qui devait suivre le mouvement malgré lui.

Dupuis et Frères et ses retombées sur les enfants Chartrand

Le 28 juillet, après 13 semaines de grève, le conflit est réglé. C'est dans la gaieté et en chantant que les grévistes défilent rue Sainte-Catherine Est. « La paix est revenue », titre le journal de la CTCC, *Le Travail*.

Michel Chartrand jubile : les travailleurs ont obtenu la formule Rand — chaque employé doit désormais cotiser au syndicat —, et le principe de l'ancienneté est garanti par l'employeur, qui accepte de verser les augmentations de salaire demandées.

Simonne, pour la première fois, a pu voir Michel à l'œuvre au milieu des travailleurs en grève. C'est son premier contact avec ces hommes et ces femmes qui risquent confort et sécurité en se lançant dans une lutte incertaine pour l'amélioration de leurs conditions de travail et pour le respect de leur dignité.

Les enfants de Michel Chartrand participent malgré eux à la grève de leur père. Les religieuses les obligent en effet à prier pour son salut. Marie-Andrée, entre autres, se fait fort de renseigner les religieuses de son collège sur les conditions de travail des petits salariés. « Mon père n'est pas un communiste », clame-t-elle.

René Ouellette sera réélu président du syndicat tandis que Thérèse Desforges deviendra assistante-trésorière-secrétaire, poste qu'elle occupera sans interruption pendant cinq années. Elle quittera enfin *Dupuis et Frères* pour rejoindre Michel à l'imprimerie qu'il mettra sur pied, *Les presses sociales*.

De juillet 1952 à septembre 1953, Michel Chartrand devient « agent d'affaires » au Syndicat du commerce (dont fait partie le syndicat des employés de *Dupuis et Frères*). Il occupera ce poste de façon intermittente jusqu'en 1957.

Le massacre de Louiseville

En mars 1952, les employés de l'*Associated Textile Co.* de Louiseville, une filiale d'entreprise américaine, décident d'accepter les offres monétaires de la compagnie. Or, un revirement de situation se produit : la compagnie annonce qu'elle exige le retrait de quatre clauses de la convention collective précédente. Le 10 mars, par une forte majorité, les travailleurs déclenchent la grève. Le syndicat compte 850 membres.

La compagnie embauche aussitôt des briseurs de grève pour maintenir la production de son usine. Une cinquantaine de policiers de la fameuse police provinciale interviennent le 21 juillet pour disperser les grévistes qui font du piquetage devant l'usine. Quelques jours auparavant, le curé Donat Baril avait déclaré : «Restez dans le calme, mais assurez la survie de votre syndicat.»

Encore une fois, Michel Chartrand a été appelé à relever le moral des troupes à Louiseville. Il fait la navette entre les assemblées des grévistes, c'est-à-dire entre Louiseville, Sherbrooke et Montréal.

En octobre de la même année, alors que le conflit s'éternise, un «tribunal d'honneur» dont fait partie Georges-Léon Pelletier, évêque de Trois-Rivières, échoue dans une ultime tentative de conciliation. Le 30 octobre, un nouvel affrontement a lieu entre grévistes et policiers provinciaux. La compagnie juge préférable de se retirer du tribunal d'honneur :

> Les grévistes ont accentué le règne de terreur qu'ils ont établi à Louiseville depuis le début de la grève, déclare le porte-parole de la compagnie. Ils se sont livrés à des méfaits, non seulement sur la personne et les biens des ouvriers retournés au travail, mais sur la personne et les biens des citoyens les plus respectables de Louiseville.

Cette grève est devenue une véritable « calamité publique », comme on ne cesse de le répéter dans différents milieux, tant patronaux que syndicaux et religieux.

Un grand défilé est prévu à Louiseville le 10 décembre. Pour soi-disant prévenir tout acte de violence, on lit l'*Acte d'émeute*, qui interdit toute manifestation publique. L'affrontement entre forces de l'ordre et grévistes est inévitable. Des grévistes seront blessés par balle, battus par la police et pourchassés jusque dans les locaux du syndicat, où certains s'étaient réfugiés. Michel Chartrand pourra le constater lorsqu'il ouvrira les portes du local syndical, le lendemain de la proclamation de l'*Acte d'émeute*.

> J'y ai trouvé des bassins dans lesquels il y avait du sang des grévistes, affirme-t-il. La police avait couru après les travailleurs qui s'étaient réfugiés dans les locaux du syndicat. Elle les avait battus, sur place, au sang. Dans les rues, quelques-uns des grévistes avaient reçu des balles de revolver de la PP et d'autres avaient été battus et conduits chez des médecins.

Il y aura également de nombreuses arrestations.

À la CTCC, on songe de plus en plus à une grève générale de solidarité, mais on se ravise soudainement. À l'Assemblée législative, le conflit soulève un violent débat, le 14 janvier 1953. Le premier ministre Duplessis se justifie en disant qu'il a envoyé sa police à Louiseville « pour protéger les citoyens honnêtes et empêcher la destruction de la propriété ». Ce refrain, on l'a déjà entendu par le passé. Il y a plus, selon lui. Des communistes comme Tim Buck, un dirigeant du Parti communiste canadien, se sont infiltrés dans la direction de cette grève et menacent maintenant le gouvernement d'une grève générale. Comme on peut le voir, la chasse aux sorcières et aux méchants communistes n'est pas terminée, loin de là. C'est précisément pour ne pas prêter flanc à de telles critiques, même non fondées, que la CTCC décide d'abandonner toute idée de grève générale.

Pourtant, cette grève serait parfaitement légale. La compagnie, lit-on dans *Le Devoir* du 28 octobre 1952, «prétend encore que la grève a été conduite de façon illégale et même criminelle».

La grève durera 11 mois. Le 10 février 1953, les syndiqués décident de mettre fin à leur arrêt de travail. La compagnie accorde une augmentation de 0,12 $/h et ne s'engage pas à reprendre tous ses anciens employés. Duplessis et sa clique ont gagné une manche, mais la partie n'est pas terminée!

Michel Chartrand à la direction de la CTCC!

Au trente et unième congrès de la CTCC, qui se tient du 14 au 18 septembre à Shawinigan, Michel Chartrand est délégué syndical. Cette ville lui est plutôt familière. Quelques mois plus tôt, il y était venu organiser la mobilisation des syndiqués de la région de Shawinigan/Grand-Mère en faveur des syndiqués de la compagnie de textile *Wabasso*, sans convention de travail depuis plus de trois ans. Trois fois par semaine, il s'adresse à la population et aux familles des syndiqués par le truchement de la radio. Il retourne ensuite à Sherbrooke pour s'occuper des syndiqués de la *Rubin*.

À ce congrès, il brosse un tableau complet et coloré des conflits réglés ou en cours dans la Fédération du vêtement. Les délégués, enthousiastes, le proposent comme candidat au poste de deuxième vice-président de la CTCC. Il décline l'offre, ne voulant pas embêter son ami, le président Gérard Picard. La véritable raison, c'est qu'il ne veut pas siéger aux côtés de Jean Marchand.

Un autre enfant

Quelques semaines plus tard, Michel Chartrand doit se rendre en vitesse à Victoriaville pour régler un autre problème syndical.

Dans une lettre qu'il écrit à Simonne, le 29 novembre 1952, de Victoriaville, il recommande à son épouse de mettre ses trois filles aînées au pensionnat des sœurs Sainte-Croix, pour son propre bien-être, car Simonne est de nouveau enceinte:

> Ainsi tu pourrais mieux te rétablir, seule sur semaine, avec Alain et Suzanne. Évidemment, ça pose un nouveau problème financier. Mon salaire est convenable, mais nos charges familiales, je dois l'avouer maintenant, trop lourdes pour nos moyens pécuniaires. Mais c'est le cas de la plupart des familles ouvrières...
>
> J'en profite pour m'excuser de te causer tant d'ennuis avec les problèmes d'argent, mais je sais quand même que tu me pardonnes parce que tu es bonne et que peut-être tu réalises que ce n'est pas par plaisir que j'ai des conditions de travail et des emplois un peu compliqués parfois.
>
> Je t'aime bien,
>
> Michel

Simonne répond à Michel qu'elle l'aime toujours autant. Même après 10 ans de vie commune!

CHAPITRE 9

Syndicaliste dans l'âme

Un sixième enfant : une autre fille !

Le 21 avril 1953, Simonne donne naissance à un sixième enfant, une fille qu'on prénommera Anne-Madeleine. Comme à l'habitude, le chanoine Groulx baptisera l'enfant, qui sera drapée du fleurdelisé, devenu, depuis le 21 janvier 1948, le drapeau du Québec. Les parrains sont Gabriel, le frère aîné de Michel, et Violet, son épouse.

Malgré cette dernière naissance, Michel continue à vaquer à ses multiples occupations syndicales. Simonne reste seule à la maison, non plus avec cinq mais avec six enfants ! Elle peut compter, heureusement, sur des amitiés solides, celles d'Andrée, de Thomas Bertrand et de leurs jeunes enfants, ainsi que celle du sculpteur Georges Bétournay, vivant tous ensemble au vieux manoir Lussier, face au fleuve.

Fondation du syndicat des permanents de la CTCC : Marchand contre Chartrand

En mai 1953, dans une auberge de Sainte-Adèle, tous les conseillers syndicaux, des hommes, sont réunis en séance d'étude. Gérard Picard fait le point sur la situation des grèves et de l'organisation des nouveaux syndicats. Il fustige au passage le gouvernement Duplessis et ses politiques antisyndicales. Jean Marchand, le p'tit coq de village, le fier provocateur qui ne se rend jamais au bout de ses provocations — lors des grèves, entre autres —, ne voulant pas être en reste avec Picard, entretient les permanents sur la nécessité de la syndicalisation de la classe ouvrière. Avec sa fougue coutumière, il se lance dans une longue tirade sur la définition d'un bon patron, d'une bonne job, ce qui n'annule pas la nécessité de se syndiquer. Il leur rappelle que nulle entreprise, nul secteur ne doivent être exemptés de la présence d'un syndicat : le syndicalisme doit s'implanter partout, sans exception ! Il invite « ses » permanents à redoubler d'efforts afin que chaque entreprise, chaque compagnie et chaque secteur de travail, soient dotés d'un syndicat fort et légitime. Et il les assure de son soutien indéfectible.

Les permanents, se croyant épaulés par Jean Marchand, commencent à discuter entre eux de leur propre syndicalisation.

Le lendemain, en soirée, Michel Chartrand convoque une assemblée générale de tous les permanents. Dans un discours enflammé, et reprenant à son compte les propos de Marchand tenus la veille, il plaide en faveur de la formation d'un syndicat des permanents de la CTCC. N'avait-il pas, le 24 juillet de l'année précédente, écrit à Napoléon Nadeau, un permanent syndical de Québec, pour l'inviter à faire signer des cartes de membre aux « libérés » et aux employés de bureau du conseil central et des syndicats de la région de Québec ? Maurice Sauvé, un employé de la CTCC, l'époux de la future gouverneur général du Canada, Jeanne Sauvé, et qui deviendra ministre et sénateur libéral, propose que les permanents de la CTCC s'organisent en syndicat. L'appuie dans sa proposition Noël Lacas, futur conseiller du Syndicat des agents de la paix du Québec — plus familièrement appelés les gardiens de prison, des amis de Michel au cours de ses séjours en milieu carcéral — et auteur de l'*Histoire du Conseil central des Syndicats nationaux de Lanaudière*, publié aux Éditions du renouveau québécois.

La proposition est adoptée, seulement deux délégués s'opposant à la proposition. Les délégués élisent aussitôt les membres du premier Comité de direction : Maurice Vassart, de la région du lac Saint-Pierre, est élu président ; Ivan Legault, vice-président ; Claire Clark, trésorière ; et Roger McGinnis, secrétaire.

Le lendemain matin, un proche de Marchand lui annonce la bonne nouvelle. Marchand s'empresse de faire une mise au point pour affirmer que la syndicalisation a quand même ses limites. Il mettra tout en œuvre pour que le syndicat ne voie pas le jour, et pour discréditer Michel Chartrand sur tous les toits à qui veut l'entendre.

C'est le début de la confrontation permanente et éternelle entre Marchand et Chartrand. Les permanents de la CTCC découvriront plus tard que Jean Marchand est sorti traumatisé de la grève de l'amiante en 1949. Des témoins de l'époque sont unanimes à dire qu'il a eu, en 1949, la peur de sa vie devant l'ampleur du mouvement de grève et qu'il ne s'en est jamais relevé, s'opposant par la suite à toute grève. Si certains militants lui reprochent ses valses-hésitations, nombreux seront ceux qui le décriront comme un être extrêmement ambitieux et orgueilleux.

Après quelques années et de multiples débats, le syndicat verra finalement le jour et Michel Chartrand sera le premier à s'en servir pour loger un grief en bonne et due forme à ses patrons à propos du non-renouvellement de son contrat de propagandiste.

Le CCF dans Longueuil

En 1933, en pleine crise économique, des fermiers et des ouvriers organisés autour de coopératives et de syndicats ont fondé, dans l'Ouest canadien, un nouveau parti politique, la *Cooperative Commonwealth Federation* (CCF), inspiré des programmes et des principes travaillistes d'Angleterre. Un socialisme d'inspiration chrétienne. C'est grâce aux pressions exercées par les députés de la CCF que le Parti libéral fédéral adopte certaines mesures sociales comme l'assurance-chômage et les allocations familiales. La CCF est l'ancêtre du NPD (Nouveau parti démocratique), fondé en 1961.

Pour Michel Chartrand, il est clair qu'il faut en tout temps discuter de pouvoir politique et qu'il ne faut pas hésiter à s'engager si cela s'avère utile. Le 13 août 1953, il fait le saut et se présente comme candidat de la CCF dans le comté de Longueuil. Mme Thérèse Casgrain, une femme très connue au Canada et encore plus au Québec, dirige l'aile québécoise de la CCF. Michel Chartrand ne possède ni organisation ni caisse électorales. L'excellente réputation de Thérèse Casgrain ne suffira pas à faire élire son candidat impétueux. Celui-ci perdra par une marge écrasante, mais cette amère défaite ne l'empêchera pas de se représenter quatre ans plus tard, en 1957.

Création de l'impôt provincial sur le revenu

Du 23 septembre 1949 au 24 février 1954, nous assistons à un débat d'envergure sur les modifications à apporter à la Constitution canadienne. Louis-Stephen Saint-Laurent, premier ministre fraîchement élu, est convaincu que le gouvernement fédéral peut changer, seul, la Constitution lorsqu'il s'agit des pouvoirs exclusifs de sa juridiction exclusive. Il ne se sent nullement obligé de consulter les provinces. Duplessis, le premier ministre du Québec, est en total désaccord avec la position de Saint-Laurent, qui bénéficie de l'appui de Londres.

Le 8 février 1951, Duplessis fait à l'Assemblée législative une déclaration importante :

> J'ai répondu (en décembre 1950) que la province de Québec était la première province du Canada, peuplée par les pionniers du Canada. Si vous croyez que nous avons été un obstacle au progrès, nous sommes prêts à nous retirer. La province de Québec est capable de vivre et de se suffire à elle-même.

Pressé par les chambres de commerce et par l'Union des municipalités, Duplessis forme, à son tour, une Commission d'enquête sur les problèmes constitutionnels. Il nomme le juge en chef Thomas Tremblay président de cette commission. Quelques mémoires suggèrent l'établissement d'un impôt provincial. Sitôt le rapport de la Commission déposé, le 14 janvier 1954, le ministre provincial des Finances du Québec, Onésime Gagnon, présente un projet de loi sur l'impôt provincial qui sera adopté en troisième lecture, le 24 février 1954.

Saint-Laurent est furieux et se lance dans une attaque en règle contre le gouvernement du Québec. Duplessis relève le défi et l'apostrophe :

> Jamais, affirme-t-il, un politicien anglais n'a osé affirmer que le Québec n'était pas différent du reste du Canada. Et il a fallu un compatriote pour le dire ! Affiliation : jamais ! Abdication des droits fondamentaux : jamais ! Substitution de subsides fédéraux aux pouvoirs essentiels de taxation : jamais, jamais ! Contrôle direct ou indirect d'Ottawa sur nos écoles : jamais ! Sur nos universités : jamais ! Sur notre enseignement secondaire : jamais !

Le propagandiste n'informe plus

Michel Chartrand n'aime pas les façons de procéder des élus des syndicats du vêtement. Il décide donc de partir, sans trop se préoccuper de son avenir syndical. Gérard Picard lui avait demandé d'agir comme propagandiste au sein de la CTCC, mais il sait qu'il pourra tout aussi bien être utile ailleurs, en aidant de nouveaux syndicats. Son contrat d'embauche s'étend du 1er novembre 1953 au 1er mai 1954, et il touche 75 $ par semaine. Le 1er mai 1954, son contrat prend fin automatiquement. Le tout-puissant Jean Marchand, alors secrétaire général de la CTCC, refuse alors de renouveler le contrat du cofondateur du syndicat des permanents de la CTCC. Rancunier, il a bonne mémoire et ne pardonne pas facilement. Michel Chartrand n'a pas d'autre choix que de suivre la procédure normale prévue à la convention collective de travail : il dépose un grief en bonne et due forme. Fait étonnant, c'est Pierre Elliott Trudeau qui présidera le tribunal d'arbitrage.

De la margarine ou du beurre ?

N'ayant plus de contrat, Michel Chartrand ne reçoit plus de salaire. Il n'a que la maigre pitance de l'assurance-chômage pour nourrir sa nombreuse famille. Heureusement, des amis de longue date, les Girard, Pelletier et Laurendeau, lui viennent en aide.

Un jour, Gérard Pelletier, voulant aider la famille Chartrand, décide de lui offrir une caisse de margarine, achetée en Ontario, car la vente de ce produit est interdite au Québec. Il ne veut surtout pas avoir l'air de faire la charité et offusquer ainsi son ami. Mais Michel ne l'entend pas ainsi et il entre dans une colère très « colérique ». Le lendemain, il dit à ses amis : « Votre cochonnerie, je l'ai jetée dans la poubelle. Quand mes enfants mangeront du beurre, ce sera du vrai!»

Un deuxième fils

Le 9 juillet 1954, Simonne accouche d'un septième enfant, un garçon aux cheveux blonds... Ce sera le septième et dernier enfant du couple.

Baptisé selon le même récémonial que ses frères et sœurs avant lui, le dernier-né s'appellera Ivan-Michel-Dominique en l'honneur de son parrain, Ivan Legault, de son père Michel et de son arrière-grand-père maternel Monet. La marraine, Marthe Legault, est l'épouse d'Ivan Legault, des amis de Longueuil. Dominique travaille aujourd'hui comme preneur de son dans l'industrie du cinéma. On l'a vu aux côtés de son frère Alain, à l'occasion de la production du très beau film sur son père, *Un homme de parole*, puis de la série télévisée sur la vie de ses parents, *Chartrand et Simonne*.

Michel reprend le travail à la CTCC

Le 9 août, Michel Chartrand retourne à la CTCC. Des amis, Gérard Picard en tête, lui ont attribué de nouvelles fonctions: il devient agent d'affaires au Syndicat du meuble et conseiller syndical au Conseil central de Victoriaville.

Encore et toujours l'opposition Chartrand-Marchand

La CTCC tient son trente-troisième Congrès à Montréal, du 10 au 25 septembre 1954. Michel profite alors de l'occasion pour lancer un léger avertissement au secrétaire général Jean Marchand : il a décisé de se présenter contre lui au poste de secrétaire général. Marchand contrôle parfaitement bien son organisation et sa réputation est intacte à l'intérieur de la CTCC : on ne sera donc pas surpris de sa réélection. N'ayant récolté qu'une vingtaine de voix. Chartrand s'empressera de rassurer Marchand sur ses véritables intentions.

> Si je me suis présenté contre vous, lui révèle-t-il, mi-sérieux, mi-sarcastique, c'est que je voulais vous rassurer sur votre réputation et vous démontrer que vous étiez toujours aussi populaire. Si vous aviez été réélu par acclamation, sans opposition, vous auriez pu entretenir des doutes sur votre popularité à l'intérieur de notre mouvement syndical.

L'arbitre Pierre Elliott Trudeau

Le 16 septembre 1954, un tribunal d'arbitrage est enfin saisi du grief que Michel Chartrand a déposé il y a quelque temps déjà. Le tribunal est présidé par nul autre que Pierre Elliott Trudeau ! L'arbitre syndical est le président du syndicat, Maurice Vassart, et l'arbitre « patronal », dans ce cas-ci, est René Gosselin, qui sera dissident du verdict.

Ce premier cas d'arbitrage, dans la courte histoire du syndicat des permanents, crée tout un émoi dans les rangs de la CTCC.

Pour le syndicat, il est évident que Michel Chartrand a obtenu sa permanence dès son engagement parce qu'il a travaillé depuis plus d'un an dans différentes sections syndicales. Conséquemment, il ne peut être congédié que pour des motifs graves. Or, l'employeur n'a fourni aucun motif grave pour justifier son renvoi.

La partie « patronale » prétend de son côté qu'en aucun temps elle n'a voulu embaucher Michel Chartrand à
un poste pouvant lui accorder droit à la permanence et
qu'elle ne l'aurait jamais engagé si elle avait su qu'il
pouvait acquérir ce droit. Elle demande alors au secrétaire général de la centrale syndicale nouvellement
réélu, Jean Marchand, de venir témoigner pour corro-
borer ses dires. Celui-ci s'empresse, bien évidemment,
d'affirmer que Michel Chartrand n'a pas les aptitudes
requises pour exercer de telles fonctions. « Il est incapable de s'entendre avec le mouvement, affirme-t-il. De
plus, il s'affiche avec le parti CCF. » Marchand étant très
près du Parti libéral, il ne peut accepter une telle
filiation.

Le tribunal tranche quelques semaines plus tard. Il
rejette les allégations de la partie « patronale » et exige
que Michel Chartrand soit réinstallé dans ses fonctions.
De plus, on devra lui payer son salaire hebdomadaire de
75 $ pour tout le temps qu'il aura été sans salaire.

Au tout début du mois de novembre, Michel
Chartrand réintègre donc la CTCC. De 1954 à 1957, il
sera licencié à deux reprises, mais chaque fois il gagnera
sa cause en arbitrage contre Marchand.

Les choses vont commencer à bouger drôlement
avec l'arrivée de Michel Chartrand au Conseil central de
Shawinigan. Les dirigeants, les notables, les commer-
çants, et Marchand lui-même tout autant, n'ont qu'à
bien se tenir !

CHAPITRE 10

Les leçons de la Mauricie

Shawinigan, Grand-Mère : nouvel affrontement Chartrand-Marchand

Précédé de sa réputation, Michel Chartrand est accueilli en sauveur au Conseil central des Syndicats nationaux de Shawinigan et de Grand-Mère (CTCC). Enfin, se dit-on, voici un homme qui n'aura pas peur des patrons et des maîtres de Shawinigan ! Car même si Chartrand n'a recueilli que quelques votes en se présentant contre Marchand lors du dernier congrès de la CTCC, les délégués ont été à même d'apprécier son sens de la justice et de l'équité et certains lui vouent déjà une admiration sans bornes. On aime, on apprécie la force de ses discours où chaque mot est pesé, où pointe, toujours, une odeur de franchise.

La MauricIe, surnommée le royaume de la pulperie, vit littéralement sous l'empire des moulins à papier. Les grands syndicats des travailleurs du papier sont affiliés à la CTCC. Les villes de Shawinigan, Grand-Mère, La Tuque et Trois-Rivières constituent l'axe fondamental de cette industrie. Tout le monde y trouve son compte, les travailleurs qui y trouvent des *jobs steaddy*, et les compagnies qui empochent de gros profits qu'elles ne partagent pas avec leurs ouvriers. Jusqu'à maintenant, cette situation était tolérée mais, car il y a un mais, les travailleurs en arrachent, c'est le cas de le dire, et la frustration gagne leurs rangs. De véritables négociations pour les conventions collectives, il n'y en a jamais eu. Ce sont toujours les compagnies qui ont le dernier mot. Les syndiqués éprouvent donc le besoin de serrer les coudes et de faire front commun devant l'employeur.

La compagnie *Consolidated Paper Corporation* exploite trois moulins à papier : deux dans la région de Shawinigan et Grand-Mère (*Belgo* et *Laurentides*), et le troisième dans la région du Saguenay, à Port Alfred (un autre *Belgo*). Les trois syndicats de travailleurs sont affiliés tous à la CTCC et les trois conventions collectives de travail arrivent à échéance en même temps, soit le 30 avril 1955. La Fédération syndicale qui les représente veut négocier les trois contrats de travail simultanément. Pour la petite histoire, le père de Jean Chrétien, « le p'tit gars de Shawinigan », est surintendant à la *Belgo* de Shawinigan. Il occupe, bien évidemment, un poste non syndiqué.

Michel Chartrand est arrivé dans la région depuis quelque temps. Avec l'appui du Conseil central, il loue du temps d'antenne au poste de radio CKSM, à Shawinigan. Cette station de radio populaire jouit d'une bonne cote d'écoute. Les propos de Michel peuvent influencer le cours des négociations. Alors, il ne se gêne pas pour souligner, chaque fois qu'il s'installe au micro, que la compagnie papetière, la *Consol* comme on l'appelle familièrement, réalise des profits immenses qui dépassent la moyenne canadienne. Une telle prise de parole aura son importance dans le déroulement du conflit qui s'annonce. Elle permettra de contrecarrer tous les petits potins, toutes les rumeurs que les patrons et leurs alliés s'empresseront de faire circuler parmi la population.

Le rôle important des femmes et de Simonne

Michel Chartrand a toujours été entouré de femmes, depuis sa tendre enfance jusqu'à ses premières armes dans le syndicalisme. Il a confiance en leur jugement, qu'il trouve généralement plus mûr que celui des hommes.

C'est pourquoi il suggère, avant que le conflit ne dégénère en grève générale, que les femmes des futurs grévistes soient consultées et aient leur mot à dire dans le processus des négociations. Pour lui, la grève fait indéniablement partie du processus des négociations. Cette approche à la Chartrand, Simonne la connaît bien. Aussi, elle ne sera pas surprise lorsque l'aumônier Maurice Leclerc et deux officiers du Conseil central, Georges-Émile Hébert et Reynald Drolet — tous trois mandatés par Michel — se présenteront chez elle pour la convaincre d'organiser des rencontres avec les épouses des futurs grévistes.

Simonne accepte, mais elle doit d'abord trouver des gardiennes de confiance pour s'occuper de sa marmaille. Sa mère et Thérèse Desforges prennent la relève à pied levé.

Simonne n'est certes pas fâchée de pouvoir se rendre utile en dehors de ses occupations routinières, elle qui, il n'y a pas si longtemps, militait dans des organismes à caractère social. Elle renoue alors avec ses vieilles complices de toujours, Alec Leduc, devenue l'épouse de Gérard Pelletier, et Jeanne Benoît-Sauvé, l'épouse de Maurice Sauvé qui agit justement comme négociateur syndical à Shawinigan. D'emblée, elles acceptent de participer à l'opération information-action avec les épouses des ouvriers. Cela sera d'autant plus facile et agréable que les maris des trois femmes sont déjà sur place. Elles mettront ainsi sur pied des comités de secours, d'information et d'entraide. Ce comité de femmes est en quelque sorte l'ancêtre du Comité de la condition féminine de la CSN. Le comité invite les épouses des chômeurs, des ex-chômeurs, des ouvriers et des futurs grévistes à assister à une assemblée générale des travailleurs. Au début, certes, les hommes sont un peu récalcitrants ; il ne tiennent pas nécessairement à ce que des femmes assistent à leurs assemblées. Mais petit à petit le comité féminin, à force de ténacité, réussit en douceur à se faire accepter. Après quelques réunions à peine, elles prennent la place qui leur revient, à la grande satisfaction de leurs maris.

Ce genre d'entraide fera boule de neige à la CTCC et ailleurs. Michel Chartrand se servira de cette expérience enrichissante dans plusieurs autres conflits ainsi que dans sa pratique syndicale. Combien de fois n'a-t-il pas répété : « Ce sont les femmes qui ont bâti le Québec. Il serait temps de leur remettre le pouvoir. Les hommes, on les a essayés et l'on voit ce que ça donne » ?

Simonne et son groupe de soutien feront la navette entre Montréal et Shawinigan pendant toute la durée du conflit.

En route vers la grève

Le ministre du Travail n'a pas encore nommé de conciliateur dans ce conflit. Le 9 juin, les 800 travailleurs de *Belgo* sont les premiers à déclencher un arrêt de travail. Les 700 travailleurs de *Laurentide* emboîtent le pas deux jours plus tard. Par cette grève illégale, on veut forcer la compagnie à négocier de bonne foi.

Le 15 juin, le président de la CTCC, Gérard Picard, écrit au ministre du Travail pour lui expliquer les raisons du débrayage. Le ministre Barrette ne répond que le 23 juin. Selon lui, il n'est pas trop tard pour nommer un conciliateur mais les grévistes doivent cesser leurs mouvements illégaux. Les dirigeants syndicaux, de leur côté, entendent demander à leurs membres de retourner au travail. Michel Chartrand s'oppose à cette stratégie. Finalement, le retour conditionnel au moulin ne s'est pas effectué, tel que l'avait prévu la direction du syndicat.

Chartrand rencontre de nouveau Fournier

Guy Fournier s'est lui aussi déplacé et il travaille maintenant au *Nouvelliste* de Trois-Rivières. Il se rappelle un incident cocace qui aurait pu tourner au drame, n'eût été son sang-froid :

> Pour Michel, l'action syndicale a toujours été à la fois un jeu et une tâche tout à fait sérieuse. Pendant la grève, Michel avait fait une déclaration incendiaire au *Nouvelliste*. Jean-Marie Bureau, qui était l'avocat de la compagnie et également fort connu à Trois-Rivières — c'était aussi un libéral notoire mais il collaborait maintenant avec le régime de Duplessis —, s'était mis dans la tête de casser le syndicat. Lui aussi n'avait rien à son épreuve. Il ne s'enfargeait pas beaucoup dans l'éthique et il avait fait une série de manœuvres qui avaient fortement déplu à Michel.

> Michel répétait à qui voulait bien l'entendre : « Si je vois Jean-Marie Bureau sur les lignes de piquetage, je vais le crisser en bas du pont. » Cette déclaration avait fait la manchette du journal. J'étais dans une situation extrêmement délicate parce que, en plus, Bureau faisait partie du conseil d'administration du journal. J'avais donc atténué un peu les propos de Michel en me disant : « Dans le fond, ça va juste lui rendre service. » Mais on ne pouvait pas publier les propos de Michel sans inclure une réponse de Bureau qui avait alors dit les pires choses contre

Michel. Il l'avait traité de communiste et de révolutionnaire, en ajoutant qu'il espérait que les gens de Shawinigan n'allaient pas se laisser avoir par lui. On publie donc les deux déclarations et le lendemain, Michel décide d'interdire les lignes de piquetage au journaliste de notre journal parce qu'on avait publié une déclaration de Bureau à côté de la sienne ; il disait que c'était malhonnête de notre part et que le journaliste n'avait pas à faire part de ses déclarations à Bureau. Celui-ci n'avait qu'à lire le journal comme tout le monde, quitte à répliquer le lendemain, mais, «crisse, pas dans le même article». Il avait très mal réagi. Il avait décidé en plus que Jean-Marie Bureau étant membre du conseil du journal, le journal ne pouvait être objectif et donc, qu'il ne donnerait plus de nouvelles au journal, que cela se ferait uniquement à la radio. Le journaliste était revenu des lignes de piquetage malheureux comme une pierre en nous disant qu'il était désormais interdit sur les lignes de piquetage.

Moi, j'ai dit : «Il n'y a rien là, Michel est un vieux *chum*, je vais aller le rencontrer.» Après ma journée de travail, je me rends sur les lignes de piquetage, je stationne à une distance raisonnable et je m'approche à pied ; je demande aux premiers grévistes, sur la ligne de piquetage, d'aller chercher Michel Chartrand. Je vois bientôt Michel qui s'amène et je lui dis que je voulais lui parler au sujet de ce qu'il avait fait au journaliste. Michel répond : «Ah ben, tabarnak !» Il se retourne et dit aux gars : «C'est lui l'écœurant qui est en charge du journal, pognez-le !» Moi, je pensais qu'il faisait une farce, mais quand j'ai vu les gars qui avançaient, menaçants, je suis parti à courir et je suis entré dans une boîte téléphonique. Michel est arrivé, les gars entouraient la boîte téléphonique et Michel m'a dit : «Essaie donc de sortir...»

Je suis resté dans la boîte avec les gars autour et Michel est reparti. À onze heures et demie le soir, donc au moins quatre heures plus tard — et il ne faisait pas chaud ce soir-là —, Michel s'est ramené et il a dit à un gars : « O.K., débarquez, je vais lui parler. » Michel ouvre la porte de la cabine, il me donne une grande claque dans le dos, puis me dit : « T'as eu peur en criss, hein ? Ben, ça va te montrer quelles sortes de sévices on est obligé d'endurer nous autres parce que, ce qu'on t'a fait là, c'est rien en comparaison de la violence que les patrons utilisent contre nous autres. » Là, j'avoue que j'étais en beau tabarnak. Comme la police avait eu vent de l'affaire, ils ont intercepté mon auto et m'ont amené au poste. Ils m'ont suggéré de porter plainte contre Michel et les grévistes. Je leur ai répondu que je ne pouvais pas faire ça, que Michel était un ami que je connaissais depuis toujours. Des années plus tard, j'ai repris cette drôle d'histoire dans mon téléroman *L'or et le papier*.

Pour moi, ça confirme que dans les attitudes de Michel et dans son travail, il y a toujours eu une part de jeu. Dans le fond, il y avait du sérieux dans le fait de me laisser enfermer par les gars pendant quatre heures. J'ai toujours eu la conviction, peut-être à tort, que Michel serait intervenu si les gars avaient utilisé la violence. Dans le fond, tout ce que les gars ont fait, c'était de m'empêcher de sortir, mais à voir leurs gueules, je n'en avais pas le goût ; il y avait à la fois, de la part de Michel, du jeu, de la provocation. Il y a toujours aussi dans ce que fait Michel un fond de leçon à servir, un fond de vérité. Dans le fond, il s'est dit : « Je vais quand même lui montrer qu'on n'est plus sur le même bord de la barricade et que, calvaire ! même si on se connaît depuis longtemps, il reste qu'en ce moment c'est lui qui est au journal. » Je pense que quand Michel croit à une cause, jamais il ne va dévier de cette ligne, ni par amitié ni par camaraderie. C'est comme ça que je l'ai toujours interprété. Il avait sûrement dit aux grévistes : « Le maudit journal, ils ne l'emporteront pas au paradis, ils sont injustes. » Il voit celui qui est responsable de la rédaction s'amener. Il n'est pas pour dire : C'est un *chum*, je le connais. Tout ce qu'il pouvait dire et faire, c'est ce qu'il a fait. Quand, après avoir renvoyé les gars, il m'a donné une tape dans le dos, Michel avait fait sa job même si ça impliquait de me laisser enfermé dans une boîte téléphonique pendant quatre heures. Ce n'était pas ça qui était important ; l'important, c'était le but à atteindre. Dans un sens, je trouve cela assez admirable parce que je ne connais personne qui ferait ça. La seule personne capable de piler sur sa mère, son père, sa tante, sa sœur parce qu'il a un but à atteindre, un bien collectif à atteindre, je n'en connais pas d'autre que Michel.

La nouvelle encyclique au secours des travailleurs

Face aux attaques répétées de la compagnie, le syndicat décide de se payer une publicité dans *Le Nouvelliste*. Michel Chartrand, toujours très au fait de ce qui se passe du côté clérical, y ajoute son grain de sel. On y affirme, entre autres, que la compagnie veut forcer les employés de la *Consol* à travailler le dimanche, « jour du Seigneur », alors que cela est contraire à ce qui est proclamé dans la nouvelle encyclique *Rerum Novarum* du pape Léon XIII.

L'affrontement est inévitable

La *Consol* n'entend pas se croiser les bras. Le 14 juin, elle publie dans le même journal une lettre menaçant de poursuites judiciaires les grévistes pour intimidation. Le 5 juillet, elle dépose même une requête pour faire supprimer leur certificat de reconnaissance syndicale. Elle fait également appel à la police provinciale contre la volonté du conseil municipal. Finalement, elle obtient une injonction qui oblige les travailleurs à repousser leurs lignes de piquetage loin des usines.

Michel Chartrand arrêté sur la ligne de piquetage...

Si Michel Chartrand ne baisse pas les bras pour autant, il sait qu'il ne faut pas prêter inutilement le flanc à l'ennemi et qu'il vaut mieux préserver ses forces pour les combats à venir. Par un concours de circonstances qui seront expliquées plus loin, il est quand même arrêté par la Police provinciale devant l'entrée principale de l'usine *Belgo*, à Shawinigan. Accusé d'avoir causé un attroupement illégal, il est emmené sur-le-champ à la prison de Trois-Rivières et doit comparaître en cour quelques jours plus tard.

La nouvelle se répand comme une traînée de poudre, et Simonne l'apprendra en écoutant les nouvelles. Elle prend aussitôt l'autobus pour se rendre sur place, après avoir réussi à placer ses enfants auprès de sa belle-mère.

Duplessis et la *Consol* ont ainsi décidé de mettre un terme à la carrière de Michel Chartrand en Mauricie. Ils veulent forcer son départ vers d'autres cieux et prendront tous les moyens dont ils disposent pour y arriver. Un homme libre, c'est trop énervant !

D'ailleurs, à Shawinigan, Simonne sera convoquée, de façon quelque peu détournée, par l'évêque Georges-Léon Pelletier, un partisan notoire de Duplessis, un de ceux qui mangent dans la main du « cheuf ». Celui-ci insiste pour qu'elle et son syndicaliste de mari quittent la région au plus vite.

En prison, dans l'attente de sa comparution, Michel Chartrand, vêtu du costume du prisonnier comme tous ses semblables, s'adonne à son passe-temps favori, la lecture. Il lit un drôle d'ouvrage pour celui qu'on surnomme « le communiste » : *Jalons pour une théologie du laïcat*, du prêtre Yves M. J. Cougar. Son attitude sereine surprend plus d'un prisonnier de droit commun. On lui demande ce qu'il a bien pu faire pour se retrouver derrière les barreaux : un meurtre ? un viol ? un vol ?

Michel se contente de sourire et de demeurer calme. Les mois qu'il a passés à la Trappe d'Oka, dans l'isolement le plus total, l'aident indéniablement à supporter cette privation de liberté.

Simonne remplace Michel à pied levé

Ce coup dur asséné au syndicat ne pousse pas à la démobilisation, au contraire. Le grand rassemblement prévu dans le parc de la ville de Grand-Mère aura lieu. Simonne s'y rend avec la ferme intention de prendre la parole et de parler au nom de son mari incarcéré. Cela ne plaît guère à Jean Marchand, qui doit lui aussi stimuler l'ardeur des troupes à cette occasion. C'est qu'il craint autant Simonne que Michel. Il tente alors de la convaincre de s'abstenir, prétextant que son intervention risque d'être sans doute trop émotive. Simonne n'en démord pas. Avec beaucoup de fébrilité, elle s'adresse aux manifestants et son allocution suscitera un tonnerre

La famille Monet-Chartrand en 1946 : Micheline, Hélène,
Marie-Andrée et le tout petit dernier, Alain.
Collection Denise Choquet.

La prière en famille, alors que les Chartrand
habitent à Montréal-Sud, en 1950.
Collection Alain Chartrand.

Collection Denise Choquet.

D'année en année, la famille s'agrandit,
avec un père de moins en moins présent
et de plus en plus actif en politique.
Collection Alain Chartrand.

Bulletin de présentation d'André Laurendeau pour le Bloc populaire canadien en 1944. En partant de la gauche, Michel Chartrand (2e). André Laurendeau (3e), Philippe Girard (5e) et Jacques Perreault (7e), mentor de Michel. Collection Alain Chartrand.

En 1949, la grève d'Asbestos allait secouer les assises
du pouvoir duplessiste. Des camions de vivres, provenant de
toutes les régions du Québec, viennent nourrir les grévistes.

Pendant la grève d'Asbestos, Philippe Girard, organisateur à la
CTCC, Michel Chartrand, tribun, bénévole et activiste,
en compagnie de l'aumônier du syndicat et du curé
de la paroisse Saint-André d'Asbestos.
Collection Michel Chartrand.

Une nouvelle tentative de Michel Chartrand pour se faire élire
sous la bannière du CCF, en 1953.
Collection Alain Chartrand.

Une grève dans l'industrie du textile dans la région de
Sherbrooke, en 1951. Michel Chartrand tente avec des
arguments convaincants de faire valoir son point de vue !
Collection Alain Chartrand.

Voiture d'un gréviste saccagée par des fiers-à-bras embauchés par la compagnie Johns-Mansville.

Photos de la grève des mineurs à Murdochville, en Gaspésie, en 1957.
Collection Diane Gagné.

La marche des mineurs sur Murdochville. On aperçoit
Michel Chartrand tentant de discuter avec les policiers.
Collection Syndicats des métallos d'Amérique.

Michel Chartrand aime bien discuter
et tenter de convaincre même l'ennemi.
Collection Alain Chartrand.

La grève des mineurs de Murdochville.
À l'extrême gauche, Émile Boudreau et, à l'autre extrémité,
Jean Gérin-Lajoie, du Syndicat des métallos.
Collection Émile Boudreau.

Le petit village minier
de Murdochville en 1957.
Collection Émile Boudreau.

Théo Gagné, président
de l'Union des mineurs
de Murdochville.
Collection Émile Boudreau.

d'applaudissements, au grand déplaisir du futur sénateur Marchand.

À la suite de cette première intervention publique,
Simonne accepte de nouveau de remplacer Michel. Cette
fois, c'est sur les ondes de la station radiophonique
CKSM, à Shawinigan, qu'elle s'adressera au grand public.

Épuisée par cette rude journée, elle retourne ensuite
dans sa modeste chambre et tente de trouver le sommeil
en pensant à ses enfants et à sa belle-mère, qui doit sûrement s'inquiéter, elle aussi, du sort de son « prince noir ».

Michel Chartrand comparaît, comme prévu, le
lundi suivant. Après les représentations du procureur et
de l'avocat de la défense, le juge le libère sous cau-
tionnement. Huit mois plus tard, le 2 mars 1956, il est
cité à son procès devant le juge Léon Girard. À la fin du
procès, celui-ci demande à Michel :

— Avant de rendre ma décision, est-ce que l'accusé
a une déclaration à faire ?

Michel se lève et lui dit, sur un ton un peu mo-
queur :

— Je ne veux pas influencer le tribunal, mais je veux
simplement l'informer que le dernier juge qui m'a condamné... est mort dans les six mois qui ont suivi la
sentence !

Le juge est surpris de cette remarque pour le moins
inattendue. Il reprend néanmoins son sang-froid et il
entreprend la lecture de son jugement :

— La preuve soumise n'incrimine pas l'inculpé. Au
contraire, à la suite du témoignage de Roger Chartier, un
professeur en relations industrielles de l'Université
Laval, la preuve est faite que M. Chartrand a aidé la
police à disperser l'attroupement pour éviter la bagarre
et la violence.

Voici comment se sont déroulés les faits reprochés à
l'inculpé. Ce soir-là, Roger Chartier reconduisait Michel
Chartrand à son domicile. En passant devant l'usine de

la *Belgo*, les deux hommes aperçoivent un attroupement. Michel Chartrand descend alors de voiture pour demander aux grévistes de retourner tranquillement chez eux. Il les exhorte à la plus grande prudence, pour ne pas servir de prétexte à une intervention brutale de la police. Même le journal *Le Nouvelliste* avait ainsi rapporté l'incident. Les policiers qui surveillaient l'opération de près, avaient trouvé là, justement, le prétexte qu'ils cherchaient pour mettre Chartrand hors d'état de nuire.

Duplessis frappe fort et souvent

Finalement, le 14 juillet, la Commission des relations ouvrières ordonne la décertification des deux syndicats du papier ainsi que celle du syndicat des employés de la compagnie *DuPont*. Cette mesure porte un dur coup à l'organisation du mouvement de grève et donne lieu à un maraudage des syndicats internationaux. Le 28 juillet, plus de 3 000 personnes se réunissent au collège Saint-Marc de Shawinigan pour protester contre les manœuvres d'intimidation du gouvernement et des patrons. Trois mois après l'arrêt de travail, le front commun commence à s'effriter. Le 30 septembre, plus rien ne va. La grande noirceur a une fois de plus triomphé. Les travailleurs décident de mettre fin à leur grève.

Marchand n'a jamais pardonné...

C'est au sortir de cette grève que les ponts sont définitivement rompus entre Marchand et Chartrand. Pour Marchand, Michel n'est qu'un anarchiste, un fanatique et une tête brûlée. Surtout, il n'accepte pas que Michel ait outrepassé ses directives et ne l'ait pas consulté au sujet de la poursuite de la grève, alors qu'il assistait, en compagnie de Picard, à une conférence du Bureau international du travail à Genève. Heureusement qu'il y eut Gérard Picard pour protéger Michel Chartrand, sinon Marchand se serait empressé depuis belle lurette de le renvoyer brutalement.

Malgré la défaite amère, les travailleurs des pâtes et papiers demandent que le mandat de Michel Chartrand à Shawinigan soit prolongé. Gérard Pelletier se souvient qu'il exerçait alors une réelle emprise sur les syndiqués les plus militants. Pelletier prévient les membres du syndicat que Chartrand n'est pas de tout repos et que, s'il demeure dans la région, il risque fort bien d'y avoir de nouvelles grèves. Il n'avait pas tort, ce journaliste aux propos prémonitoires.

Michel Chartrand demeure au Conseil central de Shawinigan pendant quelque temps encore et de nouvelles grèves, cette fois chez *Canadian Resins*, *Canadian Carborandum* et *Dupont Chemical*, se dessinent à l'horizon. Il reprend donc ses émissions d'information sur la chaîne radiophonique CKSM. Il sait désormais que sa véritable force, c'est la parole, et il la met au service de la classe ouvrière.

Bilan : sept arrestations, sept inculpations, trois condamnations, une rejetée en appel et deux en suspens

De 1955 à 1956, Michel Chartrand a été arrêté à sept occasions. Il a été inculpé autant de fois, et condamné trois fois. Une condamnation a été ensuite rejetée en cour d'appel et les deux autres n'ont jamais eu de suite. Ces deux dernières condamnations sont toujours devant la cour d'appel! Elles sont en suspens, puisqu'elles n'ont jamais été entendues. Elles demeurent «pendantes», comme on dit dans le jargon juridique.

Un nouvel affrontement Marchand-Chartrand

Michel Chartrand est de plus en plus attiré par la politique. Jean Marchand y est certes pour quelque chose. En effet, lorsque prend fin le contrat de Michel Chartrand à la CTCC, Jean Marchand décide de ne pas le renouveler. C'est une façon comme une autre de se débarrasser d'un militant qu'on n'aime pas particulièrement.

Michel loge, sans tambour ni trompette, un grief, mais quitte néanmoins temporairement la CTCC pour entrer dans l'autre grande centrale syndicale, la Fédération des travailleurs du Québec (FTQ). Il s'exile alors dans la région de l'Abitibi, plus précisément à Rouyn-Noranda. Pour lui, la FTQ n'est pas une centrale rivale, mais plutôt une autre organisation syndicale poursuivant le même objectif que la CTCC: la défense pleine et entière de la classe ouvrière.

CHAPITRE 11

Salut CTCC, bonjour FTQ

La dernière de Duplessis

—Le PSD, est-ce que ça signifie « Perd Son Dépôt » ?
C'est Michel Chartrand, maintenant chef provincial du Parti social démocrate, qui lance cette boutade. Il n'a récolté, sous les couleurs du PSD, dans le comté de Chambly, que 877 voix contre 20 031 pour le candidat du Parti libéral. C'est Duplessis qui sort grand gagnant de ces élections. Il faut redire que le découpage des comtés favorisait les circonscriptions rurales, nettement acquises aux idées conservatrices de l'Union nationale. Le mouvement syndical préfère le Parti libéral à l'Union nationale. Par conséquent, Jean Marchand n'a pas appuyé le PSD de Michel Chartrand.

Des prêtres accusent le clergé d'immoralité

C'est à la suite de cette élection marquée par de nombreux scandales que deux théologiens, l'abbé Gérard Dion, professeur à la faculté des sciences sociales de l'Université Laval, et l'abbé Louis O'Neil, professeur au Séminaire de Québec (futur ministre sous le gouvernement de René Lévesque), rédigent en catimini un mémoire dénonçant l'immoralité publique, destiné exclusivement au clergé catholique. *Le Devoir* obtient une copie de ce document qu'il publie dans son édition du 7 août 1956. Dion et O'Neil accusent le clergé de collaborer à cette immoralité. « Notre prédication morale, nos campagnes de moralité ont surtout insisté sur la luxure, l'intempérance et le blasphème », affirment-ils.

Rouyn-Noranda et la FTQ : les mineurs en Abitibi

Après Shawinigan et la désastreuse campagne électorale, Michel Chartrand, toujours préoccupé par les problèmes fondamentaux de la société québécoise, entend s'orienter vers l'éducation et la formation syndicales, sans pour autant négliger l'action politique.

Les prestations d'assurance-chômage ne suffisent pas à faire vivre le clan Chartrand. C'est le Conseil du travail de Rouyn-Noranda, affilié à la FTQ, qui vient dépanner soudainement le leader syndical et sa famille. Le Conseil du travail est soutenu financièrement par le syndicat des métallos, officiellement dénommé *The United Steel Workers of America*, et par les syndicats des mines de Noranda et de Quemont. On invite Michel Chartrand en Abitibi car on a besoin de ses services pour organiser des cours de formation syndicale. Il ne peut refuser pareille invitation, même si elle provient d'une orgaisation syndicale rivale. Selon lui, il n'existe qu'une seule et unique solidarité ouvrière, peu importe l'étiquette qu'on y accole.

En Abitibi, il rencontre de nombreux syndicalistes qui s'intéressent, eux aussi, à la politique. C'est que la

FTQ est affiliée au Congrès du travail du Canada (CTC), une organisation syndicale qui défend les idéaux sociaux qu'on retrouve alors dans le programme politique du CCF. Un Québécois typique, Claude Jodoin, dirige cette jeune organisation. Bien sûr, les conseillers syndicaux du CTC sont aussi membres du CCF et leur poids est important.

Michel Chartrand reprend donc ses émissions à la radio. Il éprouve un réel plaisir à s'adresser ainsi à la population locale pour tenter de démonter, dans sa langue à lui, les mécanismes du système d'exploitation, pour révéler au grand public les énormes profits réalisés par la *Noranda* au profit des mineurs, dont les conditions de travail ne cessent de s'aggraver. Il faut dire qu'il est bien renseigné par les Métallos, qui lui apportent toute leur collaboration. Ces derniers viennent à peine de sortir d'une grève qui a duré huit mois et ils n'entendent pas baisser pavillon. Michel Chartrand les encourage en ce sens. Il ne faut plus passer d'une mine à l'autre lorsque rien ne va plus, leur dit-il en substance, il faut demeurer sur place et forger des liens de solidarité avec les camarades de travail. En bon pédagogue, il leur explique patiemment comment d'un côté il y a les patrons, ceux qui exploitent le peuple des travailleurs, et de l'autre ceux qui produisent cette richesse qui devrait servir à enrichir tout le monde. Et aussi comment on essaie de diviser les travailleurs pour régner. Et puis, il y a toujours la question de la langue. Tout se passe, s'effectue, se dit en anglais, la langue du maître, du capital, des patrons, et Michel Chartrand doit s'y mettre s'il veut se faire comprendre par les nombreux travailleurs immigrés qui ne parlent pas encore le français.

Les immigrés

Or, Michel Chartrand s'entend parfaitement bien avec les immigrés, anglophones ou allophones, car ils sont avant tout des travailleurs. Et surtout, les immigrés possèdent déjà, lorsqu'ils arrivent ici, ce que, malheureusement, les Canadiens français tardent à découvrir, c'est-à-dire une conscience sociale, une conscience de classe. Leur action syndicale se fait sans tapage, mais ils demeurent inébranlables dans leurs convictions. Michel Chartrand se rend compte rapidement de l'importance de ces nouveaux collaborateurs.

Après une dure journée de travail, à minuit, seul dans sa petite mansarde, il trouve le temps d'envoyer une longue lettre d'amour à Simonne. Il s'excuse et se justifie à la fois. Cet être passionné, qui n'en est pas à une contradiction près, aime à la folie sa femme mais ne peut s'empêcher de s'éloigner d'elle pour épouser des causes qui lui tiennent tout autant à cœur. Le mari et père de famille est aussi un moine généreux.

De Rouyn-Noranda, 5 juillet 1956, à minuit

À Boucherville

Mon bel amour,

Tu éprouveras, je l'espère, autant de joie à me lire que j'en ai à t'écrire. Comment ais-je pu tant retarder? C'est probablement que je pressentais que je serais ému. Malheureusement je suis encore puritain et plein de respect humain quand il s'agit de manifester mon amour. Voilà, c'est court mais c'est déjà beaucoup. Cela me fait penser à un premier baiser. C'est tellement peu, comparé à d'autres manifestations d'affection et pourtant c'est tellement beaucoup quand il s'agit du premier que l'on prend à celle qui est tout et la seule au monde pour soi. Ma belle Simonne, tendre amoureuse, combien je serais heureux de t'embrasser doucement ce soir.

Ta réaction à la séparation que nous vivons et qui te chagrine plus qu'à l'ordinaire me paraît assez étrange. [NDLA : Michel oublie que Simonne a subi récemment une hystérectomie.] Rarement tu as manifesté du désappointement lorsque je devais m'absenter et mes éloignements ont été forcément fréquents ; celui-ci paraît plus loin par la distance. Cette forêt qui nous sépare me donne l'impression de la mer à franchir. Je me suis rarement senti si loin dans l'espace, mais cependant je me sens quasi collé à tes flancs comme je te sens collée aux miens.

Peut-être me lis-tu sans trouver beaucoup d'encouragement à tes ennuis. Mais trouves-y beaucoup d'amour. Parce que je m'arrête sans même faire d'effort à considérer comme tu es courageuse, aimante et généreuse. Comme il est agréable de vivre avec toi, de partager ta vie. Jamais il ne m'est venu à l'esprit des moments que tu aurais gâtés dans ma vie sans même t'en rendre compte. Au contraire, tous les instants de ma vie depuis que je te connais me sont d'agréables souvenirs, ça tient du merveilleux. C'est probablement tes qualités poussées à l'héroïsme à certains moments — tu n'as jamais faibli — qui font que ça doit ressembler à de la sainteté ou mieux, être la vraie sainteté ; c'est le courage continu dans la vie quotidienne avec sourire, tendresse, amour et chaleur. Tu trouves que j'en mets beaucoup, peut-être es-tu inquiète ? Ne t'en fais pas, tu mériterais que les sentiments, l'admiration et l'amour que tu m'inspires te soient mieux et plus souvent manifestés.

Ici ça va. J'ai beaucoup de sympathie pour tous les travailleurs d'ici. Tantôt c'est un Espagnol anarchiste, tantôt un Polonais, tantôt un Allemand ou un Italien. Souvent un Canadien français qui parle anglais ou français sans qu'on sache au juste s'il réussira à traduire sa pensée et ce qu'il ressent.

Région de contrastes : mine riche à millions, mineurs minables et colons misérables. Scandale des colons privés du confort, vivant comme des ascètes près des villes d'aventuriers et de voyageurs, comme les petites partent au bois pour tomber au milieu des loups. Ils passent de la lampe à l'huile aux fluorescents de couleur. La transition des villages, des campagnes à la ville où il y a du confort et de l'aisance était déjà et reste un passage extrêmement difficile et périlleux. Imagine la transition de la colonie vers une ville minière d'Abitibi, où chacun est venu chercher fortune ou réchapper sa vie sans trop prendre racine, où une partie considérable de la population semble flottante. Il y a une atmosphère de déplacement même chez les mineurs comme chez ceux qui se sont enrichis. Ils parlent d'«en bas», Montréal, Québec, Gaspésie, etc. comme de chez eux ou du moins avec une nostalgie qu'ils ne réussissent pas à dissimuler. Je t'en reparlerai. La colonisation près des villes minières, c'est immoral.

J'ai rencontré des membres des exécutifs et les délégués de département. Nous avons élaboré des projets de publicité et de propagande à la radio et dans les journaux. C'est déjà commencé : nouvelles et émissions. Il y a une excellente coopération partout.

J'ai été accepté, ce soir, comme membre du club des journalistes de Rouyn-Noranda à titre de publiciste des Métallurgistes Unis. Les divers syndicats ont voté des budgets de publicité. Tous semblent heureux d'avoir du sang neuf. Il y a un délégué de département qui m'a dit en assemblée hier soir : «On veut avoir quelqu'un qui parle, t'as des trucs, tu vas nous les dire.»

Alors tu vois, je suis servi à souhait, on veut que je parle…

Il y a une équipe formidable au syndicat et parmi les journalistes et les annonceurs de radio.

Bonne nuit, je t'embrasse,

Michel

Simonne, trois jours plus tard, reçoit la douce missive. Elle est d'autant plus ravie que son bien-aimé n'écrit pas très souvent. Il demeure et demeurera avant tout un homme de parole.

Le clan Chartrand en Abitibi

Quelques jours plus tard, le hasard faisant bien les choses, Michel fait à Simonne une offre qu'elle ne pourra refuser. Il lui propose de venir s'installer avec lui à Rouyn-Noranda pendant la période des vacances. Un petit appartement vient de se libérer pour cette période, et puis Lise et André Payette, qui sont tous deux sur place, pourront au besoin héberger leurs filles.

Il n'en fallait pas plus pour décider Simonne, militante dans l'âme et épouse aimante, à entreprendre ce long voyage avec ses sept enfants. Une fois rendue sur place, elle ne se croisera pas les bras, on s'en doute bien. Elle aura tôt fait de mettre sur pied un comité des femmes, comme elle l'avait fait, il n'y a pas si longtemps, à Shawinigan. Bref, Simonne, Michel et les Métallos forment une équipe du tonnerre !

Simonne n'est pas encore installée à Noranda que Michel quitte sa famille pour assister au Conseil national du CCF à Winnipeg, au Manitoba. Il y retrouve son ami et mentor, Jacques Perrault ; André Payette, alors journaliste à l'hebdomadaire *La Frontière* de Rouyn-Noranda ; Thérèse Casgrain, la leader provinciale, section Québec, qui a décidé en 1955 de changer le nom du parti, incompréhensible en français, en celui du Parti social démocratique du Québec, le PSD.

Pendant son bref séjour en Abitibi, Simonne devra effectuer un aller-retour Rouyn-Montréal pour participer à une émission de télévision au réseau français de Radio-Canada. Pour une rare fois, Michel se retrouve seul avec ses sept enfants.

Il reviendra de Winnipeg et Simonne devra bientôt repartir, avec sa trâlée d'enfants, pour Boucherville.

Le Rassemblement

Pendant ce temps à Montréal, une centaine de personnes se rassemblent afin de mettre sur pied un mouvement d'éducation et d'action démocratique. Pierre Dansereau, le doyen de la faculté des sciences de l'Université de Montréal, prendra la tête de ce mouvement, au sein duquel se retrouvent également André Laurendeau, du défunt Bloc populaire, Pierre Elliott Trudeau, dilettante reconnu, Gérard Pelletier, journaliste, Jacques Hébert, du journal *Vrai*, ainsi que Amédée Daigle et Jean-Paul Lefebvre, provenant des milieux syndicaux.

« Le Rassemblement est un mouvement d'éducation et d'action démocratique dont l'intention première est de fournir au peuple du Québec le milieu et les instruments nécessaires à l'acquisition d'une solide formation politique », peut-on lire dans les actes de fondation de l'organisme.

Michel Chartrand ne peut prendre part aux premiers débats du Rassemblement, car il est occupé à plein temps avec les Métallos. Son contrat d'embauche doit se terminer en septembre, mais il restera en poste jusqu'à la fin de l'année 1956. Il reviendra militer au Rassemblement l'année suivante.

La maladie frappe Simonne

Peu de temps après son retour à Montréal, Simonne est hospitalisée à l'Hôtel-Dieu pour y subir une importante intervention chirurgicale. Michel ne peut malheureusement se libérer pour l'aider. À quelques heures de son opération, elle peaufine un texte en compagnie de Michel Chalvin, un recherchiste-écrivain avec qui elle collabore à la radio de Radio-Canada. Afin de se consoler de l'absence de son mari, elle entretient une correspondance avec l'écrivaine Gabrielle Roy. Cette dernière la rassure et l'encourage à poursuivre son travail d'écriture. Du courage, Simonne en a bien besoin. Sa solitude lui pèse énormément, on le répétera jamais assez. Elle trouve dans son travail le réconfort nécessaire et la preuve qu'elle n'est pas seulement bonne pour les tâches domestiques.

Michel peut enfin se libérer et se rendre rapidement à Montréal après avoir convaincu son syndicat de le laisser assister au trente-cinquième congrès de la CTCC. Il demeure ainsi aux côtés de Simonne pendant plus de huit jours. Cela tient presque du miracle... Il ne reviendra à Boucherville que pour célébrer Noël et le jour de l'An.

Dupuis et Frères et le Québec de nouveau en ébullition

Rouyn-Noranda en Abitibi, c'est le bout du monde. Michel Chartrand s'y ennuie, loin de sa famille, loin de ses amis de la CTCC. Les routes sont souvent impraticables. Son contrat avec les Métallos achève et il ne sera pas renouvelé, par manque de fonds.

Il apprend que la Fédération du commerce de la CTCC est prête à le réembaucher comme agent d'affaires auprès du Syndicat des employés de *Dupuis et Frères*. Il saute sur cette occasion et revient dans la métropole. Il pourra ainsi reprendre ses activités au sein du PSD.

Au début de 1957, un groupe d'indépendantistes décide de se regrouper et fonde l'Alliance laurentienne, qui sera l'ancêtre du Rassemblement pour l'indépendance du Québec (RIN) et du Parti québécois.

En cette même année, le 16 février plus exactement, la Fédération des travailleurs du Québec se donne une existence juridique, avec la fusion de la Fédération provinciale du travail du Québec (FPTQ) et de la Fédération des unions industrielles du Québec (FUIQ).

Le 11 mars, les mineurs de la Gaspésie déclenchent une grève qui passera elle aussi à l'histoire. La grève des travailleurs de la *Gaspé Copper Mines (Noranda)*, à Murdochville, durera six mois.

Le 17 mai, à Arvida, les 7 000 travailleurs de l'*Alcan*, membres d'un syndicat affilié à la CTCC, débrayent à leur tour. Le conflit durera quatre mois.

Michel Chartrand aura du pain sur la planche...

Encore sur les rangs pour les élections

Gardant un œil sur le conflit de travail à Murdochville, Michel Chartrand se présente comme candidat du CCF-PSD dans le comté de Longueuil. Son organisation est plutôt rudimentaire. Les Trudeau, Pelletier et Laurendeau sont trop occupés ailleurs pour lui prêter main-forte. Alain, le deuxième homme de la famille, est donc tout désigné pour donner un coup de main à son père dans sa campagne électorale. Avec une vieille voiture empruntée à des amis, des affiches montrant fièrement la photo du candidat socialiste et une agrafeuse, ils font la tournée des poteaux de téléphone du comté. Sur la pancarte, on peut lire : « La boîte à lunch du salarié avant le coffre-fort du capitalisme!» On fera également la distribution de tracts dans les tavernes du comté. Malgré tout ce dévouement, la population ne semble pas encore prête à élire un candidat socialiste. On aime ses discours, on applaudit à ses dénonciations, mais voter pour lui, c'est une autre paire de manches que la population ne veut pas enfiler. Michel Chartrand — il s'y était préparé — perd l'élection aux mains du candidat libéral mais, en dépit de ses modestes moyens, il a tout de même recueilli quelque 1 758 voix. Le Parti libéral perd le pouvoir aux mains des conservateurs. Le nouveau premier ministre, John Diefenbaker, doit former un gouvernement, minoritaire. Louis Saint-Laurent démissionne comme chef du Parti libéral et Lester B. Pearson, prix Nobel de la paix, lui succède. Réal Caouette, chef provincial des créditistes au Québec, détient la balance du pouvoir et il se fait un plaisir de se laisser convaincre — contre certains avantages — d'appuyer les progressistes-conservateurs.

Michel Chartrand retourne donc à ses occupations syndicales. Ayant enfin gagné son grief contre Jean Marchand, il a droit à de vraies vacances. Les passera-t-il sagement à la maison, avec sa femme et ses enfants? Le croire serait bien mal le connaître.

La mort du mentor

En juillet 1957, Michel Chartrand s'apprête à partir en Gaspésie pour donner un coup de main aux mineurs de Murdochville.

Thérèse Casgrain attend patiemment dans l'antichambre du bureau de Jacques Perrault pour discuter avec lui des problèmes d'organisation du PSD. Plusieurs minutes s'écoulent et Perrault ne se montre toujours pas. Exaspérée, Mme Casgrain insiste auprès de la secrétaire afin qu'elle vérifie la cause de ce retard inhabituel. La secrétaire revient bientôt, en larmes :

— Maître Perrault est mort... Il est affaissé sur son pupitre... Vite, il faut appeler un médecin.

Le médecin ne pourra rien pour Jacques Perrault, qui, dans un moment de désespoir, s'est donné la mort avec un pistolet.

Quelques jours auparavant, Jacques Perrault avait téléphoné à Michel Chartrand. Il voulait absolument lui parler et le voir. Michel est absent et Simonne ne peut que lui transmettre le message de son ami et complice. Michel ne soupçonne pas qu'il s'agit d'un appel de détresse — Jacques Perreault, malgré les apparences, est profondément déprimé depuis la mort de son père —, il a d'autres chats à fouetter et il remet à plus tard d'appeler Jacques Perrault.

L'annonce de la mort de son cicérone bouleverse Michel Chartrand à un point tel qu'il pense à tout abandonner. Il s'en veut de ne pas avoir donné suite à son appel. Et c'est en larmes qu'il offre le premier ses condoléances à la famille. Jacques Perrault, selon les vœux de la famille, est exposé dans sa demeure et la visite de Michel Chartrand sera immédiatement suivie de celle de Mgr Charbonneau, arrivé de Vancouver où il est exilé. Michel mettra beaucoup de temps à se déculpabiliser.

Jacques Perrault avait enseigné le droit à l'Université de Montréal. Grand défenseur du journal *Le Devoir*, il s'est porté au secours de Mgr Joseph Charbonneau, alors archevêque du diocèse de Montréal, comme des Témoins de Jéhovah, victimes de la *Loi du cadenas* de Duplessis. Il fait la connaissance de Michel Chartrand en octobre 1942, alors qu'il milite, lui aussi, pour le « candidat des conscrits », Jean Drapeau. Il défendra Michel chaque fois que celui-ci sera arrêté. Il n'hésitera pas à déménager sa famille d'Outremont pour s'installer dans les quartiers ouvriers de l'est de Montréal, parce qu'il veut se consacrer entièrement à la défense de la classe ouvrière. Jacques Perrault a été, à n'en point douter, la personne qui a exercé le plus d'influence sur Michel Chartrand.

Murdochville : des vacances en grève

Les journaux parlent abondamment, depuis des mois, de la grève de Murdochville, ce conflit qui n'en finit plus. Mû par sa générosité coutumière, le missionnaire de la CTCC se met en route, pendant ses vacances estivales, avec son épouse jéciste, pour donner un coup de main aux grévistes de la *Gaspé Copper Mines*, une filiale de *Noranda Mines*, le même groupe qui exploite des mines en Abitibi. À Murdochville, où les mineurs en grève sont affiliés aux puissants Métallos, un syndicat membre de la FTQ, l'autre centrale rivale, Michel Chartrand sait qu'il va retrouver de vieux camarades comme Émile Boudreau et Roger Bédard, entre autres. La compagnie, qui est de mèche avec Duplessis, refuse de négocier une première convention collective. Elle n'a pas hésité à congédier le tout nouveau président du syndicat, Théophile Gagné, ce qui a amené les 800 mineurs à protester en débrayant spontanément. Pour toute réponse, la compagnie choisit la ligne dure et embauche aussitôt des briseurs de grève.

Théo Gagné, syndicaliste, socialiste et poète

Comme à l'occasion des grèves précédentes, la fameuse Police provinciale, la PP, est appelée en renfort pour protéger les biens de la compagnie. Michel Chartrand arrive vers la fin du mois de juillet, alors que les mineurs sont en grève depuis le 10 mars. Il fait la connaissance du président du syndicat, Théophile Gagné — que tous appellent Théo et que Michel qualifiera de poète socialiste. Théo Gagné, originaire de la Gaspésie, est un humaniste-né et un socialiste qui s'ignore. C'est tout à fait par hasard qu'il a été nommé président de son syndicat. Comme personne ne voulait vraiment occuper ce poste, c'est lui qui fut choisi.

Le moral des mineurs est au plus bas. De 960 pique-teurs qu'ils étaient au début de la grève, ils ne sont plus que 400. Les autres, coincés entre la grève et leur famille affamée, ont choisi de retourner au travail. Le gouverne-ment, l'Église et les patrons ont décidé d'en finir avec la résistance des mineurs.

La grève est déjà perdue...

Homme d'expérience, Michel Chartrand se rend rapidement compte que la grève est perdue, conclusion à laquelle en étaient d'ailleurs déjà venus les représen-tants des Métallos.

Au cours des premières semaines, Michel et Simonne visitent quelques villages côtiers. De retour à Murdochville, Michel suggère à Roger Bédard d'effec-tuer une « retraite stratégique » et d'ordonner le retour au travail des grévistes tout en exigeant le maintien du syndicat jusqu'à l'émission d'un jugement sur la demande de désaccréditation qui a été obtenue par la compagnie.

Roger Bédard est d'accord et il informe Émile Boudreau de cette « stratégie de repli ». Émile Boudreau, accompagné de Jean Gérin-Lajoie, permanent lui aussi chez les Métallos, rencontre d'urgence le comité de grève. Ils proposent alors une solution de rechange, un projet audacieux visant à rétablir le piquetage devant la mine et à saisir l'opinion publique du drame qui se déroule à Murdochville. On organise, pour le 19 août, une marche sur Murdochville.

La force de la parole

Michel Chartrand se rallie à cette décision, mais il a une autre carte dans sa manche. Comme lors des conflits précédents, il veut rejoindre la population par le truchement de la radio, une stratégie qui a fait ses preuves ailleurs :

> Le problème est politique. Les gens ne lisent pas beaucoup les journaux, la télévision n'est pas encore arrivée ici, les curés ne nous sont pas sympathiques, mais... il nous reste la radio, le poste de radio. On va acheter du temps. Avec de l'argent, ils ne pourront pas nous refuser de parler à la radio. J'ai déjà fait ça à Shawinigan et encore tout dernièrement à Rouyn-Noranda, et ça marche. C'est là qu'il faut frapper tout en surveillant les lignes de piquetage.

Les frères Lapointe sont propriétaires de la station de radio à Matane. En bons capitalistes, ils acceptent l'argent qu'on leur offre, mais ils voudraient lire les propos du leader provincial du PSD avant qu'ils ne soient diffusés sur leurs ondes.

> On voulait me censurer, dit Michel Chartrand. Je leur ai répondu : « Je suis le leader du PSD. Je suis un chef politique au même titre que le chef du Parti libéral du Canada, Louis-Stephen Saint-Laurent. » Ils ne m'ont plus jamais importuné.

Théo Gagné, tout comme Michel Chartrand, croit à la force de la parole. Les Métallos acceptent donc la proposition. On verra partout Michel Chartrand, haranguant les grévistes et leurs sympathisants chaque fois que l'occasion se présente, soit une quarantaine de fois. Souvent conseillé par Pierre Elliott Trudeau, il amorce ensuite une campagne d'information dans les stations de radio de Matane et de New Carlisle. Il s'en prend aussi bien à la *Noranda* qu'à la *Robin*, cette famille jerseyaise qui exploite depuis si longtemps les pêcheurs de la Gaspésie. Les mineurs de Murdochville et les pêcheurs de Percé, ce sont eux qui font vivre la Gaspésie et pourtant ils vivent dans la misère depuis des générations. Ces deux compagnies ont instauré un drôle de système : l'une paie ses travailleurs avec des coupons qui forcent les travailleurs à s'approvisionner dans ses magasins ; l'autre oblige ses employés à louer les maisons qu'elle possède.

Michel Chartrand est déchaîné devant un tel système d'exploitation :

> J'ai déjà vu, dit-il, un contremaître sortir un matin d'une usine, accompagné de son chien, et dire : « J'embaucherai la personne devant laquelle mon chien aboiera. » Un autre s'amusait à lancer, dans une foule de 100 chômeurs qui venaient chercher du travail, une dizaine de badges pour un futur emploi. Il obligeait ainsi les chômeurs à se battre entre eux pour faire vivre leur famille. Ces représentants de la compagnie, éduqués par nos bons pères enseignants, et souvent parents avec le monseigneur du coin, se comportent comme des anciens seigneurs du Moyen Âge. Murdochville, c'est pas juste une grève, c'est une révolte d'esclaves qui veulent devenir des hommes libres.

Une engeance à proscrire : les *scabs*

Heureusement, ceux qui demeurent en grève peuvent compter sur l'aide de leur famille pour la nourriture et l'hébergement. La patience a tout de même ses limites. Les briseurs de grève, c'est la pire engeance...

En cette fin de journée, plus de 150 piqueteurs sont devant la mine et attendent la sortie des *scabs*. Des policiers armés sont également sur les lieux en grand nombre, disposés un peu partout. Comme lors des grèves précédentes, les policiers de la PP sont nerveux et ils ont bu de l'alcool pour se donner du courage. Les *scabs* ont pris place dans des camions et ils sortent sous bonne escorte. Les piqueteurs sont armés de roches, de bâtons et de barres à clous. La bagarre semble inévitable. L'officier responsable avertit les grévistes que ses policiers sont prêts à faire usage de leurs armes à feu s'ils bloquent la sortie.

Personne ne bouge. Michel Chartrand s'avance, calme et rassurant. Il s'adresse à l'officier de police en ces termes :

— Docteur, pourquoi tu t'énerves ? Tu veux protéger des voleurs de jobs ? T'as pas honte ? Tu sais bien qu'on les laissera pas sortir. Tu veux être complice de ces bandits ?

Le policier lève son fusil-mitrailleur et le vise.

— Arrête de trembler, lui réplique-t-il tout bonnement, tu vas me manquer...

Le policier n'a pas le temps de réagir. Une clameur s'élève derrière lui et il doit s'écarter car les camions remplis de *scabs* foncent sur les piqueteurs. La bagarre générale éclate. Ça cogne de partout. Les piqueteurs n'ont pas les ressources de leurs adversaires et ils doivent se replier car les forces sont trop inégales. Ils veulent vivre pour travailler, mais mourir pour travailler, non !

Cet incident ne restera pas sans lendemain.

La marche de la solidarité

La FTQ, présidée par Roger Provost, annonce alors qu'une marche de solidarité aura lieu vers Murdochville, pendant la fin de semaine du 19 août à venir. Émile Boudreau et Jean Gérin-Lajoie en sont les instigateurs. La CTCC, par son président, Gérard Picard, déclare qu'elle invitera ses membres à participer à la manifestation.

Le dimanche 18 août, 500 manifestants, venus de toutes les régions du Québec, assistent, à l'église Jacques-Cartier, dans la basse-ville de Québec, à une messe célébrée par l'abbé Gérard Dion. Les manifestants défilent ensuite devant le Parlement de Québec. Puis la caravane, formée d'une centaine d'autos et de trois autobus, se met en marche. À Rimouski, à l'occasion d'un ralliement en plein air, Roger Provost et Louis Laberge attaquent durement Duplessis et déclarent que le mouvement ouvrier doit s'engager dans la lutte politique. Des travailleurs de plusieurs régions du Québec et provenant de différents syndicats, des grévistes de l'*Alcan*, d'Arvida, et des sympathisants de toutes sortes, dont Michel Chartrand, Pierre Elliott Trudeau et un groupe d'intellectuels, participent à la grande manifestation de solidarité. Dans la nuit du 19 août, la caravane arrive à Murdochville. Les militants et leurs chefs doivent subir les fouilles et le harcèlement de la PP.

À l'approche de la mine, les marcheurs se font lapider par les *scabs* et des fiers-à-bras, postés en haut de la colline. Une douzaine de manifestants sont blessés sans que la police n'intervienne. Mais les manifestants n'ont pas dit leur dernier mot. Ils décident de marcher jusqu'en haut de la colline pour déloger les tireurs d'élite. Pierre Elliott Trudeau conduit le camion qui ouvre la marche. Pendant ce temps, des autos de syndiqués sont renversées et des policiers menacent les marcheurs avec leurs armes.

Dans le lot des manifestants, se trouve l'abbé Pourchet, venu spécialement de France pour étudier les relations de travail. Il marche aux côtés de Michel Chartrand lorsqu'un agent de la PP braque son arme sur lui.

«Il ne va tout de même pas tirer?» de s'écrier le religieux, tandis que son acolyte lui conseille la plus grande prudence devant des policiers apeurés.

Le président de la FTQ, Claude Jodoin, réussit à convaincre les policiers de la PP de retirer de la colline les mercenaires de la compagnie. Un calme fragile revient vers la fin de l'avant-midi.

Quelques minutes après le départ de la «caravane de la solidarité» de Murdochville, les locaux des Métallos sont saccagés par des fiers-à-bras. Voici le compte rendu du journal *La Presse*:

> Une autre meute de voyous s'attaquent aux voitures des grévistes. Comme sur une chaîne de montage, environ 30 véhicules sont renversés, les pneux tailladés et les vitres fracassées. Certains disent même avoir vu des policiers distribuer des matraques à ces hommes déchaînés. Par la suite, la meute se dirige vers l'endroit où demeure Théo Gagné. Un voisin les voit venir, sort son fusil de calibre 12, tire un coup de semonce aux pieds des fous furieux et, dans les minutes qui suivent, est terrassé par une crise cardiaque. Les policiers de la PP interviennent alors que tout le saccage, tout le mal a été fait. Ils escortent les voyous jusqu'aux locaux de la compagnie et aucun n'a été arrêté ni même sermonné.

Pierre Elliott Trudeau est scandalisé par ces événements et il ne se gêne pas pour le faire savoir sur les ondes du poste de radio de New Carlisle, en Gaspésie, le 25 août suivant.

Encore une fois, les trois pouvoirs ont gagné, mais la solidarité ouvrière n'a pas dit son dernier mot. Michel Chartrand convainc les dirigeants des Métallos d'organiser une grande marche sur le Parlement de Québec. Il s'engage aussi à convaincre son grand ami, Gérard Picard, de participer, avec la puissante CTCC, à cette manifestation de solidarité.

Sept mille personnes contre Duplessis

Le 7 septembre, à Québec, devant le Parlement, plus de 7 000 personnes, dont Michel et Simonne, sont rassemblées pour signifier leur appui aux mineurs de la *Gaspé Copper Mines*, qui réclament une première convention collective. Les manifestants viennent de toutes les régions du Québec.

La manifestation se déroule dans l'ordre. C'est la première fois qu'on assiste à Québec à un rassemblement de solidarité ouvrière d'une telle envergure. Gaétan Montreuil, lecteur de nouvelles à la télévision de Radio-Canada, rend compte de la situation en ces termes :

> Trois semaines après la marche sur Murdochville, les syndicats affiliés au Congrès du travail du Canada, auxquels se sont joints ceux de la Confédération des travailleurs catholiques du Canada, organisaient un vaste ralliement à Québec. Le premier ministre de la province n'a pas reçu la délégation des protestataires.

Afin de mettre un peu de baume sur les plaies des syndiqués, le 24 septembre 1957, le juge William Morin, de la Cour supérieure, écarte un des principaux obstacles au règlement de la grève des mineurs en rejetant le bref de prohibition que la compagnie avait déposé, plus d'un an auparavant, en juin 1956. Mais les troupes sont épuisées. La grève a trop duré, elle est perdue. Les grévistes n'ont pas réussi à empêcher la mine de cuivre de fonctionner.

Le 5 octobre, 200 d'entre eux décident par scrutin secret de mettre fin à leur grève et de se présenter au travail. La compagnie, dans un scénario devenu classique, depuis Lachute, Asbestos et Louiseville, veut garder à son emploi les 800 *scabs* et elle ne reprendra que 200 grévistes, au fur et à mesure de ses besoins. Au moins 400 grévistes ne retrouveront jamais leur emploi.

La *Gaspé Copper Ltd* intente une poursuite contre les Métallos pour dommages à la propriété et perte de gains pendant la grève. Le 7 décembre 1964, le juge Lacoursière donne raison à la compagnie et condamne le Syndicat international à verser à la *Gaspé Copper* un montant global de plus de 2,5 millions de dollars, incluant les intérêts. Les métallos en appellent de cette condamnation mais ils seront déboutés en Cour suprême.

En septembre 1965, la section locale 6086 des Métallos obtient enfin son accréditation, après une campagne dirigée par Émile Boudreau. Les 800 employés de la mine signeront leur première convention collective de travail en 1966, soit 14 ans après le début de l'organisation syndicale à Murdochville.

Un catholicisme à gros grain

Une mauvaise surprise attend les Chartrand à leur retour à Longueuil. La Fédération du commerce de la CTCC n'a pas digéré que leur employé participe à une grève d'un syndicat affilié à une autre centrale syndicale et elle le licencie. Le geste de Michel Chartrand est jugé d'autant plus grave qu'il a appuyé un syndicat non catholique! À la CTCC, on est catholique pour vrai mais on n'a que faire de la charité chrétienne!

Michel Chartrand se retrouve encore une fois en chômage. Il ne s'en fait pas outre mesure. Il sait qu'il peut compter sur des amis sûrs et fidèles.

Ainsi, il repartira bientôt en tournée à travers le Québec avec son ami Gérard Picard, le président de la CTCC, mais investi de nouvelles fonctions, celles de « chauffeur » du président!

CHAPITRE 12

Imprimeur et activiste

« Chauffeur » de Gérard Picard

Pendant son long mandat, Duplessis s'est fait de nombreux ennemis, en premier lieu Jean Marchand et Gérard Picard. Le « cheuf » ordonne même à sa police d'avoir un œil en permanence sur le président de la CTCC. À la moindre effraction, elle a reçu l'ordre de l'arrêter.

En raison de ses fonctions, Gérard Picard est amené à parcourir le Québec de long en large et il conduit lui-même son automobile. Il est souvent très pressé, requis de négocier des conventions collectives et d'éteindre des « feux » partout dans la Belle Province. Le 16 mai 1953, Picard traverse le village de Saint-Janvier à une vitesse de 100 km/h, alors que la vitesse permise est de 50 km/h. La route est large et le village compte très peu de maisons...

Comme il fallait s'y attendre, il se fait arrêter par un agent de la PP. Celui-ci lui remet une contravention. Le 20 juin, le président de la CTCC reçoit un avis de comparaître et il se présente en cours accompagné de son avocat, Pierre Vadeboncœur, la semaine suivante. S'ensuit un simulacre de procès où les contradictions abondent. L'enquête est alors ajournée jusqu'à la fin du mois de juillet.

Entre-temps, le 24 juillet, à Saint-Jérôme, après avoir passé et réussi un examen de conduite, le président du CTCC obtient un autre permis de «chauffeur», sous le nom, cette fois, de J. Pierre G. Picard, ce qui est son vrai nom. C'est ainsi que, muni de deux permis de conduire, il comparaît, le 29 juillet, devant le même juge. Le juge Lafontaine, un vieux partisan de Duplessis de toute évidence, le trouve coupable et le condamne à une amende de 100 $, plus les frais de 65,55 $ ou à un mois de prison. Il lui retire, en plus, son permis de conduire jusqu'au dernier jour du mois de février de l'année suivante, soit pour une période de six mois. Le coupable, stoïque, reçoit sa sentence sans broncher.

Pierre Vadeboncœur est tout penaud. Il ne sait pas que Gérard a dans sa poche une autre permis de conduire. Il rira plus tard lorsque son client lui apprendra l'entourloupette qu'il vient de faire à Duplessis.

C'est par la suite que les choses se gâtent pour Picard.

Quelques jours plus tard, en août, en compagnie de son épouse, il est arrêté à la sortie de Québec. Duplessis, mis au courant de la supercherie de Picard, le fait filer pour le prendre la main dans le sac... ou le pied sur l'accélérateur. Surprise! les policiers, après les vérifications d'usage — on n'est pas encore à l'ère de l'électronique! —, constatent que le contrevenant est parfaitement en règle. Voulant éviter d'autres ennuis de la sorte, Gérard Picard décide de cesser temporairement de conduire son automobile.

Le président de la CTCC se retrouve donc mis... à pied, si on peut dire. Et c'est plutôt gênant. Michel Chartrand, généreux et bon samaritain, propose alors de lui servir de chauffeur pour qu'il puisse vaquer à ses fonctions à travers le Québec. Pierre Vadeboncœur commente ains cet événement plutôt cocasse [1].

> Pendant ou après le procès, Michel Chartrand et Gérard Picard, en retournant de Saint-Jérôme à Montréal, s'aperçurent soudain qu'ils suivaient la voiture du juge Lafontaine! Ils traversèrent Saint-Janvier (encore une fois) à la même vitesse que lui, c'est-à-dire à 100 km/h. La situation était piquante, cocasse. La vitesse fut notée, évidemment. Michel, après la condamnation de Picard, se fit naturellement un devoir, à la radio de Sherbrooke, où il travaillait alors je crois, de raconter à quelques reprises l'incident et de se moquer copieusement du juge. On sait ce dont Michel Chartrand est capable dans ce genre! Cela prit les proportions d'un joyeux scandale impliquant la justice et les juges de basse-cour, comme Chartrand désignait les magistrats des juridictions inférieures.

Le juge Lafontaine, vexé, fit appel à son neveu, l'abbé Lafontaine, aumônier de la CTCC, afin qu'il intervienne pour demander à Michel Chartrand de se taire. L'abbé, se croyant au-dessus de tout et de tous, tenta, de façon indirecte, de faire museler le pourfendeur de torts. Quelle erreur de tactique! Demander à Michel Chartrand d'arrêter de parler, c'était comme lui demander d'escamoter la vérité. C'est donc avec plus de vigueur et plus régulièrement que ce dernier revint encore sur les ondes et dans tous ses discours pour parler des juges de « basse-cour ».

Après Dieu, Duplessis est roi et maître au pays du Québec. Au cours du mois de décembre de la même année, un projet de loi — ou *bill* comme on disait à l'époque — est présenté par le ministre des Finances,

---

1. *Nouvelles CSN*, 27 janvier 1989.

Onésime Gagnon, qui fait en général la « job de bras » pour Duplessis. Ce projet de loi, surnommé le « bill Picard », a un effet rétroactif et stipule que dorénavant, une seule et même personne ne pourra obtenir deux permis de conduire. La loi est évidemment adoptée en dépit des protestations de l'opposition officielle. En mars suivant, le ministre des Finances tente ainsi de faire condamner Gérard Picard à une peine pouvant aller jusqu'à sept ans d'emprisonnement. L'ordonnance a été retirée, mais le « bill Picard » est toujours en vigueur.

En août 1953, Michel Chartrand devient donc le chauffeur attitré de Gérard Picard. Jamais Picard n'aurait accepté d'avoir un chauffeur à sa disposition, mais il embauche Chartrand pour des raisons humanitaires. Dans les faits, Chartrand conduit le président, mais jamais il n'agira comme un chauffeur de président de compagnie. Il fera son travail pendant près de 18 mois. Les mauvaises langues diront que le président du CTCC, sous l'influence directe de Michel Chartrand pendant tout ce temps, a pris... un virage à gauche !

Appui de la CTCC au programme du PSD

Le trente-sixième congrès de la CTCC a lieu à Québec au mois de septembre 1957. Michel y participe comme tous les permanents de la centrale syndicale. Ses prises de position suscitent de vifs débats. Entre autres, il obtient, non sans peine, que la CTCC appuie le programme du Parti social démocratique, le PSD (CCF). Quand un permanent syndical affiche des couleurs libérales — cela s'est vu par le passé —, il s'en trouve peu pour protester, mais quand on sollicite un appui à un parti qui défend les intérêts des travailleurs, cela semble toujours très compliqué. Comment expliquer cette ambiguïté ?

Dans le Rassemblement...

Michel Chartrand se joint officiellement au Rassemblement démocratique, fondé en 1956 par les Pierre Dansereau, Trudeau, Laurendeau, Pelletier, Jacques Hébert, Jacques Perrault et compagnie. Il prend une part active aux diverses activités du Rassemblement.

Les militants du Rassemblement tiennent la plupart de leurs réunions au Cercle universitaire (maintenant démoli), sur la rue Sherbrooke Est. L'endroit est bien choisi pour Michel Chartrand, car c'est là que Gérard Picard convoque fréquemment ses troupes.

Le leader provincial du PSD à la télévision

Des élections générales fédérales sont décrétées pour le 31 mars 1958. Chef du Parti social démocratique (PSD), Michel Chartrand veut profiter de l'occasion pour défendre ses opinions socialistes. Il se porte candidat de son parti dans le comté de Lapointe (Arvida). Conformément aux règles établies par la Société Radio-Canada, tout les partis politiques ont droit à du temps d'antenne, offert gratuitement par la Société. Michel Chartrand y aura droit, lui aussi, et il ne s'en privera pas.

Véritable verbo-moteur, personnalité enthousiaste, convaincue et convaincante, Chartrand deviendra rapidement une vedette de la télévision nationale. Il a compris l'importance et l'influence de ce nouveau médium. C'est en compagnie de Bernard Boulanger, du puissant syndicat des Métallos, et de Fernand Lavergne, un dirigeant syndical de Shawinigan, qu'il se présente au petit écran. Son style ressemble fort à celui de René Lévesque; il s'exprime à l'aide d'un tableau noir et d'une craie blanche avec laquelle il dessine sa fameuse «pyramide du pouvoir». On voit, à la base de la pyramide, le bon peuple à qui revient le seul pouvoir d'élire un chef de gouvernement tous les quatre ans. À la tête de la pyramide, le vrai pouvoir, celui des banques, celui d'une poignée d'hommes.

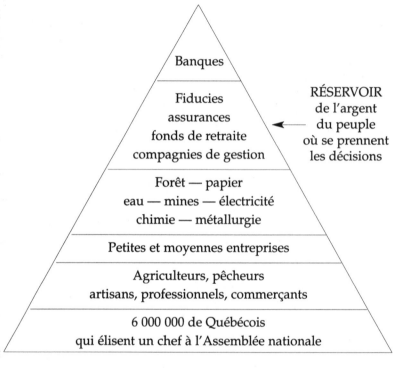

— Et on appelle ça une démocratie! de s'exclamer Chartrand.

Bernard Boulanger, conseiller syndical de la FTQ, se souvient de cette campagne électorale et de celle de juin 1957 :

> Fernand Lavergne et moi-même accompagnions Michel dans les studios de Radio-Canada prévus à cet effet. Nous avions 20 minutes pour faire notre démonstration; évidemment, Michel en prenait 10 à lui seul. Par la suite. Michel et Simonne invitaient les 26 candidats du PSD à leur résidence de

Boucherville où ils nous recevaient à « une éplu-chette de blé d'Inde. Encore là, Michel reprenait son travail d'éducation politique et il présentait chacun des candidats à ses enfants. Tous échangeaient comme de véritables connaisseurs de la politique. Nous étions une équipe de travailleurs convaincus de la cause que nous défendions, mais sans grandes ressources financières. Ivan Legault, le parrain du fils de Michel, le blond Dominique, nous prêtait son automobile et Maurice Vassart, le président-fondateur du Syndicat des employés de la CTCC, nous servait de chauffeur. Je me rappelle aussi de Viateur Saint-Jean, du Syndicat des cheminots, qui était aussi candidat du PSD.

Il ne faut pas oublier que Simonne, en bonne éducatrice, se fait un devoir de compléter l'apprentis-sage politique de ses enfants en leur faisant écouter les propos de leur père à la télévision.

Emprunt à la Caisse pop de la CSN

Pour financer les opérations et les dépenses du PSD, un emprunt doit être fait à la Caisse populaire des Syndicats nationaux de Montréal, au conseil d'adminis-tration de laquelle Michel Chartrand vient tout juste d'être élu membre. Les statuts de la Caisse interdisent qu'on prête à un parti politique, qu'il soit ou non près des travailleurs. Michel Chartrand doit donc faire cet emprunt à titre personnel.

Quand il perdra ses élections une autre fois, les mili-tants du parti devront se cotiser pour rembourser les dettes. Peut-on encore parler de victoire morale ?

Diefenbaker au pouvoir
avec l'appui des Québécois

John Diefenbaker, le lion de l'Ouest du Canada, infligera en 1958 toute une défaite au Parti libéral, en remportant 208 des 265 circonscriptions. Les Québécois ont voté en grand nombre pour les progressistes-conservateurs.

Simonne aux études à l'Université Laval

Les enfants ont grandi : l'aînée, Micheline, a 15 ans, tandis que le septième et dernier enfant, Dominique, en a 4. Pour arrondir les fins de mois, Simonne écrit des textes pour Radio-Canada. Elle sent le besoin de se perfectionner pour se familiariser avec les nouvelles méthodes d'approche et de diffusion. Avec l'accord et l'appui de son mari, elle s'inscrit avec d'autres collègues de la Société Radio-Canada à des cours à l'Université Laval. Michel devra être davantage présent à la maison pour s'occuper des enfants.

Départ de la CTCC

Lorsque Gérard Picard décide de quitter la CTCC, Michel Chartrand perd son protecteur et ami au sein de cette centrale et il sent qu'il devrait partir lui aussi. Les deux hommes en parlent lucidement. Ce qu'on reproche surtout à Michel, c'est sa trop grande implication dans un parti politique, alors qu'il est payé par le syndicat pour mener des combats d'un autre ordre...

Le temps finira par arranger les choses. Entre-temps, Michel n'a pas d'autre choix que de s'impliquer encore davantage en politique, tout en recevant des prestations d'assurance-chômage.

Des amis, il en possède un peu partout au Québec. Roger Bédard, conseiller syndical des Métallos à Val-d'Or, est de ceux-là. Avec d'autres militants du PSD, il met sur pied un comité pour venir en aide à la famille Chartrand, le Club des 100. On veut trouver 100 personnes qui verseront 100 $ chacune. Cet argent sera envoyé à Michel, sur une base hebdomadaire, pour lui permettre de faire vivre sa famille et pour le soutenir dans ses tâches de formation politique. Cette chaîne d'entraide fonctionnera plus ou moins bien et il devra songer à trouver un revenu plus stable et sécuritaire.

Entre-temps, il se présente comme candidat de son parti à une élection partielle au Lac-Saint-Jean. Même s'il récolte 3 286 votes, il est battu par le candidat de l'Union nationale qui lui en récolte 8489. Selon certains, n'eût été la trahison de la Ligue d'action civique avec laquelle il y avait eu une entente, le PSD aurait pu avoir un représentant au Parlement de Québec.

Michel Chartrand décide alors de revenir à son premier métier, l'imprimerie. Il travaille comme typographe pour différentes imprimeries de Montréal. Un jour, l'occasion d'acquérir sa propre imprimerie se présente.

Gisèle Bergeron et son mari Pierre Lebeuf — réalisateur à Radio-Canada — sont propriétaires de l'*Imprimerie Scripto*, qui, à la suite d'une plainte de la compagnie de crayons du même nom, deviendra l'*Imprimerie Cripto*. Chartrand se joint à eux et on s'installe au 1405, rue Beaudry, à Montréal, juste à côté des locaux du PSD. Par la suite, les Bergeron-Lebeuf lui vendent leurs parts et il déménage ses pénates rue Saint-François-Xavier, dans le Vieux Montréal. Thérèse Desforges l'assistera dorénavant dans ses travaux.

Charbonneau et le « cheuf ».

Le 7 septembre 1959, pendant le long congé de la Fête du Travail, Maurice Duplessis meurt à Schefferville, terrassé par une hémorragie cérébrale. Quelques semaines plus tard, le 20 novembre 1959, comme s'il avait attendu que le « cheuf » disparaisse pour faire comme lui, Mgr Joseph Charbonneau, exilé à Vancouver depuis 1952, décède à son tour. Le monde syndical est bouleversé par cette nouvelle.

On s'en souviendra, Mgr Joseph Charbonneau avait appuyé, sans équivoque, les grévistes de l'amiante en ordonnant des quêtes publiques, à la porte des églises. Marcel Pepin, dans la biographie rédigée par Jacques Keable, décrit la situation comme suit :

> À la suite de ça [lagrève à Asbestos], Duplessis a chargé Albiny Paquette, le ministre de la Santé, et Antonio Barrette, le ministre du Travail, d'aller porter à Rome un texte écrit par un nommé Custos[2]. C'était une attaque à fond de train contre les syndicats ! Custos, c'était, semble-t-il, le père Émile Bouvier. « *Custos* » ça veut dire gardien, cerbère, gardien de la foi. C'est comme ça probablement que Charbonneau a sauté. Picard, qui était président de la CTCC, est allé à Rome, lui aussi, pour tenter de contrecarrer ça, mais les portes lui sont restées fermées. Il n'a pu voir personne.

Pour Michel Chartrand, catholique pratiquant, cette mort dans l'oubli le plus total constitue une injustice

---

2. Sous le pseudonyme de Custos, le jésuite Émile Bouvier signe un pamphlet très antisyndical au moment de la grève de l'amiante à Asbestos. Ce pamphlet destiné aux membres du clergé aboutit à Rome et fut l'un des éléments, disent certains, à l'origine de la décision romaine de destituer l'archevêque de Montréal, Mgr Joseph Charbonneau. Lire à ce sujet *La grève de l'amiante*, un collectif sous la direction de Pierre Trudeau.

flagrante, et il commence à s'interroger de plus en plus sur le véritable sens du catholicisme.

La période de la «grande noirceur» est terminée. Bienvenue à la Révolution tranquille! En juin 1960, à la suite d'élections générales, les libéraux de Jean Lesage sont portés au pouvoir. Quelques années plus tard, en 1963, Michel Chartrand fondera, avec d'autres militants, le Parti socialiste du Québec, consacrant ainsi la rupture avec le NPD.

Balade politique à Winnipeg

En août 1961, en compagnie de l'avocat Gaétan Robert, de Thérèse Desforges et de Simonne, Michel participe au congrès du CCF à Regina, en Saskatchewan. Pendant ce voyage, c'est Micheline, l'aînée de la famille, qui est responsable de la maisonnée. Simonne en profite pour rencontrer des représentants du gouvernement CCF et Michel, chef provincial du CCF-PSD, prononce un discours sur le parquet du congrès. Il insiste sur le caractère distinct du Québec. La grande majorité des délégués accueillent ses propos avec enthousiasme. L'année suivante, il participe au congrès de fondation du Nouveau Parti démocratique (NPD). C'est à cette occasion qu'il demandera au NPD de s'engager à reconnaître les deux nations au Canada.

La CTCC devient la CSN

À l'occasion du trente-neuvième Congrès de la Confédération des syndicats catholiques du Canada, qui se tient à Montréal du 25 septembre au 1er octobre 1960, on décide de changer le nom du CTCC pour celui de Confédération des syndicats nationaux. La nouvelle

CSN est à un point tournant. Lentement, elle se départit de son image catholique et se dirige vers le laïcat. Les aumôniers ne détiendront plus les pleins pouvoirs et les travailleurs, peu importe leurs origines ou la couleur de leur peau, pourront militer dans ses rangs.

Michel Chartrand assiste très discrètement à ce congrès. Il n'est plus officiellement membre de la centrale syndicale et il préfère, pour le moment, s'en tenir à son travail d'imprimeur et de chef provincial du CCF-PSD.

La CSN effectue à partir de 1960 une percée importante dans la fonction publique québécoise. Jean Marchand et quelques disciples ne se cachent plus et militent ouvertement dans les rangs du Parti libéral du Canada. Cela n'empêchera pas Jean Marchand de devenir président de la CSN l'année suivante, en 1961.

Deux orphelins

La fin de 1961 et le début de 1962 feront de Simonne et Michel, deux orphelins. La mère de Simonne, Mme Berthe Alain-Monet, décède le 18 octobre 1961. Elle était âgée de 69 ans. La mère de Michel, Mme Hélène Patenaude-Chartrand, meurt dans ses bras le 26 janvier 1962, à l'âge de 89 ans. «Dieu est amour et tu as aimé tellement toute ta vie qu'il t'attend au paradis», lui souffle-t-il à l'oreille alors qu'elle s'éteint.

Les Presses sociales, l'imprimerie du peuple

Au mois de mai 1962, les deux frères, Gabriel et Michel, achètent sur le boulevard Quinn, à Longueuil, deux maisons neuves. Michel déménage son imprimerie de la rue Saint-François-Xavier à Montréal au sous-sol de son nouveau logis. Il reprend le nom qu'il a acheté de Pierre Lebeuf alors qu'il travaillait à la petite imprimerie, au-dessus des bureaux de la CTCC, au 1231 de la rue de Montigny à Montréal. Les Presses sociales renaissent ainsi de leurs cendres. Michel Chartrand ne fait plus de syndicalisme actif, mais il continue de frayer avec ses amis du monde syndical.

Il publie Gilles Vigneault, Pierre Vadeboncœur, Claude Péloquin, Denis Vanier, la revue *Our Generation against Nuclear War* de Dimitri Roussopoulos, la revue *Socialisme*, le journal *Le Peuple*, l'organe officiel du PSQ, et *Socialisme 64*, qui deviendra *Socialisme québécois* en 1974.

Il ajoutera à ces publications des recueils de poésie et des conventions collectives de travail.

L'imprimerie embauche jusqu'à 12 personnes. Chartrand insiste pour que ses employés se syndiquent et, plutôt que d'embaucher un contremaître, il répartit le salaire de ce dernier entre ses employés. Le climat de travail est plutôt agréable. Michel fournit même la bière à l'occasion et, chacun leur tour, ses employés doivent en faire autant! Son fils Alain y travaille et y fait son apprentissage.

Un jour, quelqu'un demande à Michel ce qui arriverait si son fils refusait de faire la grève avec les autres employés. «S'il ne veut pas faire la grève... je le crisse dehors!» réplique-t-il du tac au tac.

Michel Chartrand ne passe pas toutes ses journées à l'imprimerie. C'est Thérèse Desforges qui voit à la bonne marche de la boîte. La police suit de très près les activités de l'activiste imprimeur et elle perquisitionnera ses locaux à quelques reprises. On prétend qu'il imprime le journal *La Cognée*, l'organe officiel du Front de libération du Québec (FLQ) mais, peine perdue, la police repart toujours bredouille.

Michel imprime une multitude de documents provenant d'organisations de gauche. Or celles-ci n'ont pas beaucoup d'argent et elles paient avec beaucoup de retard, ce qui n'aide pas nécessairement à la bonne santé financière de la petite compagnie. Michel leur répète souvent : « Tu me paieras quand t'auras de l'argent, mon frère ! » Thérèse Desforges doit faire des acrobaties comptables chaque semaine afin que les employés touchent leur salaire. Elle et Michel développent le *kitting* qui deviendra à la mode, une méthode financière un peu baroque mais combien efficace...

L'annexe du 1001, le *Press Club*

La CTCC/CSN déménage ses pénates au 1001 de la rue Saint-Denis, à Montréal. Le nouveau local de la CSN est une ancienne maison de chambres à trois étages. Avec la syndicalisation massive dans la fonction publique, les nouveaux locaux de la CTCC, devenue CSN, étaient trop petits. Alors, on démolit et on reconstruit. Pendant les travaux, la CSN loue des locaux au-dessus du *Garage Jarry*, rue Saint-Denis au nord la rue Marie-Anne. Le quartier est sympathique et on déniche rapidement un petit restaurant (c'est plutôt un bar où l'on sert à manger sur l'heure du midi) situé tout à côté, le *Press Club*. La gauche de la CSN s'y réunit fréquemment. On y rencontre Marcel Éthier, le contrôleur de la CSN (la personne-ressource pour les cautionnements) ; Robert Burns, un jeune avocat qui est conseiller syndical, négociateur et procureur de la CSN (c'est lui qui obtient la libération de syndiqués CSN avec l'argent fourni par Marcel Éthier) ; Raymond Couture, le directeur des grèves de la CSN (c'est lui qui identifie, en prison, les syndiqués qui ont été arrêtés) ; Raymond Legendre, un poète, philosophe et hippie de la CSN ; Bruno Meloche, un autre avocat à l'emploi de la CSN et collègue de Robert Burns ; Robert Sauvé, le futur secrétaire général de la CSN et futur président de la CSST; ainsi que Michel Chartrand, un ex-conseiller syndical à la CTCC qui imprime maintenant tous les documents pour les personnes nommées ci-dessus. À l'heure du lunch, on joint l'utile à l'agréable en discutant fort des principaux sujets d'actualité. Michel Chartrand, l'aîné du groupe, y fait l'objet d'une indéniable fascination: on aime sa façon de voir les choses, son parti pris instinctif pour les plus démunis. Ces rencontres et ces discussions ne peuvent que tisser des liens solides entre tous ces militants. Certains membres de l'état-major de la CSN, dont Jean Marchand, ne voient pas d'un bon œil ces rencontres animées. On soupçonne les comparses de comploter. Contre qui donc? Marcel Pepin, alors secrétaire général de la CSN, un homme aux idées progressistes, qualifie même le groupe de petite chapelle et de cénacle. Le *Press*, comme disent les habitués, demeurera toujours pour les non-initiés un endroit insolite et bizarre. Pourtant, ce groupe de militants, philosophes et gens d'action tout à la fois, se réunissaient, selon leurs disponibilités, tout d'abord pour le plaisir de se rencontrer entre amis, puis pour évacuer le trop-plein accumulé durant leurs longues journées de travail.

Le PSD prend ses distances et Diefenbaker est minoritaire

Le 18 juin 1962 est un jour d'élections générales au Canada. John Diefenbaker réussit de peine et de misère à faire élire un gouvernement minoritaire. Michel Chartrand n'a pas participé à l'élection cette fois-ci car le PSD n'a pas voulu, comme il le souhaitait, reprendre les négociations sur les revendications du Québec avec le chef du NPD, Tommy Douglas. Michel Chartrand est en colère et il le fait sentir. Un an plus tard, c'est la rupture avec le NPD. Les militants du PSD, Michel Chartrand en tête, ne tolèrent plus que le NPD ne reconnaisse pas, dans ses actes, la spécificité du Québec à l'intérieur du Canada et qu'il ne se branche pas assez rapidement sur l'abolition et le retrait des armes nucléaires. Les dissidents fondent, le 8 décembre 1963, un nouveau parti politique socialiste axé sur les besoins spécifiques du Québec, le Parti socialiste du Québec (PSQ). Michel Chartrand en sera le premier président et Fernand Daoust, alors secrétaire général de la FTQ, lui succédera en 1966.

Cuba

Le 1ᵉʳ janvier 1959, Fidel Castro et ses guérilleros font leur entrée triomphale à La Havane, chassant le président d'une république corrompue, Fulgencio Batista. Cette révolution deviendra un véritable point d'attraction pour la gauche du Québec. Une révolution socialiste triomphante à quelques kilomètres des côtes américaines, un programme politique qui se propose d'abolir le système d'exploitation des travailleurs et de mettre de l'ordre dans tout ce désordre organisé… il y a là matière à faire rêver plus d'un idéaliste.

Le 17 avril 1961, le gouvernement américain, John Kennedy en tête, tente un débarquement à la baie des Cochons, à Cuba, pour renverser Castro. Une petite armée de 1 500 mercenaires, essentiellement des exilés cubains aux États-Unis, soutenue par la CIA, se fait honteusement repousser à la mer.

Castro sait désormais que les États-Unis et le monde capitaliste non seulement n'acceptent pas sa présence mais veulent aussi sa destruction. Il affirme le caractère socialiste de sa révolution et sollicite l'appui et la solidarité de l'URSS. Des rampes de lancement de missiles, dirigées vers les États-Unis, sont installées secrètement sur l'île par les Soviétiques. Elles sont découvertes quelque temps plus tard par des avions espions américains. On est à un cheveu du déclenchement d'une guerre nucléaire.

Différents groupes d'appui à Castro et à son peuple sont immédiatement mis sur pied. Michel Chartrand et sa fille Marie-Andrée, pacifistes notoires, seront de ces groupes de solidarité.

Quelques années plus tard, au printemps 1963, Michel Chartrand héberge, dans le sous-sol de sa demeure, dans son imprimerie à Longueuil, une vingtaine de marcheurs américains qui veulent se rendre de Québec à la base navale américaine de Guantanamo, à Cuba. Ils demandent au gouvernement américain de lever son embargo qui isole complètement l'île et qui occasionne au peuple cubain des souffrances et des privations de toutes sortes. Malgré l'embargo américain, le Canada maintiendra ses relations diplomatiques et surtout commerciales avec Cuba. Michel et Marie-Andrée Chartrand sont parmi les premiers à se joindre à la « Marche pour la paix ». Les marcheurs traverseront les États-Unis et s'arrêteront dans l'extrême sud de la Floride, à 150 km de La Havane. Au cours d'une manifestation de solidarité avec les marcheurs à Trois-Rivières, Michel est arrêté. Il est accusé d'avoir distribué des tracts invitant la population à se joindre à la marche. Voici approximativement le verbatim de la discussion entre Michel et le policier venu lui signifier l'interdiction de manifester.

POLICIER
Monsieur Chartrand, vous n'êtes pas autorisé à distribuer des pamphlets.

MICHEL CHARTRAND
D'abord, mon blond, ce ne sont pas des pamphlets, ce sont des tracts. Deuxièmement, je n'ai pas de

permission à demander à qui que ce soit pour faire ce que j'ai à faire dans mon pays.

POLICIER
Monsieur Chartrand, vous entravez la circulation et nuisez à la paix publique.

MICHEL CHARTRAND
Écoute-moi bien, docteur, nous ne nuisons pas plus à la circulation que tes parades du père Noël durant la période des fêtes. Viens pas m'écœurer, ostie, pis ôte-toé de devant ma face.

POLICIER
O.K., tu vas comprendre. On t'embarque pis en d'dans, mon sacrament, tu vas refroidir un peu.

Michel Chartrand ne sera relâché que lorsque les marcheurs auront quitté la ville.

En décembre, lui et un groupe de sympathisants de la révolution cubaine se rendront à Cuba. À cette époque, on doit d'abord se rendre au Mexique pour y entrer. Les voyageurs doivent alors se soumettre à toutes sortes de formalités. À leur arrivée à La Havane, ils demandent aux autorités douanières que leur passeport soit estampillé visiblement, mais les autorités cubaines leur expliquent que cette estampe pourrait leur causer des désagréments s'ils séjournaient aux États-Unis.

Michel Chartrand aura l'occasion, au moment d'EXPO 67, de retrouver la chaleur et l'âme cubaines. Un soir, il festoie avec des amis au pavillon cubain et une jolie Cubaine l'invite à danser. Dans le feu de l'action, elle le déboutonne et lui enlève sa chemise. Le rhum et la chaleur aidant, Michel se laisse emporter par le charme de la plantureuse Cubaine. Lorsque celle-ci veut s'en prendre à son pantalon, des amis lui rappellent que l'aventure, au départ amusante, s'enligne vers des gestes déplacés. Michel reprend ses esprits, enfile sa chemise et... le *strip-tease* s'arrête là. Son indifférence à l'égard des qu'en-dira-t-on l'amène, à l'occasion, à des comportements que d'aucuns jugent excessifs.

En avant, marchons !
avec Simonne et Marie-Andrée

La « Marche pour la paix », qui doit mener les marcheurs jusqu'à La Havane et à laquelle participent Michel et sa fille Marie-Andrée, débute le 26 mai 1963. Un Congrès mondial des femmes, organisé par la Fédération internationale démocratique des femmes, se tient à Moscou en juin de la même année. Thérèse Casgrain et Solange Chaput-Rolland, présidente provinciale de La Voix des femmes, pressent Simonne d'y assister. Encouragée par son mari, Simonne décide donc de se rendre à Moscou. Le 10 juin, Michel, Micheline, Hélène, Suzanne et Madeleine l'accompagnent jusqu'à l'aéroport de Dorval. Le périple la conduira en Angleterre, en Hollande, en Norvège, au Danemark, en Pologne, en Tchécoslovaquie et à Berlin-Est, et elle rencontrera de nombreux groupes de pacifistes. À Moscou, au terme du congrès, les 28 membres de la délégation canadienne sont invitées à un dîner organisé par le Cercle des femmes journalistes de l'Université de Moscou. La présidente du Cercle remercie la délégation canadienne dans la langue de Shakespeare. Simonne ose alors poser une question malgré les gros yeux que lui adresse la présidente de sa délégation, Helen Tucker. Elle demande en substance aux Soviétiques les raisons pour lesquelles Boris Pasternak a dû refuser le prix Nobel de littérature et pourquoi son ouvrage n'a pas été publié à Moscou. Cette question crée un malaise de part et d'autre et Simonne sera par la suite tenue à l'écart de la délégation. Elle terminera néanmoins son voyage en beauté en assistant à Paris, aux côtés de Lise Payette et de Claude Sylvestre, de Radio-Canada, aux célébrations du 14 Juillet.

À son retour, Simonne est aux côtés de Michel devant la base militaire de La Macaza, dans les Laurentides, pour participer à une manifestation organisée par le Mouvement pour le désarmement nucléaire et la paix (MDNP), dirigé par Jacques Larue-Langlois et Hélène David. Les deux petits derniers de la famille Chartrand, Madeleine, âgée de 10 ans, et Dominique, âgé de 9 ans, sont initiés à la paix en participant eux aussi à la manifestation.

Pendant ce temps, Marie-Andrée Chartrand participe à la marche de solidarité avec le peuple cubain. À la hauteur de Boston et de Cleveland, ils sont 27 puis 52 à marcher pour la paix. Après avoir traversé les États de New York, de la Pennsylvanie et du New Jersey, les marcheurs arrivent à Washington, où le pasteur baptiste noir Martin Luther King prononcera un discours historique: « *I have a dream…* » Marie-Andrée jouera de malchance. Le comité organisateur est à court d'argent et il a décidé de réduire le nombre de marcheurs à 18. De plus, l'état de santé de la jeune femme ne lui permet pas de continuer son pèlerinage. Dave Dellinger, le directeur de la revue américaine *Libération*, hébergera Marie-Andrée pendant quelques jours, le temps qu'elle se remette. Simonne, accompagnée de ses enfants Micheline et Alain, ainsi que de Micheline Lanctôt et d'Yves Laurendeau, se rend en joyeuse délégation aux États-Unis pour la ramener dans sa famille.

Un an plus tard, Marie-Andrée, compagne de François Roberge, donne naissance au premier petit-fils de Simonne et Michel. Philippe-Emmanuel naît à Moncton, au Nouveau-Brunswick, le 8 août 1964. Il est aujourd'hui conseiller technique en informatique à l'Office national du film à Montréal et père d'un garçon, Loup Chartrand, né le 20 juin 1994.

Les traîneux de pieds —
Les curés à la bière comme tout le monde

Au terme de négociations infructueuses, les syndiqués de la Société des alcools du Québec (alors appelée la Régie des alcools du Québec) déclenchent une grève le 4 décembre 1964. Des lignes de piquetage ont été installées devant les bureaux de l'honorable société, au Pied-du-Courant. Mais le défilé incessant des prêtres venus quérir leur vin de messe et autres divines liqueurs suscite la grogne des piqueteurs.

Michel Chartrand éprouve beaucoup d'admiration pour le courage dont font preuve les grévistes à quelques jours de la période des réjouissances. Ces gagne-petit risquent de perdre le peu qu'ils ont. Ils sont les premiers fonctionnaires à affronter l'autorité gouvernementale. Michel se pointe donc sur la ligne de piquetage pour manifester sa solidarité. Un seul comptoir y est demeuré ouvert pour desservir exclusivement la clientèle ecclésiastique. Voyant un prêtre qui, après avoir franchi la ligne de piquetage, revient avec son vin de messe, Michel l'interpelle[1] :

— Qu'est-ce que vous avez là, monsieur l'abbé ?

— Du vin de messe...

— Vous allez revirer de bord et ramener ça au comptoir... Vous prendrez un coup avec vos *chums* à la bière, comme tout le monde !

— Mais avec quoi vais-je célébrer ma messe ?

— Vous la célébrerez au Pepsi, ça va faire pareil !

Ronald Asselin, le président du syndicat, s'esclaffe. Michel Chartrand n'a pas que le sens du comique, il a aussi un sacré culot. Oser sermonner publiquement un prêtre, il faut le faire. Le brave abbé ne l'entend pas ainsi et il revient à la charge :

---

1. Pierre Godin, *La révolte des traîneux de pied*, Boréal, 1991.

— C'est pour le bon Dieu que je fais ça, monsieur Chartrand.

— Moi aussi, je travaille pour le bon Dieu, monsieur l'abbé, ironise le célèbre moustachu aussi connu du peuple que le ministre Lévesque.

Pour Michel Chartrand, le syndicalisme, c'est la libération. Et se mettre en grève, c'est faire un geste d'homme et de femme libres.

> Quand tu viens au monde, clame-t-il souvent, t'as pas le choix. Quand tu te maries, c'est pas la tête qui l'emporte. Quand tu te prends une job, tu prends celle que tu trouves. Quand tu décides de laisser ta job avec laquelle t'en arraches pour vivre, c'est que tu es décidé, c'est un objectif plus grand que le salaire que tu vas perdre. Mais pour ça, il faut d'abord être libre, il faut être dur et pur.

Les trois colombes

Jean Marchand a été réélu président de la CSN au quarantième et unième congrès, qui s'est tenu à Québec du 13 au 19 septembre 1964. Malgré cela, Jean Marchand, le 8 octobre 1965, adhère au Parti libéral du Canada avec deux complices, Pierre Elliott Trudeau et Gérard Pelletier, deux intellectuels qui ont, jusqu'à ce jour, toujours milité dans la mouvance du Nouveau Parti démocratique. Les « trois colombes » sont nées! Nos sauveurs sont maintenant arrivés. Ce sont ces trois mêmes colombes québécoises qui promulgueront, le 16 octobre 1970, la *Loi des mesures de guerre*, autorisant ainsi plus de 4 000 perquisitions à travers le Québec et 497 arrestations. Selon la Ligue des droits de l'homme, de ces 497 personnes arrêtées, 435 sont relâchées sans accusation. Au cours des perquisitions, on a saisi 33 fusils de chasse et 21 armes offensives. Parmi ces armes offensives, trois bombes fumigènes, neuf couteaux de chasse et un sabre ! Ce qui fera dire à un député du NPD de la région de Toronto : « C'est l'insurrection la moins bien équipée qu'on n'ait jamais appréhendée. »

Jean Marchand ira jusqu'à déclarer — ce qu'il niera le lendemain, comme de coutume — qu'il y a plus de 3 000 terroristes au Québec. Pour calmer le Canada anglais, Trudeau a imposé sa loi, Marchand a encore fait un fou de lui et Pelletier a suivi comme un mouton. Michel Chartrand sera du nombre des personnes perquisitionnées.

Lesage s'enfarge dans les fleurs du tapis

L'Union nationale, avec Daniel Johnson, fera glisser le tapis sous les pieds du « monarque » Jean Lesage, à la veille de l'Exposition universelle de Montréal, familièrement appelée EXPO 67. Ce parti remporte, le 5 juin 1966, la majorité des comtés avec seulement 29,4 % du vote, tandis que le Parti libéral de Lesage en récolte 34,1 %. Deux députés siégeront comme indépendants, ce qui ne signifie pas « indépendantiste »...

« Johnsonne », comme aime à le répéter Charles de Gaulle, recevra, à l'été 1967, le président de la République française en grande pompe, qui parcourra le Chemin du Roi depuis Québec jusqu'à Montréal où, du haut du balcon de l'hôtel de ville, il lancera devant une foule de plus 15 000 personnes son désormais célèbre « Vive le Québec... Vive le Québec libre ! »

Le 3 août, François Aquin, député libéral, devient le premier député à siéger à titre de « député indépendantiste ». En octobre, René Lévesque, suivi de quelques centaines de délégués, quitte avec fracas le congrès du Parti libéral du Québec, section québécoise, qui refuse d'entériner le principe d'un Québec souverain associé au reste du Canada. Le 19 novembre, il fonde le Mouvement souveraineté-association (MSA), qui deviendra officiellement un parti politique, le Parti québécois, en octobre 1968. Le Rassemblement pour l'indépendance nationale (RIN), sous la présidence de Pierre Bourgault, se saborde, invitant ses 16 000 membres à gagner les rangs du PQ.

Michel Chartrand n'a participé ni de près ni de loin à la naissance du PQ. Néanmoins, il suit de près ces événements. Il avait, en 1963, assisté comme observateur au congrès du RIN.

États généraux du Canada français 1967

Des nationalistes et des indépendantistes de différentes tendances décident de donner suite aux assises préliminaires de novembre et ils convoquent les États généraux du Canada français, qui se tiendront du 23 au 26 novembre 1967 à Montréal. On y invite tous les organismes intéressés de près ou de loin à la question nationale du Québec. Jacques-Yvan Morin, professeur en droit international à l'Université de Montréal et futur ministre sous René Lévesque en 1976, préside les rencontres. Rosaire Morin, travailleur acharné et ardent défenseur du nationalisme québécois, est un membre actif du comité organisateur. Plus de 2 000 personnes se regroupent à la Place des Arts, à Montréal, dont 1 575 délégués des comtés du Québec, 167 représentants de diverses associations, 364 délégués des Canadiens français hors Québec et 436 observateurs.

La CSN, sous la présidence de Marcel Pepin, n'a pas cru bon de déléguer des représentants. Michel Chartrand se présente à la tête d'un groupe de plus de 25 délégués du comté de Rouville. Avec sa fougue habituelle, il fera plusieurs interventions, entre autres aux ateliers portant sur le statut de la langue française. Plus tard, il continuera à défendre cette question à la CSN et au Mouvement Québec français en 1969, en compagnie du secrétaire général de la FTQ, Fernand Daoust. Son opposition au *bill* 63, en 1969, lui vaudra une accusation de sédition déposée par le ministre de la Justice du temps, Rémi Paul, reconnu pour ses penchants fascistes durant la Deuxième Guerre mondiale. Les travaux des État généraux auront des répercussions dans toute la société québécoise.

L'assemblée générale des États généraux propose une résolution proclamant le droit à l'autodétermination du peuple québécois. Cette résolution recueille 98 % des voix chez les délégués québécois, 52 % chez les Acadiens, 35 % chez les Franco-Ontariens et 30 % chez les délégués de l'Ouest du Canada.

À Richelieu, la vie près de la rivière

À la fin de 1966, Simonne et Michel Chartrand décident de quitter la banlieue immédiate de Montréal. Les travaux d'aménagement du site d'EXPO 67 et la construction de la station de métro et de tours à bureaux à Longueuil font que cette ville perd son charme d'antan. Le couple achète une très vieille maison de ferme sur la première rue du village à Richelieu, face à la rivière du même nom, avec vue sur les chutes, les cascades, le bassin et le fort de Chambly. Après de coûteux travaux de rénovation, Michel et Simonne y emménagent avec Madeleine et Dominique, âgés respectivement de 13 et 12 ans, leurs petits derniers. Ils pendent la crémaillère le 17 février et célèbrent par la même occasion leur vingt-cinquième anniversaire de mariage.

Au mois de mai, Gilles Vigneault donne un récital à EXPO 67. Il invite son père, Willie, et sa mère, Marie, à faire le voyage de Natashquan (sur la Côte-Nord du Québec) à Montréal, en avion. Willie Vigneault n'est pas très chaud à l'idée de se rendre dans la métropole et Simonne doit l'en convaincre. Les Chartrand leur offrent l'hospitalité. Le site, sur les bords du Richelieu, a tout pour plaire à ces insulaires que sont les habitants du village de Natashquan (non encore relié par route au reste de la province). Michel Chartrand et Willie Vigneault ont de grandes discussions accompagnées de rhum cubain et de « larmes de l'enfer », un alcool maison que Willie traîne toujours précieusement avec lui.

(Si jamais l'occasion se présente, demandez au Dr Roch Banville, de la FATA, un ami intime de Michel Chartrand, de vous parler des bienfaits des « larmes de l'enfer », lui qui a eu le privilège de détenir la dernière bouteille fabriquée par Willie Vigneault. Vous entendrez alors un digne représentant du corps médical vanter les vertus de l'alcool domestique de M. Vigneault père.)

Après une absence de 10 ans, retour au syndicalisme

Lorsque, à la fin de l'année 1967, Florent Audette approche Michel pour qu'il vienne travailler au Syndicat de la construction de Montréal (CSN), c'est pour la forme que, de prime abord, ce dernier refuse. Mais Michel pose deux conditions à son acceptation : premièrement, que son ami Raymond Legendre soit, lui aussi, embauché ; deuxièmement, qu'on lui signe un contrat de trois ans.

Marcel Pepin a eu vent de l'affaire. Il déconseille fortement à Audette d'embaucher Michel Chartrand. Audette, qui est directeur du Syndicat de la construction, convainc néanmoins Robert Mansour, le président du syndicat, d'embaucher Chartrand et Legendre. Ainsi débute une nouvelle ère dans le syndicalisme au Québec et à la CSN en particulier.

Michel Chartrand occupera pendant 10 années consécutives le poste de président du Conseil central des syndicats nationaux de Montréal (CCSNM-CSN) — un organisme représentant 65 000 membres dans la grande région de Montréal — et j'y serai le secrétaire général de 1968 à 1974. Je traiterai dans un deuxième tome de mes aventures syndicales et extrasyndicales avec Michel Chartrand à l'intérieur de la CSN.

Militant un jour, militant toujours

Le salon du livre de Montréal et la campagne électorale

Le samedi 21 novembre 1998, nous sommes au Salon du livre de Montréal, installés au stand de Lanctôt Éditeur. Émile Boudreau et Marcel Pepin, deux auteurs qui viennent d'y voir paraître leur biographie, signent des dédicaces. Claude Jasmin s'est déclaré malade et il ne pourra être présent. Raymond Lévesque, muet comme une carpe et sourd comme un pot, regarde tendrement défiler les passants intimidés par ses sourires candides et chaleureux. Pierre Bourgault est venu faire un saut, sans s'être annoncé, mais il n'a pas voulu s'attabler pour signer des dédicaces. Louis Fournier, l'auteur d'une *Histoire du FLQ*, est également présent. Récemment, son ouvrage, véritable bible sur l'avant et l'après-Octobre 1970, a fait l'objet d'une mise à jour. Tous les livres publiés par Lanctôt, depuis trois ans, soit depuis sa création, sont bien en évidence sur les tables et les présentoirs. Les badauds regardent, fouillent, cherchent une nouveauté, une curiosité, ou tout simplement une figure connue. De grosses piles de mon livre, *Michel Chartrand/Les dires d'un homme de parole*, ne peuvent pas passer inaperçues. Des visiteurs le prennent, le feuillettent nerveusement. N'en pouvant plus, fébriles et l'œil brillant, ils nous posent les questions qui leur brûlent les lèvres :

— Est-ce que M. Chartrand est là ? Va-t-il venir ? Quand arrivera-t-il ?

Jacques Lanctôt me regarde, d'un air triste. Il est plutôt déconcerté : sa vedette, Michel Chartrand, ne veut pas quitter Jonquière, où il mène à fond de train une campagne électorale contre le premier ministre du Québec, Lucien Bouchard.

— Non, nous regrettons, madame, Michel Chartrand est retenu dans le comté de Jonquière, où il mène sa campagne électorale.

— Ah, nous aurions tellement aimé le voir, lui dire combien nous sommes d'accord avec lui et l'encourager à poursuivre son œuvre. C'est un personnage important pour le Québec. Il ne nous a jamais trahis, lui. Pensez-vous qu'il va venir demain ou après-demain ?

— Malheureusement non, madame, il ne peut s'absenter de Jonquière.

— C'est bien dommage, nous aurions tellement aimé le saluer et le voir en personne, c'est un monsieur tellement attachant.

Cette admiratrice et Jacques Lanctôt ne sont pas les seuls à être déçus. Moi non plus, je ne suis pas très heureux de cette absence. Michel Chartrand, depuis qu'il a décidé de se présenter comme candidat « indépendant » dans le comté de la région du Saguenay–Lac-Saint-Jean, a dû annuler de nombreux engagements. Les organisateurs du Salon du livre de Rimouski comptaient, eux aussi, sur la présence du bouillant et coloré syndicaliste. Ils en avaient fait leur vedette principale et on avait imprimé des affiches annonçant sa venue. Il devait également être présent au Congrès du Conseil central du Montréal métropolitain (CSN) — dont il a été président pendant 10 ans. La FATA, son dernier bébé, avait organisé un bien-cuit afin d'amasser des fonds dont elle a un grand besoin. Michel Chartrand, entre autres, devait y cuisiner Émile Boudreau. Pas de Chartrand là non plus. Sans parler des citoyens de Hull qui l'attendaient pour une conférence, ni d'une autre organisation qui aurait apprécié qu'il soit présent à l'occasion de la remise d'un prix à la mémoire de Simonne, etc.

L'appel de la politique a pris le dessus. Michel Chartrand a annulé tous ces rendez-vous, et bien d'autres, pour pouvoir se donner sans compter à la campagne électorale contre Lucien Bouchard, le premier ministre du Québec et chef du Parti québécois, dans le comté de Jonquière.

Je me suis dit : « Tant pis, nous serons sûrement de nouveau ensemble au prochain Salon du livre de Montréal, en novembre 1999, et nous pourrons rencontrer notre public. »

Où en sommes-nous aujourd'hui ?

Michel Chartrand vit toujours à Richelieu, sur les bords de la rivière du même nom, en face de Chambly, dans une vieille maison que lui et Simonne ont achetée et restaurée en 1966. Il en est coulé de l'eau dans la rivière de Michel Chartrand... Il a fait un retour au syndicalisme, en même temps que Trudeau était élu premier ministre du Canada, en 1968. Il a été accusé de sédition, expulsé du Conseil confédéral de la CSN. Il a fait adopter une charte des droits de la personne par la CSN. Il a été arrêté et détenu sous la *Loi des mesures de guerre*, en 1970...

Les enfants ont quitté la maison paternelle depuis longtemps. Marie-Andrée, dont la naissance avait été particulièrement éprouvante, est décédée dans des circonstances tragiques, en mars 1971, quelques semaines après que Michel, emprisonné sans être condamné pendant quatre mois, eut été libéré de Parthenais Beach. Fait unique dans les annales syndicales, il a organisé une assemblée monstre du Conseil central de Montréal de la CSN au Forum de Montréal, où Marcel Pepin, le président, a brillé par son absence, ayant refusé l'invitation. Il sera de nouveau emprisonné, à Bordeaux, pour outrage au tribunal devant le juge Roger Ouimet, puis à Orsainville — où sont incarcérés les présidents de trois centrales syndicales — pour avoir refusé de payer l'amende qu'on lui a imposée pour s'être trouvé sur le terrain d'un club privé de chasse et de pêche. Il a rencontré, au Moyen-Orient, à deux occasions, des représentants du monde arabe, dont Yasser Arafat, ce qui l'incita à fonder le Comité d'aide au peuple palestinien, Québec-Palestine. La CSN et ses fédérations réussiront à l'isoler au Conseil central de Montréal, en faisant battre, en avril 1974, tous les candidats de son équipe, en commençant par votre humble serviteur. Cette défaite n'empêchera pas Michel Chartrand de fonder, après avoir convaincu la CEQ et la CSN, le Congrès international de solidarité ouvrière, qui deviendra le Centre international de solidarité ouvrière (CISO), toujours actif de nos jours. Il a quitté le Conseil central en 1978, après y avoir exercé le poste de président pendant 10 ans. Par la suite, il devient employé de la Caisse populaire des syndicats nationaux de Montréal et met sur pied en 1983 la Fondation pour aider les travailleuses et les travailleurs accidenté-e-s, la FATA. Il sera la vedette du film *Un homme de parole*, réalisé par son fils Alain et sa compagne Diane Cailhier. Des jours tristes et endeuillés suivront. Il accompagnera à l'hôpital Gabriel, son frère, qui décédera tout en douceur en mars 1991. En janvier 1993, Simonne, la bien-aimée si mal aimée, meurt à son domicile, à Richelieu, entourée de ses enfants et de son mari, moins de trois mois après la parution du quatrième tome de son autobiographie, *Ma vie comme rivière*. Michel mettra beaucoup de temps à se remettre du départ de sa compagne. La même année, il accueille à son domicile son vieil ami syndicaliste Théo Gagné, atteint d'un cancer, qui lui aussi décédera à Richelieu entouré de ses enfants et de Michel. Son frère Marius le quitte brusquement à l'été 1994 à la suite d'une attaque cardiaque, et son dauphin à la FATA, Claude Pételle, mourra en décembre de la même année.

L'Aut' Journal organise en son honneur, en février 1995, un bien-cuit et la même année, Michel Chartrand mettra gratuitement à la disposition du PQ le sous-sol de sa maison pour l'organisation du référendum. Il a rencontré, au début des années quatre-vingt-dix, le professeur en sciences comptables à l'UQAM Léo-Paul Lauzon, son nouveau fils spirituel, avec qui il parcourra le Québec.

La tempête de verglas en 1998 ne l'empêchera pas de continuer d'occuper sa maison (privée de lumière et de chauffage), pendant deux semaines, malgré les appels répétés de ses proches.

En compagnie de sa nouvelle compagne, Colette Legendre, il parcourt le Québec d'un bout à l'autre, de l'Abitibi à la Gaspésie, en passant par la Côte-Nord et la région de l'Outaouais, sans négliger les grands centres. Partout, on le sollicite au rythme d'une vingtaine d'invitations par mois !

Puis, arrive le déclenchement des élections générales au Québec, prévues pour le 30 novembre 1998. Michel Chartrand comprend qu'on aura de nouveau besoin de ses services, quelque part au Québec...

Jonquière, Bouchard et Chartrand

Jonquière, me revoici

Le 2 novembre 1998, après avoir été fortement sollicité par des membres du Rassemblement pour une alternative politique, le RAP, et plusieurs travailleurs et militants syndiqués de Jonquière, Michel Chartrand annonce qu'il sera candidat aux prochaines élections générales du Québec dans le comté de Jonquière, le comté du premier ministre Lucien Bouchard. Quarante ans après s'être présenté dans le comté de Lapointe (Arvida) comme candidat du Parti social démocratique (PSD), et être arrivé bon deuxième derrière le libéral Augustin Brassard, il ne craint pas la bataille et revient dans l'arène politique, malgré ses 81 ans, en annonçant fièrement ses couleurs: défendre les plus démunis de la société, les victimes des politiques néo-libérales.

Son programme

Michel Chartrand dévoile son programme, que certains trouvent utopique:

Je serai le porte parole du RAP (le Rassemblement pour une alternative politique), clame-t-il. Je ferai connaître les revendications du peuple, je parlerai au nom des jeunes, des travailleurs et des familles monoparentales qui souffrent de la pauvreté... Je dirai à mon adversaire [Lucien Bouchard] que tout le monde est inquiet. Il y a un million de pauvres au Québec, il faut éradiquer la pauvreté. Tout le monde a le droit de manger, après on fera de la philosophie. Il va falloir travailler. Je ne vais pas en politique seulement pour me crêper le chignon. Je ne veux pas sacrer pour rien. Il va falloir qu'on m'appuie et qu'on travaille le comté pour gagner l'élection. Une fois élu, je vais m'acheter une maison à Jonquière et siéger à l'Assemblée nationale où je parlerai au nom du peuple.

Pour Michel Venne, du *Devoir*, la candidature de Chartrand

traduit la désaffection d'une certaine gauche québécoise envers le PQ. [...] La colère de la gauche s'exprimerait plus durement encore si les syndicats et les groupes communautaires n'avaient pas le sentiment que ce serait pire avec un gouvernement du Parti libéral, dont un des candidats-vedettes, François Macerola, disait lors de sa présentation au public, qu'il n'est «plus capable d'entendre le mot *compassion* ».

Ce à quoi Chartrand riposte :

Ce mot sonne faux dans la bouche de Lulu. Connaît-il vraiment la signification de ce mot ? Ce mot vient du latin et veut dire «souffrir ensemble».

Le Quotidien de Chicoutimi affirme pour sa part :

Les médias [qui sont les premiers à l'admettre]
accordent plus d'importance à la candidature de
Michel Chartrand dans Jonquière qu'aux péripéties
entourant les visites répétées de Jean Rochon dans
le comté de son patron. Bouchard pourrait voir sa
majorité en souffrir.

L'organisation et le financement
du comité électoral Michel Chartrand

Le Rassemblement pour une alternative politique
(RAP), qui compte 1 800 membres dans l'ensemble du
Québec. dont 160 dans le Saguenay, demande à ses
troupes de gagner les rangs du comité d'organisation de
Michel Chartrand. Or, les élections, c'est bien connu,
« ça ne se fait pas avec des prières ». Trois militants syndicaux, Roger Verreault, Denis Lepage et Alain Proulx,
prennent la responsabilité d'emprunter, personnelle-
ment et conjointement, 10 000 $ à la Caisse d'économie
des employés de l'*Alcan* afin de garnir les coffres du
comité électoral de Michel Chartrand.

Dès le départ, Éric Dubois, ex-péquiste déçu qui
aurait aimé se présenter aux élections, se désiste en
faveur de Chartrand et devient son organisateur officiel.

Michel Chartrand et sa compagne Colette Legendre
débarquent donc avec armes et bagages à Jonquière. Il
faut tout d'abord combler les besoins élémentaires : se
loger, se chauffer, se vêtir et manger. Alain Proulx, conseiller syndical à la Fédération des syndicats du secteur
de l'aluminium, faisant preuve d'une grande générosité,
les héberge pendant toute la durée de la campagne électorale. L'épouse d'Alain, Doris Langevin, travailleuse sociale et excellente cuisinière, voit à l'intendance de la
maisonnée. Elle prépare tous les repas et voit au bien-être
des nouveaux arrivants. Ils seront chez eux chez elle.

Pierre Dubuc et Paul Cliche du Rassemblement pour une alternative politique iront eux aussi prêter main-forte au candidat Chartrand. Nicolas Dumais sera l'attaché de presse. On loue un local où travailleront, entre autres, Raymond Harton et Pierre Boucher. De mon côté, j'organise à Montréal une levée de fonds. Je réussis tant bien que mal à amasser quelque 3 000 $ que j'expédie rapidement à l'organisation de Chartrand. Mais ce ne sont que des montants fort dérisoires si on les compare aux moyens immenses dont disposent les vieux partis, le Parti québécois et le Parti libéral.

Le revenu de citoyenneté

Michel Chartrand se met immédiatement au travail. Il visite des groupes populaires, des foyers pour personnes âgées, un centre de séjour pour toxicomanes ainsi que le centre hospitalier Roland-Saucier. Il se met à l'écoute de la population et découvre rapidement les principaux problèmes de la région. Il est à même de constater tout le mal occasionné par les compressions dans les soins de santé et il dévoile son cheval de bataille le plus original : le revenu de citoyenneté.
Selon Michel Chartrand :

> Le revenu de citoyenneté, ce n'est pas la charité, cela constitue l'héritage laissé par les parents et le commencement du respect. Il contribuerait à redistribuer les richesses grandissantes et à éradiquer la pauvreté dans notre société. Ce revenu minimal remplacerait tous les programmes existants (aide sociale, pension de vieillesse, assurance-chômage), mais ne serait conditionnel ni à la participation à des programmes d'employabilité ni à la composition du ménage (seul ou avec un conjoint). Le citoyen qui en bénéficierait serait libre d'améliorer sa situation

Michel Chartrand, candidat du CCF dans le comté de Lapointe (Jonquière) en 1958. Alors, traiter aujourd'hui Michel Chartrand d'étranger dans la région… Collection Alain Chartrand.

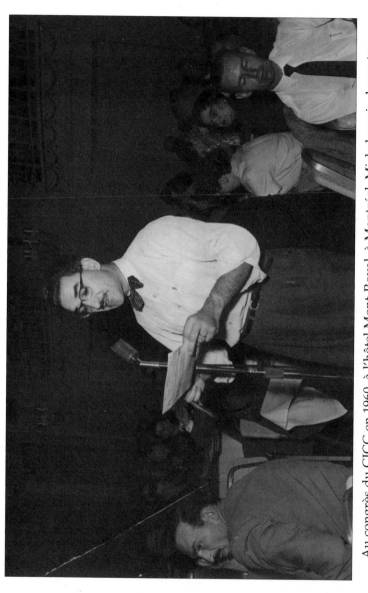

Au congrès du CJCC en 1960, à l'hôtel Mont-Royal, à Montréal. Michel a pris des notes. Collection Alain Chartrand.

Michel Chartrand aux côtés de Thérèse Casgrain, en 1961.
Collection Alain Chartrand.

Le congrès de fondation du NPD.
Michel et Thérèse Casgrain sont au centre.
Collection Diane Gagné.

Le 24 janvier 1963. Michel Chartrand aux côtés de militants
du Parti socialiste du Québec, dont Fernand Daoust
et Émile Boudreau.
Collection Alain Chartrand.

Michel Chartrand militant pour la paix.
Collection Alain Chartrand.

En 1963, une manifestation du comité pour l'action
non violente. Marie-Andrée et Suzanne,
les deux filles de Michel, à gauche.
Collection Alain Chartrand.

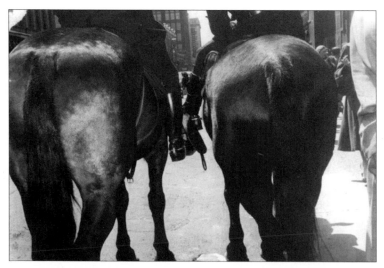

Voici les deux plus gros arguments des négociateurs
de *Dupuis et Frères*, en 1952.
Photo : Roger McGuinness.

L'avocat Théo L'espérance, défenseur de Michel Chartrand,
Gérard Picard et Jean Marchand entourant René Rocque,
le gréviste martyr des mineurs d'Asbestos.
Archives de la CSN.

Marie-Andrée Chartrand, alors âgée de 17 ans. Elle est décédée tragiquement en mars 1971 à l'âge de 25 ans.
Collection Michel Chartrand.

Simonne et Michel à Richelieu avec leur petit-fils Philippe-Emmanuel Chartrand, en 1967.
Collection Michel Chartrand.

Simonne Monet et Michel Chartrand en compagnie de leurs enfants, à l'occasion de leur vingt-cinquième anniversaire de mariage, le 17 février 1967.
Collection Michel Chartrand.

Toujours en politique, quarante ans plus tard, Michel Chartrand est de retour dans le comté de Jonquière, en 1998. Il affronte Lucien Bouchard, premier ministre du Québec et chef du Parti québécois, aux élections générales, où il n'est pas question de faire du *human interest*.

Photo : Chantale Harny.

avec des revenus d'emploi. La fiscalité, à revoir assurément, constituerait l'assurance que personne ne profite indûment de ce système.

Avec ce programme très avant-gardiste, Michel Chartrand attire les foules et tout particulièrement les jeunes. Au *Patro* de Jonquière, plus de 600 personnes viennent l'entendre pendant 2 heures. Il rappelle que ce sont les syndicalistes et les socialistes qui ont fait progresser le Québec et le Canada. Les nombreuses mesures sociales (pension de vieillesse, allocation familiale, assurance-chômage, assurance-hospitalisation, assurance-santé) que les gouvernements veulent réduire, ont été acquises de chaude lutte. Ce qu'il faut maintenant, dit-il, « c'est un revenu de citoyenneté. Les gens ont droit de vivre libres ». Il s'en prend aux compagnies qui ne paient pas suffisamment d'impôts alors que les citoyens sont étranglés. Michel Chartrand ne croit pas au « déficit zéro » mais plutôt à la « pauvreté zéro » !

> Inquiétez-vous pas, promet-il, je vais passer à travers. C'est Bouchard et Charest qui font la bataille de leur vie. Moi, ça fait longtemps que je pratique. Je veux préparer le terrain à l'élection future d'un candidat du peuple. Les jeunes du Québec ont éminemment manqué d'éducation politique, ces dernières années. C'est exactement pour ça que je suis candidat.

Les jeunes

« Chartrand, il a quatre fois mon âge et pourtant on a des idées communes. » C'est Éric, un des nombreux jeunes qui militent avec l'octogénaire, qui s'exprime ainsi. Ils sont plusieurs dizaines de jeunes à venir l'appuyer et l'aider, alors que le « pouvoir gris » est moins présent. Le local du candidat est installé en plein centre-ville, tout juste aux côtés de celui de la candidate libérale, Guylaine Caron. Les bénévoles, des jeunes en grande majorité, s'activent, classent des listes, répondent au téléphone. Pourquoi sont-ils là ?

> Chartrand ne fait pas de la politique comme tout le monde, note un jeune sur place. Il tient un contre-discours. Il est aussi le seul à parler de pauvreté zéro plutôt du fameux déficit zéro. Son franc-parler nous attire.

Franco Nuovo, dans sa chronique du vendredi 13 novembre dans *Le Journal de Montréal*, titre « Le vieux Tabarnak » :

> Contrairement à ce que certains se plaisaient à croire et redoutaient à son arrivée, il n'est pas considéré ici comme une caricature, ni comme un bouffon pathétique qui persiste à jouer son personnage et à faire du Chartrand pour du Chartrand.
>
> Pour plusieurs, le vieux Tabarnak est arrivé comme une bouffée d'air frais dans un comté où il n'y avait, politiquement et depuis belle lurette, plus rien de nouveau sous le soleil; un comté qui en arrache, où le taux des sans-emploi pointe vers le haut et où celui du suicide chez les jeunes est particulièrement élevé.
>
> On se dit que, peut-être, le rassembleur aidera à fissurer le mur imposant de la pauvreté, du chômage, de l'exclusion, qui, ici comme ailleurs, bouche les horizons. Chartrand finalement... c'est l'espoir.

Julie Morin, 22 ans, a perdu confiance en son ex-chef Bouchard, qui aurait approuvé que les militants péquistes de son comté, à la dernière élection fédérale, travaillent pour le candidat du parti conservateur plutôt que pour celui de Bloc québécois.

« Jonquière à l'heure de l'ouragan Chartrand », titre *Le Soleil* du 13 novembre 1998. On rapporte que Claudia Tremblay, 19 ans, porte le « gilet-bedaine » avec un anneau percé dans le nombril : « Pour une fois le monde de Jonquière va pouvoir voter pour le meilleur plutôt que pour le moins pire », affirme-t-elle fièrement.

Sur le terrain

Michel Chartrand a toujours travaillé sur le terrain, près du peuple. Se rendant dans un centre commercial pour acheter une pile pour sa montre, il n'en ressort que trois heures plus tard. Il est littéralement entouré par une foule de gens qui veulent le voir, lui serrent la main, lui demandent un autographe, veulent se faire photographier avec lui. Une jolie jeune fille lui demande :

— Monsieur Chartrand, est-ce que je peux vous toucher ?

Les yeux rieurs, d'une voix amusée, il lui répond avec un sourire narquois :

— Mais avec grand plaisir... ma belle !

Puis, s'adressant aux autres qui l'entourent :

— Il pogne encore, le vieux, han ?

Le fils spirituel et le frère ennemi

Le fils spirituel de Michel Chartrand, le professeur Léo-Paul Lauzon, titulaire de la chaire en études socio-économiques de l'Université du Québec à Montréal (UQAM), vient le rejoindre. Il lance en sa compagnie, au local électoral, le livre préparé par quatre chercheurs de sa chaire et intitulé *À qui profite la déréglementation de l'État ?*

À Montréal, le frère ennemi[1] de Michel Chartrand, Marcel Pepin, lance, en compagnie de l'auteur Jacques Keable, sa biographie, *Le monde selon Marcel Pepin*, dans lequel on peut lire : « Chartrand n'a jamais été un démocrate. En paroles oui, mais pas en pratique. »

Pour se défendre, Pepin dira aux journalistes :

> Cette phrase a été dite et écrite bien avant la présente campagne électorale, évidemment. Mais que voulez-vous, le sort en est ainsi.

Marcel Pepin explique, dans une entrevue au *Soleil*, qu'il respecte Michel Chartrand mais qu'ils ont toujours eu deux façons bien différentes de travailler.

Chartrand réplique :

> Ça ne me dérange pas beaucoup, parce que ce n'est pas exact. Curieusement j'ai déjà rempli le Forum de Montréal une fois, et Marcel n'était pas venu. J'ai un seul problème, c'est ma conscience.

Un sondage

Quelques jours plus tard, *Le Devoir*, dans son édition du 23 novembre, publie les résultats d'un sondage dans le comté de Jonquière : Lucien Bouchard obtiendrait 51,7 % du vote, Michel Chartrand 18,6 % et Guylaine Caron du Parti libéral, 13,8 %. Selon *Le Devoir*, l'appui important dont jouit Michel Chartrand est associé à un témoignage de reconnaissance, à un mouvement

---

1. Expression employée par Louis Fournier dans *Louis Laberge, le syndicalisme, c'est ma vie*, Québec-Amérique, 1992.

de solidarité syndicale dans une région où le chômage est élevé.

Cette élection est l'occasion, pour le candidat Chartrand, de redécouvrir les jeunes en qui il avait mis tous ses espoirs à la fin des années soixante.

Le mouvement syndical

Dans l'ensemble, le mouvement syndical n'est pas très chaud à l'idée de voir Michel Chartrand affronter le chef du PQ, M. Lucien Bouchard. En 1958, pourtant, dans le comté de Lapointe (aujourd'hui Jonquière), le candidat Chartrand avait reçu son appui inconditionnel. Les représentants du Conseil central de la CSN — mouvement dans lequel il a milité pendant la plus grande partie de sa vie syndicale — ont même refusé de recevoir le candidat indépendant Chartrand. Parce qu'il frappe aussi bien sur les péquistes que sur les libéraux, les dirigeants syndicaux sont restés de glace. Un appui officiel du mouvement syndical aurait pu faire une grande différence dans les résultats du vote.

Sprint final avant le scrutin

Quelques jours avant le scrutin, le comité électoral de Michel Chartrand organise trois assemblées publiques — c'est d'ailleurs, avec la télévision, ce qui lui réussit le mieux — à travers le beau comté de Jonquière. L'une est prévue à l'Agora de la polyvalente Kénogami, l'autre au *Patro* de Jonquière et un dernier grand rassemblement à la *Salle François-Brassard*. On convoque la population sous le thème « PAUVRETÉ ZÉRO pour un revenu de citoyenneté ».

Le professeur Léo-Paul Lauzon et son partenaire, le chercheur François Patenaude accompagnent Michel

Chartrand. Michel Chossudovsky, professeur en économie politique à l'Université d'Ottawa, collaborateur du
Monde diplomatique et auteur de *La mondialisation de la
pauvreté. Les conséquences des réformes du FMI et de la
Banque nationale*, a même fait le voyage de Montréal
jusqu'à Jonquière pour l'appuyer.

Le candidat Chartrand prend la parole et dénonce
les compressions du « *boss* des coupures », Lucien
Bouchard :

> Ça prend un changement rapide et radical dans les
> mentalités. Il faut faire une révolution... Plus de
> 1 280 Jonquiérois consacrent plus de 50 % de leur
> revenu au paiement du loyer. Il faut arrêter d'être
> patients et tolérants pour masquer notre peur d'ad-
> ministrer notre propre pays... Le Rassemblement
> pour une alternative politique est un outil pour
> repenser la politique à partir des besoins humains.

Un portrait dans *Le Devoir*

Dans *Le Devoir* du samedi 28 novembre, Jean Dion
brosse un portrait du Michel Chartrand tel qu'apparu
lors de la campagne électorale qui vient de se dérouler
dans Jonquière, sous le titre « Un vieux malcommode » :

> « Chus jamais assis chez nous, dit-il au journaliste.
> Dans le mois de novembre, j'avais à peu près
> 22 conférences à donner. Au Salon du livre de
> Rimouski, ils étaient en colère; j'étais l'invité
> d'honneur, mais j'ai dû leur dire que je restais dans
> Jonquière. »

> Jonquière, le fief du premier ministre du Québec,
> Lucien Bouchard, où Michel Chartrand a décidé de
> faire entendre, encore une fois, sa voix de mauvaise

conscience de l'ordre (du désordre?) établi. Chartrand, le vieux malcommode, 82 ans révolus le 20 décembre, candidat indépendant des pauvres, des exclus, des contestataires, de tous ceux qui ont envie de brasser la cage dorée du grand capital, des compagnies abonnées à l'aide sociale de luxe et de l'État qui se prosterne.

Chartrand, qui, selon le dernier sondage publié mercredi, va chercher 21 % des appuis dans la circonscription, qui reçoit des dizaines de messages de gens d'ailleurs qui à la fois l'encouragent et regrettent de ne pouvoir, pour des raisons géographiques, voter pour lui. Chartrand, candidat socialiste dans Jonquière en 1958, qui a choisi de se battre contre le *boss* lui-même, sur son propre terrain. […]

Comme d'habitude, Michel Chartrand frappe sur tout ce qui bouge. Il peint la société, mais il la peint au couteau. Mieux, à la scie à chaîne. Le PQ, le Parti libéral du « frisé de Sherbrooke », le « trou de cul de Rivère-du-Loup », le démantèlement du réseau de santé, le DÉFICIT ZÉRO, la complaisance des médias, le sort fait aux chômeurs et aux assistés sociaux, au monde ordinaire en général, les subventions aux entreprises, la trop douce quiétude dans laquelle on laisse s'enrober les nantis et les décideurs, « des crisses de baveux de prétentieux de câlisse, des parvenus qui nagent dans notre argent, des hosties qui viennent nous dire de nous serrer la ceinture ». Impossible de résumer, et encore plus de rendre par écrit une heure de discussion avec cet homme en colère, vieux lion qui mourra « piqué pas par une mouche, mais par des abrutis », mais qui, encore fougueux, droit comme un chêne qu'aurait à peine caressé la tempête, trouve le temps d'appeler ses commettants à « se révolter ». […]

Michel Chartrand mène campagne comme il a vécu et trouve encore le moyen de vivre. Dans la seule journée de mercredi, il a participé à une table ronde à la radio, donné une entrevue au *Devoir*, prononcé une allocution devant les étudiants de l'Université du Québec à Chicoutimi, rencontré des professeurs, pris part au lancement d'un livre sur le démantèlement de l'État à son bureau de comté, rencontré des employés à pourboire, puis participé à une assemblée publique en soirée en compagnie de son « fils spirituel », le prof Léo-Paul Lauzon de l'UQAM. Lui aussi déchaîné, soit dit en passant.

« C'est épouvantable. Épouvantable, répète-t-il au long de son parcours de combattant. On est encore des scieurs de bois, pis des porteurs d'eau. Le Québec régresse. Un million de pauvres. Crisse, on n'est pas dans un pays sous-développé. Moi, ça me scandalise et ça m'humilie, calvaire. Le peuple tourne en rond comme un chien qui joue avec sa queue et la mord des fois pour être sûr qu'il est bien vivant. »

Tantôt il amadoue ses auditeurs, leur parle d'amour et leur lit des poèmes, tantôt il leur brandit sous le nez la réalité nue et puante, sortant de sa mallette les couches qu'on fait porter aux patients âgés de l'hôpital de Chicoutimi et qu'on ne change que lorsque le contenu a dépassé le seuil de l'intolérable, tantôt il engueule les étudiants qui lui demandent comment changer les choses. « Organisez-vous, crisse. Tant que vous allez rester assis sur votre cul pis que vous allez baiser les pieds du PQ, ça va rester de même. »

Michel Chartrand rit aussi. Beaucoup. Autant il se dit incapable de feindre l'indignation, autant il assure que le rire est sincère. « Je ris pour me sauver, raconte-t-il. Les Québécois, si on n'avait pas eu le sens de l'humour, ça ferait longtemps qu'on serait morts. En plus, j'ai une petite hernie hiatale. Je ne peux rien garder sur l'estomac ! » [...]

Mais pourquoi le message de la gauche est-il à ce point confiné à la marge ? Voilà que les médias passent au coupe-coupe. Les journaux pensent tous de la même manière ? « Arrête-moi ça, câlisse. Ils pensent pas pantoute. Ils nous empoisonnent. » [...]

Dans l'entourage électoral de Michel Chartrand, on retrouve un nombre surprenant de jeunes. Désabusés de la politique politicienne, ils ont trouvé un mentor qui n'a rien de personnel à gagner et qui parle au vrai monde. Qui les autorise aussi à croire qu'il reste peut-être un espoir, qu'il y a encore une garde qui ne meurt pas, et ne se rend pas non plus.

J comme dans Jonquière

Le lundi 30 novembre 1998, sonne le moment de vérité.

Tantôt il neige, tantôt il pleut. Les routes et les rues sont glissantes, les automobiles et les piétons se déplacent. Certains bureaux de votation ouvriront avec un retard considérable. Dans les organisations partisanes, ce n'est pas encore la panique mais ça commence à y ressembler. Il arrive que l'électricité soit coupée pour de courts moments et certaines lignes de téléphone ne fonctionnent pas. Ceux qui dans leur travail doivent se fier à l'informatique sont aussi affectés. Les données sont incomplètes. Les organisateurs s'arrachent les cheveux. Un bordel magnifique. Il s'agit du pire scénario que l'on aurait pu imaginer pour cette journée d'élections.

Michel Chartrand se rappelle le matin de son mariage en février 1942. Il faisait un temps semblable et sa future belle-mère s'acharnait sur Simonne, tentant de la convaincre d'oublier son futur époux. Il avait réussi à s'en sortir avec les honneurs de la guerre. Le mariage avait bel et bien été célébré et la belle-mère s'était raccordée avec son gendre. Celui qui en a vu d'autres se retrousse les manches et en avant la compagnie!

L'équipe Chartrand est gonflée à bloc. Toutes et tous y mettent leur cœur, mais ils sont si jeunes... entend-on dire. Leur nombre est carrément insuffisant. On compte une dizaine de bénévoles alors qu'il y a 192 bureaux de votation. La norme minimale d'un travailleur d'élection par boîte de scrutin n'est même pas atteinte. On manque de moyens pour véhiculer les personnes qui ont de la difficulté à se déplacer. Afin d'insuffler, toujours et encore, de l'air neuf à ses militants, Michel Chartrand fait la tournée de tous les bureaux de votation.

Arrive le moment fatidique : l'ouverture des boîtes de scrutin. Les bénévoles de l'équipe Chartrand assistent impuissants au décompte du vote. Il est même arrivé que le résultat du vote en faveur de Michel Chartrand soit inversé pour Christian Lord, candidat du Parti naturel! C'est l'anarchie dans tous les polls.

Enfin, après déboires sur déboires, les résultats sont annoncés : Lucien Bouchard passe haut la main. On s'en doutait bien. Guylaine Caron, la représentante du Parti libéral, arrive deuxième. Et Michel Chartrand arrive bon troisième, alors que les sondages lui accordaient 20 % du vote!

Un malheur n'arrivant jamais seul, Michel Chartrand n'est pas parvenu à récolter le magique 15 % des votes afin de se faire rembourser 50 % de ses dépenses électorales, tel que le prévoit la loi électorale du Québec.

Si la tendance se maintient...

Revenons à la soirée des élections à la télévision de Radio-Canada. Le tout nouveau retraité, Bernard Derome, dirige comme d'habitude de main de maître son équipe de journalistes. Chacun y va de son commentaire, mais la soirée ne lève pas.

Tout à coup, on voit à l'écran apparaître Michel Chartrand. Il semble décontracté, il fume un petit cigare. On l'a affublé d'un casque d'écoute afin qu'il entende les commentaires de Derome.

Le jeune journaliste Roger Lemay à Jonquière n'est pas peu fier de sa trouvaille et il s'empresse avec vigueur de présenter son invité.

Roger Lemay, 20 h 54 :

— Oui, bonsoir, Bernard !

On entend en voix *off* une exclamation de Michel Chartrand :

— Ah !

Bernard Derome :

— Je sais très bien... et vous êtes... Enfin, il y a quelqu'un de l'extérieur du coin qui est allé faire campagne dans le comté du premier ministre.

Raymond Lemay :

— C'est que... c'est quelqu'un...

On entend Michel Chartrand dire :

— « De l'extérieur du coin... » Derome es-tu malade ?

Raymond Lemay (affichant un grand sourire) :

— C'est quelqu'un d'assez connu, vous l'avez reconnu... (on voit maintenant Michel Chartrand avec Raymond Lemay), Bernard, et effectivement... à ce stade-ci de la soirée, M. Chartrand, Michel Chartrand, qui s'est présenté ici comme candidat indépendant, serait apparemment troisième selon les derniers résultats qu'on a. Lucien Bouchard aurait été élu ici. J'ai M. Chartrand à côté de moi. Monsieur Chartrand, bonsoir.

Michel Chartrand :

— Je voudrais savoir quelle proportion il a eue, puis Michel Chartrand il est pas à l'extérieur du comté, il fait partie du Québec. Derome, tu devrais apprendre ça !

Raymond Lemay :

— Parlez-nous de votre campagne justement, monsieur Chartrand.

Michel Chartrand :

— C'est très bien. Puis je remercie mes collaborateurs... Puis je remercier les médias en général... Puis aujourd'hui j'ai été remercier tous les scrutateurs dans tous les bureaux de scrutin. Je suis très heureux. Puis on a fait une belle campagne. La pourriture, c'était le 8 novembre à Radio-Canada... Puis à TVA, puis tu continues à soir, mon Derome.

Raymond Lemay (qui ramène à lui le micro que Chartrand lui avait pris) :

— En tout cas... monsieur... Vous aurez compris... un homme assez coloré, Bernard, et... (applaudissements en sourdine) vous aurez compris qu'il y a ici beaucoup d'ambiance. Dites-moi, monsieur Chartrand, est-ce que...

Michel Chartrand :

— Là, là, si tu voulais faire des commentaires convenables, tu parlerais d'un vote proportionnel. Il y a des comtés où le PQ a été battu par les gens qui protestaient. Mais ça, vous ne connaissez pas ça. Vous êtes des appendices du pouvoir.

Bernard Derome :

— Non... J'étais très content, monsieur Chartrand. Je vais vous souligner une chose, monsieur Chartrand, c'est qu'actuellement les données pour ce qui est de votre comté... le système informatique ne fonctionne pas, donc je ne suis pas en mesure d'avoir exactement...

Michel Chartrand (reprenant le micro à Raymond Lemay) :

— Ah l'informatique ! Ça fonctionne pas, c'est comme les comptes chez *Eaton* ça, ostie. Quand ils veulent pas payer, ils disent que l'informatique marche pas.

Bernard Derome (reprenant ses feuilles en main et... l'antenne):

— Bon, est-ce qu'on peut quand même vous souhaiter bonne fête pour le 20 décembre prochain? Vous aurez 82 ans et c'est merveilleux de vous voir là! Merci beaucoup!

Michel Chartrand:

— C'est gentil. Le *human interest*... ça me fait chier...

Bernard Derome (toujours souriant):

— Ah bien... mon Dieu... et là là... quelle table des matières vous avez... (rire). Bon maintenant, les élus...

Et c'est à cause de cette sortie fracassante de Michel Chartrand que la soirée des élections à Radio-Canada a pu faire parler d'elle le lendemain dans tous les médias écrits d'information.

Human interest, la suite

Quelque temps plus tard, Michel Chartrand est interviewé par Denise Bombardier à la télévision de Radio-Canada. La journaliste auteure écrivaine en profite pour lui rappeler l'incident de la soirée des élections avec Bernard Derome. Elle lui demande ses commentaires et il lui répond:

Derome a couru un peu après. Il m'a mis le feu quelque part quand il m'a présenté comme un gars de l'extérieur. Ma famille est au Québec, au Canada, depuis 14 générations et j'aime pas beaucoup qu'on me traite d'étranger dans mon pays.

Quelques mois plus tard, en février plus précisément, à l'émission *Le Point J* du réseau de télévision TVA, l'animatrice Julie Snyder en profite pour lui faire visionner la scène du *human interest*.

— Monsieur Chartrand, qu'est-ce que vous avez à dire sur cet événement?

Souriant, un peu penaud, il lui répond:

— Derome, c'est un bon gars, il ne mérite pas ça. C'était pas correct de le traiter comme ça. Il ne méritait pas ça! C'est un homme compétent et charmant...

Ne voulant pas être en reste, le 30 juin dernier, avec la collaboration du journaliste Célestin Hubert et de la script-assistante Isabelle Vallée, de la télévision de Radio-Canada, je réussis à faire une brève entrevue avec Bernard Derome. Celui-ci est en pleine répétition pour l'émission portant sur les Fêtes du Canada qui sera télédiffusée en direct de la colline parlementaire à Ottawa, le lendemain, 1er juillet. Malgré son horaire chargé, Bernard Derome nous livre en exclusivité les commentaires suivants:

> J'ai toujours considéré Michel Chartrand comme un homme intelligent, pour qui j'ai toujours eu beaucoup de respect. Il a fait énormément pour le Québec et il a donné beaucoup de sa personne. Il a toute mon admiration et même si son ton était un peu gauche, un peu revanchard, à la soirée des élections, le 30 novembre dernier, il a toujours su démontrer beaucoup de courage et d'honnêteté dans tout ce qu'il entreprenait. Ce soir-là, il était peut-être un peu déçu du résultat. C'est un homme qui défend des principes par l'action le moment venu. Je l'ai toujours dit, un soir d'élection, il y a beaucoup de prétendants, mais très peu sont élus. Je ne suis pas amer et je ne garde aucune rancune. Cet incident fait partie du passé et je ne comprends pas qu'on y ait accordé autant d'importance. Encore une fois, M. Michel Chartrand a toute mon admiration et mon respect.

Épilogue de l'épilogue

Michel Chartrand et son organisation, le lendemain des élections, doivent toujours rembourser l'emprunt à la Caisse d'économie. Il y a eu des dons, des souscriptions, des collectes, mais les sommes amassées ne suffisent pas à rembourser l'emprunt dans sa totalité. Le comité a organisé, au cours du mois d'avril, un souper-spaghetti bénéfice afin d'éponger une partie de la dette et le solde de l'emprunt a été remboursé par les militants de la première heure.

Tous ont droit maintenant à un repos bien mérité. Michel Chartrand et sa compagne Colette sont partis le 30 avril vers la France. Ils passeront par la Bourgogne pour y faire leur provision de bonnes bouteilles de vin et ils iront se reposer dans le décor enchanteur de la Provence. D'autres braves guerriers de la campagne électorale, Léo-Paul Lauzon et Alain Proulx, iront les rejoindre par la suite.

Dernière heure : Michel Chartrand a l'intention de poser sa candidature aux prochaines élections générales au Québec. Pourquoi ?

Je serai ainsi inscrit dans le *Livre des records Guinness*, comme la personne la plus âgée à se présenter comme candidat à une élection générale au Québec.

Témoignages

Je travaille depuis le mois de novembre 1991 à la préparation de cet ouvrage sur Michel Chartrand. Au fil de mes recherches, j'ai fait plus d'une centaine d'entrevues avec ses amis, ex-amis, parents, confrères de classe, collègues et vagues connaissances. Tout un chacun a son opinion bien arrêtée sur Michel Chartrand. Qui n'en a pas?

Voici, succinctement, sans identifier leurs auteurs, certaines opinions et confidences qu'on m'a livrées sur lui. J'y ajoute à l'occasion, mes propres remarques. J'espère que ces fragments de témoignages pourront aider les lecteurs à mieux comprendre et cerner ce personnage public.

Mais tout d'abord, voici un acrostiche écrit par Émile Boudreau, un vieux partenaire de combat de Michel Chartrand. Ce texte a été rédigé peu après l'incarcération de Michel, le 16 octobre 1970, en vertu de la *Loi des mesures de guerre* du Canada.

Mesures de guerre… appréhension… insurrection…
Insidieuse conspiration… sombre sédition…
Complots… perquisitions… panique… arrestations…
Homme en kaki… soupçons… armée… occupation…
Et voilà que pour bien mater ta résistance
Le POUVOIR te menotte et te jette en prison!

Criminel d'habitude dans la contestation !
Honnêtement, tout haut, et d'un ton claironnant,
Acerbe très souvent, même un peu fanfaron,
Rageur ou ironique, raisonneur ou cinglant,
Ton rire victorieux confondant l'adversaire,
Respectueux du faible, méprisant l'arrogance,
Autant que l'injustice, autant que l'arbitraire,
Non ! Parthenais ne peut te réduire au silence !
Dompter un comme toi, y a pas une osti d'chance !

❏

• ACTION

« Si on fait exception de la FATA, Michel n'a pas été un gars d'action dans le sens habituel. C'est un « contre ». C'est un contestataire. C'est de cette façon qu'il aborde les problèmes, il est contre. »

« Je pense que c'est un homme qui a une culture d'homme d'action au sens de l'ouverture d'esprit, de connaissance des choses concrètes. »

« Michel, ce n'est pas un gars d'action, c'est un tribun qui dit tout haut ce que les gens pensent tout bas. C'est un générateur, un géniteur de pensée, d'action ; il n'est pas à l'action, il génère plutôt l'action, il la provoque, et la FATA en est un exemple extraordinaire. La réussite de Chartrand, c'est de s'être associé à des gens qui y ont cru. »

• ACTIVISTE

« Michel Chartrand, c'est un activiste sincère. »

« Michel était plus un agitateur qu'un organisateur ou un activiste. C'est un agitateur de génie comme il n'y en a plus à l'heure actuelle. J'en connais un autre, Pierre

Vallières, qui a été capable de foutre le bordel n'importe où. »

• ACUITÉ

« Un ami lui a dit : "Je perçois ton regard comme un rayon X. Tu regardes quelque chose et tu perces la matière, tu vois ce qu'il y a au fond. Et quand tu vois que c'est écœurant, tu perds les pédales, tu te mets à hurler d'indignation et à gueuler. Si toi, tu as vu, personne d'autre ne l'a vu. Là, ils disent que tu t'énerves et toi tu dis que ce sont des aveugles, qu'ils ne voient pas clair, que ce sont des imbéciles. Mais ce ne sont pas des imbéciles et toi, parce que les autres ne s'énervent pas, tu dis que ce sont des imbéciles. Mais, Michel, ils n'ont justement pas l'acuité de ton regard sur ce qu'il y a au sein de la matière. Toi, tu le vois." Il y a eu alors un silence énorme. Nous avons fini de dîner en silence. Je me demandais s'il était en maudit ou s'il réfléchissait. »

• AMITIÉ

« Je pense que lorsque Michel croit à une cause, jamais il ne va dévier, ni par amitié ni par camaraderie. Michel, c'est un gars que tu ne peux pas acheter, sous aucune considération. Même l'amitié ne l'achète pas. Je trouve cela très admirable. »

• ARGENT

« C'est vrai que l'argent n'a jamais été une question dominante pour lui. Il a souvent confronté le pouvoir alors qu'il était démuni, c'était David face à Goliath. »

« Si Michel avait aimé l'argent, il aurait pu en faire et beaucoup. »

« Pour lui, l'argent est en bas de l'échelle des valeurs. Il est tout à fait capable de lire des bilans financiers. Il connaît très bien les mécanismes économiques
qui nous régissent, il connaît la valeur des choses, il
connaît la valeur de l'argent, ça c'est sûr, sauf que pour
lui, l'argent ce n'est pas une marchandise, c'est un
moyen primaire seulement. »

• ARTISTE

« Michel, c'est un artiste, c'est un poète, un comédien,
il a beaucoup d'expression. En même temps, il a une dimension qui a besoin d'être la sienne, de sorte qu'il n'aurait
jamais pu être un acteur qui joue les pièces des autres. »

« Derrière son côté extrémiste, je sentais toujours
son côté idéaliste. Pour moi, c'est important. Cela le fait
passer pour un farfelu assez souvent. »

« Michel est un amuseur, mais d'une grande qualité. »

• BOURGEOISIE

« Pour moi, c'était évident qu'ils étaient l'intelli-
gentsia du temps, la bourgeoisie quoi. D'ailleurs, ça
prend des bourgeois pour avoir leur désinvolture, surtout comme Trudeau, ça pressait, c'étaient des arrogants,
ils n'avaient peur de rien, en prison ou à Outremont, ils
sont sûrs d'eux. »

• CHARISME

« C'est un homme qui a une espèce de connexion
avec les sentiments populaires ; il peut exprimer ce
qu'eux ne peuvent pas exprimer pour toutes sortes de
raisons : manque d'éducation, manque de force et
d'énergie. C'est un porte-parole qui va chercher dans les
tripes, ce n'est pas tout le monde qui peut faire ça. C'est

pour ça que c'est extrêmement important. Le grand charisme, ça a deux sens. Castro était comme ça. Michel va chercher les choses dans les gens, il les vit et il les crache. C'est presque le contraire de la démagogie parce que la démagogie, c'est un calcul d'utilisation des gens à son propre service. Un leader charismatique va sentir les sentiments les plus inexprimés des gens, il les exprime dans un mélange de ses propres mots et de leurs mots. Il utilise des mots simples qui vont porter, des mots imagés, des mots qui communiquent. Mais ça ne fait pas des gens qui vont faire des analyses de situation plus ou moins embrouillées. C'est le contraire des stratèges sauf qu'ils jouent un rôle objectif dans une stratégie globale. Ce sont des gars seuls. Ils ont beaucoup de difficultés à communiquer, ça reste tout enfermé. »

• CHOQUANT

« Michel Chartrand est un éveilleur de conscience. Il choque l'inertie, le *statu quo*, la paresse intellectuelle des bien-pensants. Quand on n'est pas d'accord avec lui, on dit qu'il radote ; quand on l'écoute très bien, les gens disent qu'il a mauditement raison. C'est vrai qu'il répète les mêmes choses, mais c'est vrai que ça ne change pas vite non plus. Il le fait de façon bruyante, de façon volontairement choquante, de manière à ce que les gens visés soient éveillés, que ça leur fasse plaisir ou non. »

« Ça nous en prend un. S'il n'y en avait pas il faudrait le trouver, mais s'il y en avait deux ce serait un de trop. »

• COLÈRE

« Il a une espèce de colère fondamentale dont je ne connais pas l'origine. Son action est claire, il ne patine pas beaucoup. »

« Tant qu'il exprimera en paroles les frustrations, les colères, les sentiments, les émotions, ça restera là, il n'y aura pas de débandade, de casse, de violence. »

• CONSTANT

« Il a toujours été constant contre la magistrature, contre l'*establishment*. Il est toujours pour le petit. Il est quasiment inconditionnel du côté du petit. Même si le petit a tort sur le plan légaliste, Michel va trouver une sortie. »

« Une des choses qui m'a toujours impressionné chez Michel, c'est la constance de sa pensée. Probablement qu'il y a bien du monde qui vont te dire ça. Le Michel que j'ai connu en 1957, c'est le Michel d'aujourd'hui. Tu peux reconnaître ses opinions, c'est toujours la même ligne. Le fait de respecter sa parole, cette droiture-là, ça c'est constant chez lui. C'est ce qui en fait un bonhomme si fascinant malgré tous les reproches qu'on pourrait lui faire. »

« Malgré tout, il y a une chose fondamentale, c'est que Michel n'a jamais trahi la classe ouvrière. Et ça, compte-les sur tes doigts, ceux dont tu peux dire ça. Moi, je n'en connais pas d'autre. Il n'a jamais, jamais, jamais lâché et nomme-moi n'importe qui que tu connais, ils l'ont tous lâché à un moment donné. »

• CONTEMPLATIF

« C'est quasiment incroyable, mais Michel est probablement un contemplatif déguisé. C'est un homme qui non seulement réfléchit mais médite. »

• CONTRADICTION

« Il y a peut-être une contradiction entre son caractère et son idéal démocrate. »

« Michel, dans ses contrastes, est un grand parleur et un grand muet. À l'occasion, il fait le vide autour de lui. »

« Michel aimait s'entourer d'universitaires et d'intellectuels en même temps qu'il pouvait les mépriser comme tribun. Ça fait partie du paradoxe de l'homme. »

« C'est un homme multiple, contradictoire, touffu avec toutes sortes de dimensions et beaucoup de profondeur. »

• CULTURE

« Il a la culture d'un homme d'action, d'un gars sensible quand il voit, quand il entend, au sens très large du terme. C'est la seule culture que je reconnais. La culture des intellectuels, ça vaut ce que ça vaut. C'est valable, je ne veux pas la mépriser, mais ce n'est pas la seule. »

• DÉMOCRATE

« C'est très fréquent que les plus grands démocrates aient des comportements autoritaires difficilement en accord avec leurs principes. »

• DISCIPLINE

« Pour survivre dans le monde où a vécu Michel Chartrand, avec les prescriptions qu'il s'est données, il fallait être dur pour soi-même, il fallait être discipliné, il fallait s'accepter soi-même, il fallait accepter de travailler dans une société mal orientée, ne pas se livrer au désespoir, ni au défaitisme. C'était une tentation de tous les moments tellement la démonstration était forte que la société ne voulait pas des solutions qu'il proposait. Il allait de l'avant quand même. Ça, il faut être dur pour faire ça. Les mous s'effondrent. »

• DISCOURS

« Quand Michel est seul avec une personne, il y a un type de communication et, dès qu'il se retrouve avec plus d'un auditeur, il se croit devant une foule. »

« Tout le monde sait que lorsque tu vas rencontrer Michel seul à seul pour jaser de quelque chose c'est un gars avec qui tu peux avoir de maudites bonnes conversations et atteindre des compromis et des consensus et parler avec du bon sens. Le problème, c'est que lorsqu'il y a deux personnes, alors là, il y a une foule. Michel réagit comme s'il y avait 500 personnes dans la salle. Il change complètement. »

• ÉCOUTE (L')

« Michel appartient à une catégorie de personnes qui n'écoutent pas directement. Ils écoutent indirectement. Gaston Miron était aussi comme ça. Quand tu parlais avec Gaston, tu n'étais pas capable de placer un mot. Il finissait par dire ce que toi, tu voulais lui dire. Il faisait une espèce de *scanning* alentour. Michel est un peu comme ça aussi. »

• ÉVEILLEUR

« Michel a été un éveilleur, il a secoué le pommier ; il fallait que quelqu'un le fasse. »

• FORCE

« Chartrand, c'est une force morale et physique. C'est une force de la nature. »

• HONNÊTETÉ

« Ce qui m'a toujours frappé le plus chez Michel, en dehors de ce sens de la provocation, c'est sa droiture et son honnêteté intellectuelle hors du commun. C'est hors du commun. »

• HISTOIRE

« Donc, il ne veut pas que l'on écrive sur lui. Ça doit le chatouiller parce que, quand il sera mort, il s'en fout, mais de son vivant, c'est : "Ne jouez pas avec mes bretelles." Il ne veut pas passer pour un patriarche, il ne veut pas entrer dans l'histoire avant le temps, mais il veut faire l'histoire pendant qu'il aura du temps. Tant qu'il sera dans le temps, Michel va vouloir faire l'histoire avec son envergure, avec l'impact qu'il peut avoir. Il raconte des histoires et il fait l'histoire. Et cette histoire qu'il veut faire avant d'entrer dans l'histoire, il veut la faire jusqu'à son dernier souffle. »

« C'est quelqu'un de riche avec une image d'iconoclaste bien voulue par lui-même, et de l'autre côté, il y a l'ampleur de son action. C'est un témoin d'une période de l'histoire du Québec. »

• INTOLÉRANT

« Michel est très intolérant à l'égard de tout ce qui est égoïsme, individualisme ou domination par d'autres. »

• JOUISSEUR

« Michel est un amoureux de la vie. C'est un grand jouisseur mais pas seulement pour lui, il en veut pour tout le monde. »

• JUSTICE

« C'est un bonhomme assoiffé de justice et d'amour pour les pauvres et les travailleurs. »

« Michel est un homme qui a préféré le désordre à l'injustice. »

« Son catéchisme, ça peut être sa profession de foi envers les malpris, les mal-aimés, les démunis de la société. »

« Michel vit en désespéré, il vit toujours comme s'il allait mourir la semaine prochaine. »

• NUANCÉ

« Michel n'a jamais été un esprit très nuancé. Il jugeait que ce n'était pas son rôle d'exprimer des nuances. »

• PENSÉE

« Il est pressé de tout dire. Il sait ce qu'il veut dire et parfois il prend des raccourcis trop rapides pour son auditeur et son auditoire, de sorte qu'il arrive que sa pensée paraisse un peu floue et débridée. »

• PÉDAGOGUE

« Michel, c'est une école ambulante qui est toujours en apprentissage, qui suit la vie, qui rebondit. »

• PEUR

« Michel Chartrand a été celui qui a enlevé la peur, le respect que le monde ordinaire avait pour la hiérarchie et l'argent. »

• PHÉNOMÈNE

« Je le classe parmi les hommes qui ont un style peu commun mais dont le genre est tel que l'on ne s'offusque pas qu'ils soient comme ça. Pour des raisons difficiles à définir, ça leur convient et ils sont acceptés comme ça. Ces gens-là sont des espèces de phénomènes. Ce sont des genres qui inspirent confiance d'une certaine façon ; ils ont un style à eux, on n'a même pas l'idée de les blâmer pour leur attitude. Il a la conscience très réelle d'un rôle à jouer dans la société. Il faut qu'il y en ait comme ça. À cause de ça, ils ont un rôle particulier, ils font débloquer des choses quand ça ne débloque pas. »

• POLITIQUE

« Sur le plan politique, il a démystifié beaucoup l'espèce de peur et de mythe entourant le mot *politique*. Dans le monde populaire, comme dans le monde syndical. Il a commencé à démystifier cela en disant : " La politique, c'est de s'occuper de ses affaires, c'est de s'occuper de sa commande d'épicerie parce que les prix sont élevés." Il le disait d'une façon très vulgarisée et le monde approuvait. »

• PROVOCATEUR

« Il est d'une honnêteté brutale, totalement bête. Ce genre de personnes-là, il n'y en a tellement plus que, quand tu en rencontres un je dis que c'est une espèce de phénomène. Dans un sens, j'ai toujours considéré Michel comme une manière de Christ parce qu'il a la même pureté et la même droiture que le Christ a eues en son temps et aussi le même sens de la provocation. C'est le plus grand provocateur que j'aie rencontré dans ma vie. Et c'est un provocateur qui ne s'est jamais usé. Généralement, les gens qui ont le sens de la provocation l'ont jusqu'à l'âge de 27 et ensuite, ils se calment, mais Michel ne s'est jamais calmé. C'est quand même agréable de voir que des gens peuvent continuer d'avoir le sens de la provocation même à 80 ans et plus. »

• PUDEUR

«Je connais Michel comme étant un homme généreux et qui a beaucoup de pudeur. Il a une espèce de couche profonde un peu mystique qui ne l'empêche pas de s'exprimer avec fracas. Donc, cette timidité, c'est plus de la pudeur, ce n'est pas de la pudibonderie. Il a un respect de l'être humain. Cette pudeur et ce respect de l'être humain sont tellement profonds que lorsqu'il voit qu'on les méprise, il éclate comme un volcan et ça se transforme en une canonnade épouvantable vis-à-vis de ceux qui agissent par mépris contre ces valeurs humaines et cette pudeur intime d'une personne humaine. Son expression a l'air contradictoire ; c'est qu'elle est tellement profonde, tellement grande que l'éclatement, avec le tempérament qu'il a, fait que c'est un volcan qui éclate.»

• RANCUNE

«Il oublie très vite ce qui s'est passé. Il ne revient jamais sur les choses comme ça. Il n'a pas d'agressivité mesquine. Il n'y a aucune mesquinerie chez Michel.»

• RESPECT

«Le tout premier souvenir que j'ai, c'est le respect ambigu parce que dans mon milieu d'origine, qui était très pauvre, il y avait une admiration secrète pour Michel Chartrand. En parler trop ouvertement, c'était endosser ses excès, son langage. On gardait ça en dedans. On l'aimait beaucoup et on le rejoignait, mais on n'allait pas se battre la gueule sur la place publique pour Chartrand. C'était trop à défendre d'un seul coup.»

• SAINT

«Michel, c'est un saint diabolique. Il passe sa vie à chasser les vendeurs du temple.»

« Michel, c'est un gars qui a vraiment une pensée religieuse. Il venait à l'occasion me voir à la campagne. Il arrivait généralement à brûle-pourpoint. Il était d'ailleurs extrêmement timide quand il arrivait comme ça, il avait toujours l'impression de déranger. Je me souviens d'avoir dit à ma compagne et à des amis que ce gars-là, c'est un saint, et personne ne le réalise. Je n'en ai pas connu beaucoup dans ma vie : Jean Vanier, Michel et peut-être deux ou trois trois autres. Je me souviens qu'une de mes amies m'avait demandé ce que j'avais en commun avec lui, elle disait : "Il me semble que ça n'a pas de bon sens que vous vous aimiez." Je lui ai dit : "Je le connais depuis toujours et c'est un gars à qui je suis toujours resté attaché de façon sensible. Probablement, ce qui m'attire chez ce gars-là, c'est l'espèce d'incarnation de ce que devrait être un saint." Je pensais qu'elle était pour tomber à terre. Parce que quelqu'un qui ne connaît Michel que par ses déclarations publiques, par ses apparitions publiques, comme 90 % de la population, il doit penser que c'est un crisse de fou. »

« Quand je dis que Chartrand est mystique, c'est qu'il y a toujours eu un combat entre le bon et le mauvais en lui. C'est aussi bête que ça. Ça fait partie de sa vie depuis toujours. Quand tu dis qu'il culpabilise, c'est par rapport à l'idéal qu'il s'est donné comme objectif à atteindre et qu'il n'a jamais atteint et il est assez conscient et honnête pour reconnaître qu'il n'a pas été du tout le gars qu'il aurait voulu être. Lui aurait aimé être un saint. Je suis sûr que c'est le défi qu'il s'était donné à la Trappe. Les sautes d'humeur qu'il avait n'étaient pas dirigées contre nous mais contre lui-même. Toute sa vie, ça a été ça : ce qu'il aurait voulu être et ce qu'il n'a pas été capable d'être. Tant qu'il ne reconnaîtra pas qu'il n'est pas un saint mais juste un maudit bon gars, il va avoir des problèmes. »

• SENSIBLE

« Michel est un être de grande sensibilité. Il est capable d'"intuitionner" beaucoup de choses. J'ai vécu cela souvent avec lui, une espèce de conversation-monologue où c'est surtout lui qui parle, mais il finissait par dire ce que je voulais qu'il dise. »

• SINCÈRE

« Ceux qui se posent en défenseurs de la justice d'une façon qui dépasse le commun, qui sort des normes habituelles, en paient le prix. Ce que l'on demande à ces gens-là, c'est de la sincérité. Dans le cas de la sincérité, Michel n'a jamais dévié. Quand quelqu'un n'est pas sincère, tu t'en aperçois à un moment donné. »

• SPIRITUEL

« Le choix de Michel est d'ordre spirituel. C'est vraiment très clair. »

« Je pense que Michel est allé à Oka parce que justement il avait ce tempérament mystique. Après ça, il a vu que ça pouvait s'exprimer autrement. Tout ce que je peux dire, c'est que lorsque tu as des choix aussi clairs dans la vie que ceux de Michel, qui n'a jamais viré capot, cela suppose qu'il y a dans ton for intérieur des convictions profondes. »

« Les gens qui ont des convictions profondes comme ça sont des gens qui ont une spiritualité plus forte que la moyenne. Ça prend plus que des ambitions pour tenir foncièrement et fondamentalement le même langage toute sa vie. »

• UTOPIQUE

« Je trouve que Michel est un type qui croit vraiment à ce qu'il fait. Je crois que c'est un pur tout en étant l'être le plus complexe et le plus contradictoire qu'on voudra, mais le fond du personnage, c'était ça. Il n'aime pas les demi-mesures, et ça peut nous faire chier, mais il joue en quelque sorte le rôle d'une espèce d'incarnation de l'utopie. Il est lui-même une sorte d'utopie. »

• VIOLENCE

« Michel a toujours dénoncé des choses qui pour lui sont intolérables. Et, quand une chose pour Michel est intolérable, il n'y a pas assez de violence pour la dénoncer. C'est exactement le même principe que le Christ avec les vendeurs du temple. C'est dans ce sens-là que je dis que Michel est un personnage évangélique. Quand pour Michel c'est intolérable, il n'y a aucune violence qui n'est pas justifiée pour te débarrasser de l'intolérable. Ça dans un sens, c'est exactement la position du Christ. »

• VISIONNAIRE

« Michel a été un visionnaire du syndicalisme. Et ce gars-là n'est que le reflet de beaucoup de gens. Il a été mythique par sa volonté d'affronter le système. C'est un mythe de son vivant, ça n'a rien à voir avec la foi ou le mysticisme. C'est ce qui faisait la force de Chartrand et qui faisait qu'on le suivait, c'était pas pour l'argumentation, mais ce gars-là était le seul unique symbole d'honnêteté et de continuité. »

« Il faut comprendre comment ce gars-là réfléchissait. Il ne faisait que ça… réfléchir à tout, à tout. Il ne travaillait pas, il ne réfléchissait pas aux mises en boîte. C'était spontané. Mais il réfléchissait sans arrêt, c'était sa force d'avoir les moyens de pouvoir réfléchir. »

Ces citations (en désordre) sont de :

François-Albert Angers, Florent Audette, Clothide Bertrand, Robert Bouchard, Émile Boudreau, Bernard Boulanger, Robert Burns, Christiane Charette, Fernand Dansereau, Guy Fournier, Philippe Girard, Gilles Girard, André Gravel, Jacques Desmarais, Yves Laneuville, Jean Laurendeau, Yves Laurendeau, Adèle Lauzon, Pierre Lebeuf, Marcelle Leclerc, Jean Legendre, André L'Heureux, Pierre Marin, Jean Ménard, Rosaire Morin, Madeleine Parent, Gérard Pelletier, Gérard St-Denis, Gaétan Tremblay, Pierre Vadeboncœur, Jean-Yves Vézina et l'auteur, bien évidemment.

Sigles utilisés

ACJC :   Action catholique de la jeunesse canadienne
ALN :   Action libérale nationale
BP :   Bloc populaire
BPC :   Bloc populaire canadien
CCF :   *Commonwealth Cooperative Federation*
CCSNM : Conseil central des syndicats nationaux de Montréal (CSN)
CEQ :   Centrale de l'enseignement du Québec
COTC :   *Canadian Officer Training Corps*
CSN :   Confédération des syndicats nationaux
CTC :   Congrès des travailleurs du Canada (en anglais CLC — *Canadian Labour Congress*)
CTCC :   Confédération des travailleurs catholiques du Canada
CTM :   Conseil du travail de Montréal (FTQ)
FATA :   Fondation pour l'aide aux travailleuses et travailleurs accidenté-e-s
FLQ :   Front de libération du Québec
FTQ :   Fédération des travailleurs et travailleuses du Québec
GRC :   Gendarmerie royale du Canada
JAC :   Jeunes agriculteurs catholiques
JEC :   Jeunesse étudiante catholique
JIC :   Jeunesse indépendante catholique
JOC :   Jeunesse ouvrière catholique

MSA :	Mouvement souveraineté-association
MQF :	Mouvement Québec français
NPD :	Nouveau Parti démocratique
PC :	Parti communiste canadien
PC :	Parti conservateur (Parti progressiste-conservateur)
PLC :	Parti libéral du Canada
PLQ :	Parti libéral du Québec
PP :	Police provinciale (aujourd'hui Sûreté du Québec)
PPOC :	Parti progressiste ouvrier canadien, autre nom pour le Parti communiste canadien
PQ :	Parti québécois
PSD :	Parti social-démocratique
PSQ :	Parti socialiste du Québec
RAP :	Rassemblement pour une alternative politique
RAQ :	Régie des alcools du Québec
RCMP :	*Royal Canadian Mounted Police*
RIN :	Rassemblement pour l'indépendance nationale
SAQ :	Société des alcools du Québec
SSJB :	Société Saint-Jean-Baptiste
UCC :	Union catholique des cultivateurs
UN :	Union nationale
UPA :	Union des producteurs agricoles

Remerciements

Je voudrais tout d'abord remercier ceux qui m'ont soutenu et appuyé sans réserve, Suzanne, ma fiancée, Martin mon fils, Lucien mon frère et Yves Lacroix, bibliothécaire à la CSN. J'ai envers eux une dette d'honneur que je ne pourrai jamais rembourser. Il y a aussi Adèle Lauzon, Diane Cailhier et Alain Chartrand, et mon éditeur Jacques Lanctôt, que je remercie de leur patience à lire et commenter mes écrits inaccoutumés, un peu désordonnés et parfois insolites, pour ne pas dire insolents.

Enfin, toutes ceux et celles qui m'ont gracieusement et avec générosité accordé des entrevues et aidé dans mes recherches.

Je prends le risque de les nommer et je m'excuse à l'avance auprès de ceux dont je pourrais omettre le nom. Allons-y par ordre alphabétique :

Luc Allaire, François-Albert Angers, Ronald Asselin, Florent Audette, Nicolas Back, Dr Roch Banville, Béatrice Chiasson, Roger Bédard, Monique Belzil, Clairmont Bergeron, Léandre Bergeron, Clothide Bertrand, Léopold Beaulieu, Gérard Bois, Sylvie Boisvert, Robert Bouchard, Émile Boudreau, Virginie Boulanger, Bernard Boulanger, Jacques Bourdouxhe, Me Robert Burn, Michel Cadorette, Claude Charron, Dominique Chartrand, Hélène Chartrand, Jacqueline Chartrand-Cornellier, Jacques Chartrand, Lilianne Chartrand, Madeleine Chartrand, Marie

Chartrand, Maurice Chartrand, Micheline Chartrand, Maurice Chartrand, Philippe Chartrand, Suzanne Chartrand, Viliot (Gerry) Chartrand, Denise Choquet, Paul Cliche, Me Pierre Cloutier, Marc Comby, André Cornellier, Joachim Cornellier, Lucie Courtemanche, Pierre Cousineau, Bernard Couvrette, Jean Couvrette, Lucie Couvrette, André D'Allemagne, Fernand Dansereau, Pierre Dansereau, Fernand Daoust, Bernard Derome, Thérèse Desforges, Jacques Desmarais Frank Diterlizzi, Éric Dubois, Pierre Dubuc, Nelson Dumais, Rezeq Faraj, Gérard Filion, Lise Fontaine, Roland Forget, Guy Fournier, Louis Fournier, frère Adrien Corriveau, Frère André Picard, Diane Gagné, Théo Gagné, Charles Gagnon, Sylvio Gagnon, Jean-Paul Geoffroy, Gilles Girard, Philippe Girard, Jean Gladu, André Gravel, Raymond Harton, Célestin Hubert, Richard Johnson, Jean-Noël Lacas, Marie-Claire Laforce, Érich Laforest, Jacques Lafrenière, Renée Lajoie, Juliette Lalonde-Rémillard, Marcel Lambert, Claudette Lamoureux, Yves Laneuville, André Laplante, Gérald Larose, Jacques Larue-Langlois, Jean Laurendeau, Yves Laurendeau, Carmen et Roland Lebeau, Pierre Lebeuf, Marcelle Leclerc, Colette Legendre, Jean Legendre, Suzanne et André L'Heureux, Léopold Lizotte, Pierre Marin, Daniel Marsolais, Jean Ménard, André Messier, Alexandre Mongeau, Serge Mongeau, Jacques-Victor Morin, Rosaire Morin, Nicole Papillon, Jean-Pierre Paré, Madeleine Parent, Gérard Pelletier, Chantale Perrault, Claude Pételle, Louise Picard, Alain Proulx, Michel Rioux, Paul Rose, Lucie Sansregret, Michel Sawyer, Roland Souchereau, Stéphane Stapiski, Gérard Saint-Denis, Jean-Guy Tétreault, Michelle Thérien, Gaétan Tremblay, Pierre Vadeboncœur, Isabelle Vallée, Léo Veillette et Jean-Yves Vézina.

Tout le personnel de la FATA, des archives du *Journal de Montréal*, de *La Presse*, de l'UQAM et de la Bibliothèque nationale du Québec.

Chronologie

1916   Le 20 décembre, naissance de Michel Chartrand, fils de Marie-Joseph-Louis Chartrand (1867-1944) et Hélène Patenaude (1873-1962), à Outremont, au 97 de la rue McCulloch, angle du boulevard Mont-Royal. Il est le treizième d'une famille de 14 enfants (septième garçon). Ses frères qui le précèdent sont Paul, Lionel, Gabriel, Gaétan, Gérard et Marius. Quant aux filles, la plus vieille, Lilianne (Lili) est suivie de : Adrienne, Stella, Lucienne, Myrielle, Yvette et la quatorzième, Jacqueline.
        Louis Chartrand est à l'emploi du gouvernement du Québec à titre de vérificateur au palais de justice de Montréal. Il assumera cette fonction durant 44 années. Ni bleu ni rouge (selon les partis politiques), il est... nationaliste !

1921   Michel vit quelques mois au centre-ville de Montréal, rue Labelle, et y rencontre des personnages un peu étranges pour lui vu son très jeune âge, en plein *Red Light*...

1922   Classe préparatoire à l'école Dollard, à Outremont, dirigée par les frères maristes qu'il apprécie beaucoup.

1925   Michel fait son entrée à l'Académie Querbes, à Outremont, dirigée par des clercs de Saint-Viateur : il est en 4e année et Pierre Elliott Trudeau, futur premier ministre du Canada et parrain de la *Loi des mesures de guerre* promulguée en octobre 1970, est inscrit, lui, aux classes de langue anglaise.

1926   Michel poursuit ses études à l'Académie Querbes.

1929   Entrée au collège Brébeuf, en Éléments latins. Pierre Elliott Trudeau y est aussi inscrit...
        Il n'aime pas ce collège et trouve ses professeurs incompétents. Il y fait des études médiocres, demande à être changé de collège.

1931   Pensionnaire au collège de Sainte-Thérèse où il ne trouve pas d'intérêt et se réfugie dans la lecture. Il lit beaucoup, habitude qu'il a toujours conservée. Il donne des cours de grec.

1933   5 septembre. Entrée à la Trappe d'Oka. Il est moine de chœur. Il effectue des travaux manuels, médite et prie. La vie qu'il y mène, lui, « un homme de parole », se déroule dans un silence de chaque instant.

1935   8 octobre. Il quitte la Trappe d'Oka.

1936   Il travaille bénévolement à la Jeunesse indépendante catholique (JIC) du diocèse de Montréal.

Il profite de ses soirs libres pour suivre différents cours, entre autres à l'École des métiers, dans le secteur de l'imprimerie (l'actuel cégep Ahuntsic, rue Saint-Hubert, angle Legendre, à Montréal). Il apprend son métier de typographe chez les frères des Écoles chrétiennes.

Michel devient secrétaire des Jeunesses patriotes (groupe nationaliste). Il quitte ce mouvement lorsque celui-ci décide d'appuyer Maurice Duplessis aux élections suivantes.

1938   Voyage en Abitibi avec la colonie Dollard-des-Ormeaux à Saint-Dominique-de-Béarn, sous les auspices de l'ACJC (Action catholique de la jeunesse canadienne, qui deviendra plus tard la JIC ; l'ACJC était une sorte de fédération qui chapeautait les autres mouvements). Il voit de jeunes ex-chômeurs de la région de Montréal venus s'établir en ce pays de roches y mourir de fièvre thyphoïde, mort attribuable à l'eau contaminée de la rivière, elle-même empoisonnée par le déversement de produits toxiques provenant des compagnies mêmes qui exploitent ces travailleurs. Prise de conscience : un gouvernement dit catholique et canadien-français, à cette époque, se permettait d'être complice de cela et laissait, sans mot dire, mourir ces jeunes travailleurs. À son retour à Montréal, il adhère à l'Action libérale nationale (ALN) avec Paul Gouin, dissident du groupe dirigé par Maurice Duplessis.

1939   Inscrit à la faculté des sciences sociales, économiques et politiques de l'Université de Montréal.

Organisateur aux élections provinciales du Québec au sein du parti politique l'Action libérale nationale.

1940   Il devient dirigeant de la JIC, organisation chapeautée par des ecclésiastiques, et participe aussi aux Jeunesses patriotes.

Avec ses parents, il déménage à Montréal au 288, carré Saint-Louis.

Il fait la rencontre d'André Laurendeau, qui deviendra chef du Bloc populaire canadien (BPC).

Il suit des cours d'histoire de l'abbé Lionel Groulx à l'Université de Montréal, rue Saint-Denis, à Montréal, et fréquente l'École des sciences sociales du père Lévesque.

1941 Janvier. Un mois d'entraînement militaire à Huntingdon. Il a été renvoyé du *Canadian Officer Training Corps* (COTC) pour avoir refusé de remplir et de signer les formulaires d'engagement pour service actif imprimés uniquement en anglais.

Le 14 février, jour de la Saint-Valentin, fiançailles non officielles avec Simonne Monet, à Sainte-Adèle. Michel a 25 ans.

Président gérant fondateur de la coopérative *La Bonne Coupe*, avec son futur beau-frère Joachim Cornellier. Il se met à la recherche d'une manufacture à Sherbrooke pour les besoins de la coop.

Il se lie à Alfred Rouleau (qui deviendra président du Mouvement Desjardins), membre de la JIC, et, au mois de juin, il voyage avec lui dans la région du Saguenay–Lac-Saint-Jean afin de parler de coopératisme et de tenter de fonder des coopératives de fabrique de vêtements.

Il milite au sein du mouvement coopératif « Maître chez nous ».

En juillet, il est conscrit dans le COTC, corps-école des officiers de l'Université de Montréal au camp militaire de Saint-Jean.

Octobre. Retraite spirituelle au monastère cistercien d'Oka pour réfléchir sur le mariage chrétien.

Il poursuit ses cours du soir à l'Institut canadien d'orientation professionnelle.

1942 17 février. Mariage de Simonne Monet et de Michel Chartrand à la chapelle de l'église Notre-Dame de Montréal. Le mariage est béni par le chanoine Lionel Groulx.

Septembre. Membre fondateur de la Ligue de défense du Canada et du Bloc populaire.

Il travaille à un plébiscite contre la conscription, chez les étudiants, avec François-Albert Angers, André Laurendeau et Philippe Girard, organisateur à la CTCC (ancêtre de la CSN), la Confédération des travailleurs catholiques du Canada.

Quelque 10 000 personnes assistent à un rassemblement de la Ligue de défense du Canada, au marché Saint-Jacques, à Montréal. Il participe à l'organisation.

Henri Bourassa, fondateur du journal *Le Devoir*, fait un discours à cette occasion ; le « vieux chef » nationaliste a 78 ans. Organisateur, avec Marc Carrière (qui sera emprisonné quelques mois), de la campagne du candidat des conscrits, Jean Drapeau, jeune avocat, contre le général Laflèche dans la circonscription d'Outremont, à l'élection partielle du 30 novembre 1942. Michel s'y fait remarquer par son style oratoire.

Travail à plein temps comme typographe à la boutique de son père, l'*Imprimerie Stella*, rue de Brésole, dans le Vieux-Montréal, jusqu'en 1949.

1943   11 mars. Naissance du premier enfant : Marie-Mance-Micheline.

1944   30 janvier. Naissance d'un deuxième enfant : Hélène.

Participe, en compagnie de Simonne, à l'École des parents. Michel fait la rencontre du chercheur Burton Ledoux, lequel s'intéresse aux maladies industrielles comme la silicose.

6 novembre. Le père de Michel, Louis Chartrand, meurt à l'âge de 77 ans.

8 décembre. Naissance d'un troisième enfant : Marie-Andrée.

Celle-ci mourra accidentellement, le 3 mars 1971, à l'âge de 26 ans. Michel venait alors tout juste d'être libéré, après une détention de quatre mois à Parthenais, le 16 février 1971, après avoir été emprisonné le 16 octobre 1970 en vertu de la *Loi des mesures de guerre*.

1945   Candidat du Bloc populaire canadien aux élections fédérales du 11 juin 1945, dans la circonscription de Chambly-Rouville. Il aborde les thèmes de la dépendance économique.

1946   Participe à la fondation de la Caisse populaire Desjardins de Montréal-Sud (Longueuil).

Le 1er février, naissance d'un quatrième enfant, le premier garçon : Louis-Lionel-Alain, Louis en l'honneur du père de Michel, Lionel en l'honneur du chanoine Lionel Groulx et d'un frère de Michel, décédé, et Alain en l'honneur du grand-père de Simonne

Michel suit des cours donnés par le chanoine Lionel Groulx à l'École sociale populaire.

1948   Par un article de Berton Ledoux, publié dans le numéro de *Relations* de mars 1948, il découvre l'horreur de « l'abattoir humain » de Saint-Rémi-d'Amherst (Laurentides) où des dizaines de mineurs de la mine de kaolin sont morts de silicose.

3 janvier. Naissance d'un cinquième enfant : Suzanne-Geneviève.

1949   13 février. Début de la grève des 5000 travailleurs de l'amiante à Thetford-Mines et à Asbestos. Il fait plusieurs voyages à Asbestos pour encourager les grévistes.

Il se documente sur le syndicalisme.

1950   En septembre, il participe pour la première fois au congrès de la CTCC (la CSN) à Sherbrooke.

Il est organisateur pour la Fédération nationale du vêtement de la CTCC, d'août 1950 à décembre 1951.

1951   Il travaille dans la région de Victoriaville et de Shawinigan pour la Fédération nationale du vêtement de la CTCC et devient agent d'affaires au Conseil central de Shawinigan. Il assume cette fonction jusqu'en février 1952.

Il intervient dans la grève des travailleurs de l'*Alcan* de Shawinigan et est arrêté par la Police provinciale.

1952   Il travaille encore pour la Fédération nationale du vêtement de la CTCC à Victoriaville, à Sherbrooke (grève des employées de la *Classon*).

Responsable de la mobilisation des syndiqués de Shawinigan et de Grand-Mère pour les travailleurs et travailleuses de la *Wabasso*.

Il devient agent d'affaires pour le syndicat de *Rubin* à Sherbrooke. Grève. Chroniques radiophoniques deux fois par semaine. Arrestations, procès et incarcération de février à juin.

En septembre, il participe au congrès de la CTCC à Shawinigan et il décline sa mise en nomination au poste de deuxième vice-président de la CTCC.

2 mai. Début de la grève chez *Dupuis et Frères*. Grève tumultueuse pour la reconnaissance du syndicat.

Après la grève, en juin, il devient agent d'affaires pour le Syndicat du commerce (dont fait partie le Syndicat des employés de *Dupuis et Frères*). Il occupera ce poste jusqu'en septembre 1953, puis y reviendra de façon intermittente jusqu'en 1957.

Participe à l'organisation du syndicat des travailleurs du textile de la *Celanese* à Sorel.

Organise des séances de formation syndicale pour la CTCC avec le responsable, Fernand Jolicœur.

10 décembre. Proclamation de la *Loi de l'émeute* à Louiseville. Après la levée de la *Loi de l'émeute,* Michel revient au local du syndicat des travailleurs et y voit les murs maculés du sang des travailleurs battus par les policiers.

1953   Membre fondateur du Syndicat des permanents (employés) de la CTCC, le 15 mai, et il est élu membre du premier comité de direction du syndicat.

Engagé comme propagandiste temporaire à la CTCC. Congédié puis rétabli dans ses fonctions à la suite de la décision du tribunal d'arbitrage présidé par Pierre Elliott Trudeau, en octobre 1954. Jean Marchand, alors secrétaire général de la CTCC, s'était opposé à sa réembauche, après quelques accrochages…

De 1954 à 1957, il sera deux fois remercié par la CTCC — disons plutôt par Marchand — et il gagnera ses deux arbitrages. La première décision arbitrale est signée par Pierre Elliott Trudeau et la seconde, par Me Théo L'Espérance.

21 avril. Naissance d'un sixième enfant : Madeleine.

1954   En septembre, il participe au congrès de la CTCC, à Montréal. Il se présente au poste de secrétaire général contre Jean Marchand. Marchand domine. Chartrand est battu.

9 juillet. Naissance du septième et dernier enfant : Dominique.

30 octobre. Il démissionne de son poste d'organisateur au sein de la CTCC.

1955   Travaille au Conseil central de Shawinigan comme conseiller technique. Il participe à la grève des travailleurs de la *Consolidated Paper* (division *Belgo*), la Belgo.

1955 et Sept arrestations, sept incarcérations, trois condamnations,
1956   dont une rejetée par la cour d'appel ; les deux autres condamnations attendent toujours une décision ; elles sont toujours pendantes.

1956   Conseiller technique du Conseil central de Shawinigan-Grand-Mère pour les grévistes de *Canadian Resins, Canadian Carborandum, Dupont.*

À la radio, il anime une série de tribunes téléphoniques dans la région de la Mauricie.

De juillet à décembre, il décide d'aller travailler dans l'organisation-information pour les Métallos de la FTQ à Rouyn-Noranda. Il est responsable de l'éducation syndicale.

Sollicité par Jean-Paul Geoffroy, Gérard Pelletier et Pierre Trudeau, il adhère à la CCF (*Cooperative Commonwealth Federation*), chez Mme Thérèse Casgrain.

En août, il participe, à Winnipeg, au Conseil national de la CCF. Par la suite, la CCF devient au Québec le Parti social-démocrate (PSD). Michel en est le chef provincial.

Candidat aux élections provinciales pour le PSD dans la circonscription de Chambly. Il récolte 877 voix contre 20 031 pour le candidat Robert Théberge du Parti libéral du Québec.

1957   Leader et non plus chef québécois du PSD.

Il participe à la grève des travailleurs de l'*Alcan* à Arvida.

Revient au Syndicat des travailleuses et travailleurs de *Dupuis et Frères* comme agent d'affaires.

Candidat dans Longueuil pour le CCF-PSD (coalition) à l'élection fédérale du 10 juin. Il obtient 1 758 voix. Il est battu.

11 mars. Début de la grève de six mois des travailleurs de la *Gaspé Copper Mines* (Noranda) à Murdochville, membres des Métallurgistes unis d'Amérique (FTQ), sous la présidence de Théo Gagné. Michel s'y rend durant ses vacances et soutient les grévistes. Il participe à 32 assemblées pour parler des conditions de travail et de la compagnie. Il fait une série d'émissions radiophoniques à Matane et à New Carlisle.

Il sera congédié à son retour à Montréal et il devient le « chauffeur » de Gérard Picard, président de la CTCC.

7 septembre. Michel participe à la manifestation de solidarité avec les grévistes de Murdochville devant le parlement de Québec, où Duplessis est toujours au pouvoir : 7 000 manifestants.

1958   Candidat, en mars, à l'élection fédérale dans la circonscription de Lapointe (Arvida) pour le CCF-PSD. Victoire morale : 7 042 voix.

Élu membre du conseil d'administration de la Caisse populaire des Syndicats nationaux de Montréal.

29 décembre. Grève des 75 réalisateurs francophones de la télévision de Radio-Canada à Montréal. Plus de 2 000 syndiqués de la société d'État respectent les piquets de grève, dont les membres de l'Union des artistes (FTQ). L'arrêt de travail mené par la CTCC prend fin le 9 mars 1959.

1959   Participe au congrès national de la CCF à Regina.

Candidat à l'élection partielle provinciale pour le PSD au Lac–Saint-Jean : il recueille 3 286 votes. Victoire du candidat de l'Union nationale (avec Duplessis au pouvoir), qui obtient 8 489 voix.

Retourne à l'imprimerie.

1960   Aménage une imprimerie (les Presses sociales) dans un local près du PSD à Montréal, puis en loue une dans le Vieux-Montréal, angle Saint-François-Xavier et Saint-Alexandre.

Voyage dans l'Ouest canadien, participe au congrès de la CCF à Winnipeg.

28 septembre. La CTCC devient la Confédération des syndicats nationaux (CSN).

1962   26 janvier. Mort de la mère de Michel, Mme Hélène Patenaude-Chartrand, à l'âge de 89 ans.

Il publiera Gilles Vigneault, Pierre Vadeboncœur, Claude Péloquin, la revue *Our Generation Against Nuclear War* de Dimitri Roussopoulos, la *Revue socialiste* et le journal *Le Peuple*, organe du Parti socialiste du Québec (le PSQ, dont il sera président), des recueils de poésie, dont le premier recueil de poésie de Denis Vanier, *Je*, et des conventions collectives de travail.

1963   Participe à la «Marche pour la paix», depuis la ville de Québec jusqu'à l'extrême sud de la Floride.

Il est arrêté pour avoir distribué des tracts sur la voie publique, à Trois-Rivières, avec sa fille Marie-Andrée.

8 décembre. Membre fondateur du Parti socialiste du Québec (PSQ) après la rupture avec le NPD sur la question du Québec à l'intérieur du Canada et sur les armes nucléaires. Il devient le premier président du PSQ.

Assiste comme observateur au congrès du Rassemblement pour l'indépendance nationale (RIN).

En décembre, il passe par le Mexique pour aller à Cuba avec un groupe de sympathisants de la révolution cubaine.

1964   Il imprime *Socialisme 64*, revue à laquelle il collabore et qui deviendra *Socialisme québécois* en 1974.

Dissolution du PSQ.

1965   Participe à une assemblée publique, à Montréal, pour célébrer le 1er Mai, fête des travailleurs. Reprise d'une tradition internationale abandonnée en Amérique du Nord depuis la guerre.

1966   Il participe aux assises préliminaires des États généraux du Canada français, les 25, 26 et 27 novembre, à Montréal.

1967   Il est engagé dans le mouvement Solidarité avec le Viêt-
        nam.
        Il participe aux premiers États généraux du Canada fran-
        çais, du 23 au 26 novembre, à Montréal.
1968   Retour au syndicalisme.

Table

CET OUVRAGE
COMPOSÉ EN PALATINO CORPS DOUZE SUR QUATORZE
A ÉTÉ ACHEVÉ D'IMPRIMER
LE CINQ NOVEMBRE
MIL NEUF CENT QUATRE-VINGT-DIX-NEUF
CINQUANTE-SEPT JOURS AVANT L'AN DEUX MILLE
SUR LES PRESSES DE L'IMPRIMERIE L'ÉCLAIREUR
À BEAUCEVILLE
POUR LE COMPTE DE
LANCTÔT ÉDITEUR.

IMPRIMÉ AU QUÉBEC (CANADA)